目次

群星の巻（つづき） 7
草莽の巻 240
三国志地図 488
註解 490
転換期に即応する文学　松下幸之助 493
三国志の旅(二)　尾崎秀樹 495

三国志（二）

群星の巻（つづき）

白馬将軍

一

さて、その後。

——焦土の洛陽に止まるも是非なしと、諸侯の兵も、ぞくぞく本国へ帰った。

袁紹も、兵馬をまとめて一時、河内郡（河南省・懐慶）へ移ったが、大兵を擁していることとて、立ちどころに、兵糧に窮してしまった。

「兵の給食も、極力、節約を計っていますが、このぶんでゆくと、今に乱暴を始め出して、民家へ掠奪に奔るかもしれません。さすれば将軍の兵馬は、たちまち土匪と変じます。昨日の義軍の総帥もまた、土匪の頭目と人民から見られてしまうでしょう」

兵糧方の部将は、それを憂いて幾たびも、袁紹へ、対策を促した。

袁紹も、今は、見栄を張っていられなくなったので、

「では、冀州（河北省・中南部）の太守韓馥に、事情を告げて、兵糧の資を借りにやろう」

と、書状を書きかけた。

すると、逢紀という侍大将のひとりが、そっと、進言した。

「大鵬は天地に縦横すべしです。なんで区々たる窮策を告げて、人の資などおたのみになるのでござるか」

「逢紀か。いや、ほかに策があれば、なにも韓馥などに借米はしたくないが、なにか汝に名案があるのか」

「ありますとも。冀州は富饒の地で、粮米といわず金銀五穀の豊富な地です。よろしく、この国土を奪取して、将来の地盤となさるべきではありますまいか」

「それはもとより望むところだが、どういう計をもってこれを奪るか」

「ひそかに北平（河北省・満城附近）の太守公孫瓚へ使いを派し、冀州を攻って、これを割け奪りにしようではないか。――そういってやるのです」

「むム」

「必ずや、公孫瓚も食指をうごかすでしょう。そうきたら、将軍はまた、一方韓馥へも内通して、力とならんといっておやりなさい。臆病者の韓馥は、きっと将軍にすがります。――その後の仕事は掌にありというものでしょう」

袁紹は歓んで直ちに、逢紀の献策を、実行に移した。

冀州の牧、韓馥は、袁紹から書面を受けて、何事かとひらいてみると、

（北平の公孫瓚、ひそかに大兵を催し、貴国に攻め入らんとしておる。兵備、怠り給うな）

という忠言だった。

もちろん、その袁紹が、一方では公孫瓚を使嗾しているなどとは知らないので、韓馥は大いに驚いて、群臣と共に、どうしたものかと、評議にかけた。

「この忠言をしてくれた袁紹は、先に十八ヵ国の軍にのぞんで総帥たる人。また、智勇衆望も高い名門の人物。よろしくこの人のお力を頼んで、慇懃、冀州へお迎えあるがしかるべきでございましょう。――袁紹お味方と聞えなば、公孫瓚たりといえども、よも手出しはできますまい」

群臣の重なる者は、みなその意見だった

韓馥も、また、「それはよからん」と、同意した。

ひとり長史耿武は、憤然と、その非をあげて諫めた。

けれど、彼の直言は、用いられなかった。評定は紛論におちいり、耿武の力説を正しとして、席を蹴って去る者三十人に及んだ。

耿武も遂に、用いられないことを知って、

「やんぬる哉！」と、即日、官をすてて姿をかくした。

けれど、彼は忠烈な士であったから、みすみす主家の亡ぶのを見るに忍びず、日を待

って、袁紹が冀州へ迎えられる機会をうかがっていた。

袁紹はやがて、韓馥の迎えによって、堂々と、国内の街道へ兵馬を進めてきた。――

忠臣耿武は、その日を剣を握って、道の辺の木陰に待ちかまえていた。

二

耿武は、身を挺して、袁紹を途上に刺し殺し、そして君国の危殆を救う覚悟だった。

すでに袁紹の列は目の前にさしかかった。

耿武は、剣を躍らせて、

「汝、この国に入るなかれ」

と、さけんで、やにわに、袁紹の馬前へ近づきかけた。

「狼藉者っ」

侍臣たちは、立騒いで防ぎ止めた。大将顔良は、耿武のうしろへ廻って、

「無礼者っ」と、一喝して斬りさげた。

耿武は、天を睨んで、

「無念」と云いざま、剣を、袁紹のすがたへ向って投げた。

剣は、袁紹を貫かずに、彼方の楊柳の幹へ突刺さった。

袁紹は、無事に冀州へ入った。太守韓馥以下、群臣万兵、城頭に旌旗を掲げて、彼を国の大賓として出迎えた。

袁紹は、城府に居すわると、

「まず、政を正すことが、国の強大を計る一歩である」

と、太守韓馥を、奮武将軍に封じて、態よく、自身が藩政を執り、もっぱら人気取りの政治を布いて、田豊、沮授、逢紀などという自己の腹心を、それぞれ重要な地位へつかせたので、韓馥の存在というものはまったく薄らいでしまった。

韓馥は、臍を噛んで、

「ああ、われ過てり。——今にして初めて、耿武の忠諌が思いあたる」

と、悔いたが、時すでに遅しであった。彼は日夜、懊悩煩悶したあげく、終に陳留へ奔って、そこの太守張邈の許へ身を寄せてしまった。

一方。

北平の公孫瓚は、「かねての密約」と、これも袁紹の前言を信じて、兵を進めて来たが、冀州はもう袁紹の掌に落ちているので、弟の公孫越を使者として、

「約定のごとく、冀州は二分して、一半の領土を当方へ譲られたい」

と、申込むと、袁紹は、

「よろしい。しかし、国を分つことは重大な問題だから、公孫瓚自身参られるがよい。必ず、約束を履行するであろう」と、答えた。

公孫越は満足して、帰路についたが、途中、森林のうちから雨霰の如き矢攻めに遭って、無残にも、立往生のまま射殺されてしまった。

それと聞えたので、公孫瓚の怒りは、いうまでもないこと。一族みな、血をすって、袁紹の首を引っさげずに、なんで、再び郷土の民にまみえんや――とばかり盤河の橋畔まで押して来た。

橋を挟んで、冀州の大兵も、ひしめき防いだ。中に袁紹の本陣らしい幡旗がひるがえって見える。

公孫瓚は、橋上に馬をすすませて、大音に、

「不義、破廉恥、云いようもなき人非人の袁紹、いずこにあるぞ。――恥を知らば出でよ」

と、いった。

「何を」と、袁紹も、馬を躍らせて来て、共に盤河橋を踏まえ、

「韓馥は、身不才なればとて、この袁紹に、国を譲って、閑地へ後退いたしたのだ。――破廉恥とは、汝のことである。他国の境へ、狂兵を駆り催してきて、なにを掠め奪らんとする気か」

「だまれっ袁紹。先つ頃は、共に洛陽に入り、汝を忠義の盟主と奉じたが、今思えば、天下の人へも恥かしい。狼心狗行の曲者めが、なんの面目あって、太陽の下に、いけ図々しくも、人間なみな言を吐きちらすぞ」

「おのれよくも雑言を。――誰かある、彼奴を生擒って、あの舌の根を抜き取れ」

三

文醜は、袁紹の旗下で豪勇第一といわれている男である。身丈七尺をこえ、面は蟹のごとく赤黒かった。

大将袁紹の命に、

「おうっ」

と、答えながら、橋上へ馬を飛ばして来るなり、公孫瓚へ馳け向って戦を挑んで来た。

「下郎、推参」

槍を合わせて、公孫瓚も怯まず争ったが、とうてい、文醜の敵ではなかった。

——これは敵わじ。

と思うと、公孫瓚は、橋東の味方のうちへ、馬を打って逃げこんでしまった。

「汚し」と文醜は、敵の中軍へ割って入り、どこまでも、追撃を思い止まらなかった。

「遮れ」

「やるな」と、大将の危機と見て、公孫瓚の旗下、侍大将など、幾人となく、彼に当り、また幾重となく、文醜をつつんだが、みな蹴ちらされて、死屍累々の惨状を呈した。

「おそろしい奴だ」

公孫瓚は、胆（きも）を冷やして、潰走する味方とも離れて、ただ一騎、山間の道を逃げ走ってきた。

すると後ろで、

「生命（いのち）おしくば、馬を降りて、降伏しろ。今のうちなら、生命だけは助けてくれよう」

またも文醜の声がした。

公孫瓚は、手の弓矢もかなぐり捨てて、生きた心地もなく、馬の尻を打った。馬はあまりに駆けたため、岩につまずいて、前脚を折ってしまった。

当然、彼は落馬した。

文醜はすぐ眼の前へ来た。

「やられた！」

観念の眼をふさぎながら、剣を抜いて起きなおろうとした時、何者か、上の崖から飛下りた一個の壮漢が、文醜の前へ立ちふさがるなり、物もいわず七、八十合も槍を合わせて猛戦し始めたので、「天の扶け」とばかり公孫瓚は、その間に、山の方へ這い上がって、からくも危うい一命を拾った。

文醜もついに断念して、引っ返したとのことに、公孫瓚は、兵を集めて、さて、

「きょう不思議にも、自分の危ういところを助けてくれた者は、一体どこの何人（なんぴと）か」

と、部将に問うて、各〻の隊を調べさせた。

やがて、その人物は、公孫瓚の前にあらわれた。しかし、味方の隊にいた者ではな

く、まったくただの旅人だということが知れた。

「ご辺は、どこへ帰ろうとする旅人か」

公孫瓚の問いに、

「それがしは、常山真定（河北省・正定の附近）の生れゆえ、そこへ帰ろうとする者です。趙雲、字は子龍と云います」

眉濃く、眼光は大に、見るからに堂々たる偉丈夫だった。

趙子龍は、つい先頃まで、袁紹の幕下にいたが、だんだんと袁紹のすることを見ているに、将来長く仕える主君でないと考えられてきたので、いっそ故郷へ帰ろうと思いここまで来たところだとも云い足した。

「そうか。この公孫瓚とても、智仁兼備の人間ではないが、ご辺に仕える気があるなら、力を協せて、共に民の塗炭の苦しみを救おうではないか」

公孫瓚のことばに、趙子龍は、

「ともかく、止まって、微力を尽してみましょう」と、約した。

公孫瓚は、それに気を得て、次の日、ふたたび盤河の畔に立ち、北国産の白馬二千頭を並べて、大いに陣勢を張った。

公孫瓚が、白い馬をたくさん持っていることは、先年、蒙古との戦に、白馬一色の騎馬隊を編制して、北の胡族を打破ったので、それ以来、彼の「白馬陣」といえば、天下に有名になっていた。

四

「やあ、なかなか偉観だな」

対岸にある袁紹は、河ごしに、小手をかざして、敵陣をながめながら云った。

「顔良、文醜」

「はっ」

「ふたりは、左右ふた手にわかれて、両翼の備えをなせ。また、屈強の射手千余騎に、麴義を大将として、射陣を布け」

「心得ました」

命じておいて、袁紹は旗下一千余騎、弩弓手五百、槍戟の歩兵八百余に、幡、旒旗、大旆などまんまるになって中軍を固めた。

大河をはさんで、戦機はようやく熟して来る。東岸の公孫瓚は、敵のうごきを見て、部下の大将厳綱を先手とし、帥の字を金線で繡った紅の旗をたて、

「いでや」と、ばかり河畔へひたひたと寄りつめた。

公孫瓚は、きのう自分の一命を救ってくれた趙雲子龍を非凡な人傑とは思っていたが、まだその心根を充分に信用しきれないので、厳綱を先手とし、子龍にはわずか兵五百をあずけて、後陣のほうへまわしておいた。

両軍対陣のまま、辰*の刻から巳の刻の頃おいまで、ただひたひたと河波の音を聞くば

かりで、戦端はひらかれなかった。

公孫瓚は、味方をかえりみて、「果てしもない懸引き、思うに、敵の備えは虚勢とみえる。一息に射つぶして、盤河橋をふみ渡れ」と、号令した。

たちまち、飛箭は、敵の陣へ降りそそいだ。

時分はよしと、東岸の兵は、厳綱を真っ先にして、橋をこえ、敵の先陣、麴義の備えへどっと当って行った。

鳴りをしずめていた麴義は、合図ののろしを打揚げて、顔良、文醜の両翼と力をあわせ、たちまち、彼を包囲して大将厳綱を斬って落し、その「帥」の字の旗を奪って、河中へ投げこんでしまった。

公孫瓚は、焦心だって、

「退くなっ」

と、自身、白馬を躍らして、防ぎ戦ったが、麴義の猛勢に当るべくもなかった。のみならず、顔良、文醜の二将が、「あれこそ、公孫瓚」と目をつけて、厳綱と同じように、ふくろづつみに巻いて来たので、公孫瓚は、歯がみをしながら、またも、崩れ立つ味方にまじって逃げ退いた。

「戦は、勝ったぞ」と、袁紹は、すっかり得意になって、顔良、文醜、麴義などの奔突してゆく後ろから、自身も、盤河橋をこえて、敵軍の中を荒しまわっていた。

さんざんなのは、公孫瓚の軍だった。一陣破れ、二陣潰え、中軍は四走し、まったく支離滅裂（しりめつれつ）にふみにじられてしまったが、ここに不可思議な一備えが、後詰にあって、林のごとく、動かず騒がず、森（しん）としていた。

その兵は、約五百ばかりで、主将はきのう身を寄せたばかりの客将、趙雲子龍その人であった。

なんの気もなく、

「あれ踏みつぶせ」と、麴義は、手兵をひいて、その陣へかかったところ、突如、五百の兵は、あたかも蓮花（はちす）の開くように、さっと、陣形を展（ひろ）げたかと見るまに、掌（て）に物を握るごとく、敵をつつんで、八方から射浴びせ突き殺し、あわてて駒を返そうとする麴義を見かけるなり、趙子龍は、白馬を飛ばして、馬上から一気に彼を槍で突き殺した。

白馬の毛は、紅梅の落花を浴びたように染まった。きのう公孫瓚から、当座の礼としてもらった駿足である。

子龍は、なおも進んで敵の文醜、顔良の二軍へぶつかって行った。にわかに、対岸へ退こうとしても、盤河橋の一筋しか退路はないので、河に墜ちて死ぬ兵は数知れなかった。

五

深入りした味方が、趙子龍のために粉砕されたとはまだ知らない——袁紹（えんしょう）であった。

盤河橋をこえて、陣を進め、旗下三百余騎に射手百人を左右に備え立て、大将田豊（でんほう）と

駒をならべて、

「どうだ田豊。――公孫瓚も口ほどのものでもなかったじゃないか」

「そうですな」

「白馬二千を並べたところは、天下の偉観であったが、ぶッつけてみると一たまりもない。旗を河へ捨て、大将の厳綱を打たれ、なんたる無能な将軍か。おれは今まで彼を少し買いかぶっておったよ」

云っているところへ、俄雨のように、彼の身のまわりへ敵の矢が集まって来た。

「や、や、やっ」

袁紹は、あわてて、

「何処にいる敵が射てくるのか」と、急に備えを退いて、楯囲い(たてがこい)の中へかけ込もうとすると、

「袁紹を討って取れ」

とばかり、趙雲の手勢五百が、地から湧いたように、前後から攻めかかった。

田豊は、防ぐに遑(いとま)もなく、あまりに迅速な敵の迫力にふるい恐れて、

「太守、太守、ここにいては、流れ矢にあたるか、生擒(いけど)られるか、滅亡をまぬかれません。――あれなる盤河橋の崖の下まで退いて、しばらくお潜(ひそ)みあるがよいでしょう」

袁紹は、後ろを見たが、後ろも敵であった。しかも、敵の矢道は、縦横に飛び交っているので、

「今は」と、絶体絶命を観念したが、いつになく奮然と、着たる鎧を地に脱ぎ捨て、

「大丈夫たるもの、戦場で死ぬのは本望だ。物陰にかくれて流れ矢になどあたったらよい物笑い。なんぞ、この期に、生きるを望まん」と、叫んだ。

身軽となって真っ先に、決死の馬を敵中へ突き進ませ、

「死ねや、者ども」

とばかり力闘したので、田豊もそれに従い、他の士卒もみな獅子奮迅して戦った。

かかるところへ逃げ崩れて来た顔良、文醜の二将が、袁紹と合体して、ここを先途としのぎを削ったので、さしも乱れた大勢を、ふたたび盛り返して、四囲の敵を追い、さらに勢いに乗って、公孫瓚の本陣まで迫って行った。

この日。

両軍の接戦は、実に、一勝一敗、打ちつ打たれつ、死屍は野を埋め、血は大河を赤くするばかりの激戦で、夜明け方から午過ぐる頃まで、いずれが勝ったとも敗れたとも、乱闘混戦を繰返して、見定めもつかないほどだった。

今しも。

趙雲の働きによって、味方の旗色は優勢と——公孫瓚の本陣では、ほっと一息していたところへ、怒濤のように、袁紹を真っ先として、田豊、顔良、文醜などが一斉に突入して来たので、公孫瓚は、馬をとばして、逃げるしか策を知らなかった。

その時。

轟然と、一発の狼煙は、天地をゆすぶった。

碧空をかすめた一抹の煙を見ると、盤河の畔は、みな袁紹軍の兵旗に満ち、鼓を鳴らし、鬨をあげて、公孫瓚の逃げ路を、八方からふさいだ。

彼は生きたそらもなかった。

二里――三里――無我夢中で逃げ走った。

袁紹は勢いに乗じて急追撃に移ったが、五里余りも来たかと思うと、突如、山峡の間から、一彪の軍馬が打って出て、

「待ちうけたり袁紹。われは平原の劉玄徳――」

と、名乗る後から、

「速やかに降参せよ」

「死を取るや、降伏を選ぶや」

と、関羽、張飛など、平原から夜を日に次いで駆けつけて来し輩が、一度に喚きかかって来た。

袁紹は、仰天して、

「すわや、例の玄徳か」と、われがちに逃げ戻り、人馬互いに踏み合って、後には、折れた旗、刀の鞘、兜、槍など、道に満ち散っていた。

六

闘い終って。

公孫瓚は、劉玄徳を、陣に呼び迎え、

「きょうの危機に、一命を拾い得たのは、まったくご辺のお蔭であった」

と、深く謝して、また、「先にも、自分の危ういところを、折よく救ってくれた一偉丈夫がある。ご辺とはきっと心も合うだろう」と、趙子龍を迎えにやった。

子龍はすぐ来て、

「何か御用ですか」と、いった。

公孫瓚は、

「この人物です」と、玄徳へ紹介して、きょうの激戦で目ざましい働きをした子龍の用兵の上手さや、その人がらを、口を極めてたたえた。

子龍は、大いに羞恥って、

「太守、それがしを召しおいて、知らぬ人の前なのに、そうおからかいになるものではありません。穴でもあらば、隠れたくなります」と、謙遜した。

星眸濶面の見るからに威容堂々たる偉丈夫にも、童心のような羞恥のあるのをながめて、玄徳は思わずほほ笑んだ。

その笑みを見て、趙子龍も、

「やあ」

ニコと、笑った。

玄徳の秋霜のような眸。彼の和やかな眼光。

それが、初めて相見て、笑みを交わしたのであった。

公孫瓚は、玄徳をさして、

「こちらが、劉備玄徳といって、きょう平原から馳けつけて、自分を扶けてくれた恩人だ。以前から誼みを持って、お互いに扶け合ってきた友人ではあるが」

と、姓名を告げると、趙子龍は、非常に驚いて、

「では、かねがね噂に聞いていた関羽、張飛の二豪傑を義弟に持っておられる劉玄徳と仰せられるのはあなたでありましたか。――これは計らずも、よい折に」

と、機縁をよろこんで、

「それがしは、常山真定の生れで、趙雲、字は子龍ともうす者。仔細あって公太守の陣中にとどまり、微功を立てましたが、まだ若輩の武骨者にすぎません。どうぞ将来、よろしくご指導ください」

と、辞を低うして、慇懃なあいさつをした。

玄徳も、

「いや、ご丁寧に、恐縮なごあいさつです。自分とてもまだ飄々たる風雲の一槍夫。

一片の丹心あるほかは、半国の土地も持たない若年者です。私のほうからこそ、よろしくご好誼をねがいます」

二人は、相見た一瞬に、十年の知己のような感じを持った。

玄徳は、ひそかに、

（これはよい人物らしい。尋常の武骨ではない）

と、心中に頼もしく思い、趙雲子龍も同じように、

（まだ若いようだが、かねて噂に聞いていた以上だ。この劉玄徳という人こそ、将来ある人傑ではあるまいか。——主君と仰ぐならば、このような人をこそ）

と、心から尊敬を抱いた。

玄徳も、子龍も、ふたりともに客分といったような格で、公孫瓚にとっては、その点、すこし淋しい気もしたが、しかし、二人を引合わせて、彼も共にうれしい気がした。

玄徳には、後日の賞を約し、子龍には自分の愛馬——銀毛雪白な一頭を与えて、またの戦いに、協力を励まして別れた。

子龍は、拝領の白馬にまたがって、わが陣地へ帰って行ったが、意中に強く印象づけられたものは、公孫瓚の恩ではなく、玄徳の風貌だった。

溯江

一

遷都以後、日を経るに従って、長安の都は、おいおいに王城街の繁華を呈し、秩序も大いにあらたまって来た。

董卓の豪勢なることは、ここへ遷ってからも、相変らずだった。

彼は、天子を擁して、天子の後見をもって任じ、位は諸大臣の上にあった。自ら太政相国と称し、宮門の出入には、金花の車蓋に万珠の簾を垂れこめ、轣音揺々と、行装の綺羅と勢威を内外に誇り示した。

ある日。

彼の秘書官たる李儒が、彼に告げた。

「相国」

「なんじゃ」

「先頃から、袁紹と公孫瓚とが、盤河を挟んで戦っていますが」

「ム。そうらしいな。どんな形勢だ」

「袁紹のほうが、やや負け色で、盤河からだいぶ退いたようですが、なお、両軍とも対陣のまま、一ヵ月の余も過しております」

「やるがいい、両軍とも、わしに叛いたやつだ」

「いや、ここ久しく、朝廷においても、遷都後の内政にいそがしく、天下の事は抛擲した形になっていますが、それでは、帝室のご威光を遍からしめるわけにゆきません」

「なにか、策があるのか」

「相国から奏上して、天子の詔をうけ、勅使を盤河へつかわして、休戦をすすめ、両者を和睦させるべきかと存じます」

「なるほど」

「両方とも、おびただしい痛手をうけて、戦い疲れている折ですから、和睦の勅使を下せば、よろこんで承知するでしょう。――そしてその恩徳は、自然、相国へ対して、帰服することとなって来ましょう」

「大きにもっともだ」

董卓は、早速、帝に奏して、詔を奏請し、太傅馬日磾、趙岐のふたりを勅使として関東へ下した。

勅使馬太傅は、まず袁紹の陣へ行って、旨を伝え、それから公孫瓚の所へ行って、董相国の和解仲裁の意をもたらした。

「袁紹さえ異存なくば」

と、一方がいえば、一方も、

「彼が兵を退くならば」

との云い分で、両方とも、渡りに舟とばかり、勅命に従った。

そこで馬太傅は、盤河橋畔の一亭に、両軍の大将をよんで、手を握らせ、杯を交わしあって、都へ帰った。

袁紹も、公孫瓚も、同日に兵馬をまとめて、おのおの帰国したが、その後、公孫瓚は、長安へ感謝の表を上せて、そのついでに、劉備玄徳を、平原の相に封じられたいという願いを上奏した。

朝廷のゆるしは間もなく届いた。公孫瓚は、それを以て、

「貴下に示す自分の微志である」と、玄徳に酬いた。

玄徳は、恩を謝して、平原へ立つことになったが、その送別の宴が開かれて、散会した後、ひそかに、彼の宿舎を訪れて来た者がある。趙雲子龍であった。

子龍は、玄徳の顔を見ると、

「もう、今宵かぎり、お別れですなあ」

と、いかにも名残り惜しげに、眼に涙すらたたえて云った。

そして、いつまでも、話しこんで帰ろうともしなかったが、やがて思いきったよう

に、子龍は云いだした。

「劉兄。——明日ご出発のみぎりに、それがしも共に平原へ連れて行ってくれませんか。こう申しては押しつけがましいが、私は、あなたとお別れするに忍びない。——それほど心中に深くお慕い申しているわけです」

と鬼をあざむく英傑が、処女の如く、さしうつ向いていうのであった。

二

玄徳もかねてから、趙子龍の人物には、傾倒していたので、彼に今、別離の情を訴えられると、

「せっかく陣中でよい友を得たと思ったのに、たちまち、平原へ帰ることになり、なにやら自分もお別れしとうない心地がする」と、いった。

子龍は、沈んだ顔をして、

「実は、それがしは、ご存じの如く、袁紹の旗下にいた者ですが、袁紹が洛陽以来の仕方を見るに、不徳な行為が多いので、ひるがえって、公孫瓚こそは、民を安める英君ならんと、身を寄せた次第です。——ところが、その公孫瓚も、長安の董卓から仲裁の使いをうけると、たちまち、袁紹と和解して、小功に甘んじるようでは、その器もほどの知れたもので、とうてい、天下の窮民を救う英雄とも思われません。まずまず、袁紹とちょうどよい相手といってよいでしょう」

こう嘆いてから、彼は、玄徳に向って、自分の本心を訴えた。

「劉大兄。お願いです。それがしを平原へお伴い下さい。あなたこそ、将来、為すある大器なりと、見込んでのお願いです。……どうぞ、それがしを家臣として行く末までも」

子龍は、床にひざまずいて、真実を面に、哀願した。

玄徳は、瞑目して、考えこんでいたが、

「いや、私はそんな大才ではありません。けれど、将来において、また再会のご縁があったら、親しく今日の誼をまた温めましょう。――今は時機ではありません。私の去った後は、なおのこと、どうか公孫瓚を助けてあげて下さい。時来るまで、公孫瓚の側にいて下さい。それが、玄徳からお願い申すところです」

諭されて、子龍もぜひなく、

「では、時を得ましょう」と、涙ながら後に留まった。

翌日。

玄徳は、張飛、関羽などの率いる一軍の先に立って、平原へ帰った。――即ち、その時から彼は平原の相として、ようやく、一地方の相たる印綬を帯びたのだった。

×　　×　　×

ここに、南陽の太守で、袁術という者がある。

袁紹の弟である。

かつては、兄袁紹の旗下にあって、兵糧方を支配していた男だ。

南陽へ帰ってからも、兄からはなんの恩禄をくれる様子もないので、

「怪しからぬ」と、不平でいっぱいだった。

彼は、書面を送って、

「先頃からの賞として、冀北の名馬千匹を賜わりたい。くれなければ考えがある」

と兄へ申入れた。

袁紹は、弟の強請がましい恩賞の要求に、腹を立てたか、一匹の馬も送ってよこさないばかりか、それについての返辞も与えなかった。

袁術は大いに怨んで、それ以来、兄弟不和となっていたが、兵馬の資財はすべて兄のほうから仰いでいたので、たちまち、経済的に苦しくなって来た。

で、荊州の劉表へ使いをやって、兵糧米二万斛の借用を申しこむと、劉表からも態よく断られてしまった。

「こいつも兄の指し金だな」

袁術は、憤怒を発して、とうとう自暴自棄の兆をあらわした。

彼の密使は、暗夜ひそかに、呉へ渡って、呉の孫堅へ一書を送った。

文面は、こうであった。

異日、印を奪わん為、洛陽の帰途を截ち、公を苦しめたるものは袁紹の謀事なり。

今また、劉表と議し、江東を襲って、公の地を掠めんと企つ。いうに忍びず、た

だ、公は速やかに兵を興して荊州を取れ。われもまた兵を以て助けん。公荊州を得、われ冀州を取らば、二讐一時に報ずるなり。誤ち給うなかれ。

三

ここは揚子江支流の流域で、城下の市街は、海のような太湖に臨んでいた。孫堅のいる長沙城（湖南省）はその水利に恵まれて、文化も兵備も活発だった。

程普は、その日旅先から帰ってきた。

ふと見ると、大江の岸にはおよそ四、五百艘の軍船が並んでおびただしい食糧や武器や馬匹などをつみこんでいるのでびっくりした。

「いったい、どこにそんな大戦が起るというのか」

従者をして、船手方の者にただしてみると、よく分らないが、孫堅将軍の命令が下り次第に、荊州（揚子江沿岸）の方面の戦争にゆくらしいとのことだった。

「はてな」

程普はにわかに、私邸へ帰るのを見合わせて、途中から登城した。そして同僚の幕将たちにわけを聞いていよいよ驚いた。

彼はさっそく太守の孫堅に謁して、その無謀を諫めた。

「承れば、袁術と諜し合わせて、劉表、袁紹を討とうとの軍備だそうですが、一片の密書を信じて、彼と運命を共にするのは、危ない限りではありますまいか」

孫堅は笑って、

「いや程普、それくらいなことは、自分も心得ておるよ。袁術はもとより詐り多き小人だ。――しかし、予は彼の力をたのんで兵を興すのではない。自分の力をもってするのだ」

「けれど、兵を挙げるには、正しい名分がなければなりません」

「袁紹は先に、洛陽において、わしをあのように恥かしめたではないか。また、劉表はそのさしずをうけて、予の軍隊を途中で阻み、さんざんにこの孫堅を苦しめた。今、その恥と怨みとをそそぐのだ」

程普も、それ以上、諫言のことばもなく、自らまたすすんで軍備を督励した。

吉日をえらんで、五百余艘の兵船は、大江を発するばかりとなった。――早くもこの沙汰が、荊州の劉表へ聞えたので、劉表は、

「すわこそ」と、軍議を開いて、その対策を諸将にたずねた。

時に、蒯良という一将がすすみ出て、意見を吐いた。

「なにも驚き騒ぐほどな敵ではありません。よろしく江夏城の黄祖をもって、要害をふせがせ、荊州襄陽の大軍をこぞって、後軍に固く備えおかれれば、大江を隔てて孫堅もさして自由な働きはできますまい」

人々も皆、

「もっともな説」と、同意して、国中の兵力をあつめ、それぞれ防備の完璧を期してい

た。

湖南の水、湖北の岸、揚子江の流域はようやく波さわがしい兆しをあらわした。

さて、ここに。

孫堅方では、その出陣にあたって、閨門の女性やその子達をめぐって、家庭的な一波紋が起っていた。

彼の正室である呉氏の腹には、四人の子があった。

長男の孫策、字は伯符。

第二子孫権、字は仲謀。

第三男、孫翊。

第四男、孫匡。

などの男ばかりだった。

また、呉氏の妹にあたる孫堅の寵姫からは、孫朗という男子と、仁という女子との二人が生れていた。

また、兪氏という寵妾にも、ひとりの子があった。孫韶、字は公礼である。

——明日は出陣。

と聞えた前夜のこと。その大勢の子らをひきいて、孫堅の弟孫静は、なにか改まって、兄孫堅の閣へたずねて来た。

四

「舎弟か、――やあ大勢で揃って来たな。明日は出陣だ。みんなして門出を祝いに来たか」

孫堅は、上機嫌だった。

弟の孫静は、

「いや兄上」と改まって、

「あなたのお子たちをつれて、こう皆して参ったわけは、ご出戦をお諫めにきたので、お祝いをのべに来たのではありません」

「なに。諫めに？」

「はい。もし大事なお身に、間違いでもあったら、この大勢の公達や姫たちは、どうされますか。このお子たちの母たる呉夫人も、呉姫も、兪美人も、どうか思い止まって下さるようと、私を通じてのおすがりです」

「ばかをいえ、この期になって――」

「でも、敗れて後、戟をおさめるよりはましでしょう」

「不吉なことを申すな」

「すみません、しかし兄上、これが、天下の乱にのぞんで億民の救生に起つという戦なら、私はお止めいたしません。たとえ三夫人の七人のお子がいかにお嘆きになろうとも、孫静が先に立ってご出陣を慶します。——けれどこんどの軍は、私怨です。自我の小慾と小義です。その為、兵を傷つけ、百姓を苦しめるようなお催しは、絶対にお見合せになったほうがよいと考えられますが」

「だまれ、おまえや女子供の知ったことじゃない」

「いや、そう仰っしゃっても」

「黙らぬかっ。——汝は今、名分のない戦といったが、誰か、孫堅の大腹中を知らんや。おれにも、救世治民の大望はある。見よ、今に天下を縦横して、孫家の名を重からしめてみせるから」

「ああ」

孫静は、ついに黙ってしまった。

すると、呉夫人の子の長男孫策は、ことし紅顔十七歳の美少年だったが、つかつかと前へ進んで、

「お父上が出陣なさるなら、ぜひ私も連れて行ってください。七人の兄弟のうちでは、私が年上ですから」と、いった。

にがりきっていた孫堅は、長男の健気なことばに、救われたように機嫌を直した。

「よくいった。幼少からそちは兄弟中でも、英気すぐれ、物の役にも立つ子と、わしも見込んでいただけのものはあった。明日、わしの立つまでに、身仕度をしておるがよい」

孫堅は、さらに、大勢の子と、弟とを見まわして、

「次男の孫権は、叔父御の孫静と心をあわせて、よく留守を護っておれよ」と、云い渡した。

次男の孫権は、

「はい」と、明瞭に答えて、父の面に、じっと訣別を告げていた。

孫策の母の呉夫人は、叔父と共に諫めに行った長男が、かえって父について戦に征くと聞いて、

「とんでもない。あの子を呼んでおくれ」

と、侍女を迎えにやったが、それがまだ夜も明けない頃だったのに、長男の孫策は、もう城中にいなかった。

孫策は、もし母が聞いたら、必ず止めるであろうと、あらかじめ察していたし、また、彼は鷹の子の如く俊敏な気早な若武者でもあったから、父の出陣の時刻も待たず、「われこそ一番に」と、まだ暗いうちに大江の畔へ出て、早くも軍船の一艘に乗込み、真っ先に船をとばして、敵の鄧城（河南省・鄧県）へ攻めかかっていたのであった。

五

黎明と共に、出陣の鼓は鳴った。長沙の大兵は、城門から江岸へあふれ、軍船五百余艘、舳艫をそろえて揚子江へ出た。

孫堅は、長男の孫策が、すでに夜の明けないうち、十艘ばかり兵船を率いて、先駆けしたと聞いて、「頼もしいやつ」と、口には大いにその健気さを賞したが、心には初陣(ういじん)の愛児の身に万一の不慮を案じて、

「孫策を討たすな」と、急ぎに急いで、敵の鄧城へ向った。

劉表(りゅうひょう)の第一線は、黄祖を大将として、沿岸に防禦の堅陣を布(し)いていた。

孫策は、父の本軍より先に来て、わずかな兵船をもって、一気に攻めかかっていたが、陸上から一斉に射立てられて、近づくことさえできなかった。

その間に、味方の五百余艘が、父孫堅の龍首船をまん中にして、江上に船陣を布き、

「孫策、はやまるな」

と、小舟をとばして伝令して来たので、孫策もうしろへ退いて、父の船陣の内へ加わった。

孫堅は、充分に備え立て、各船の舳(みよし)に楯と射手(いて)をならべ、弩弓(どきゅう)の弦(つる)を満々とかけて、

「いざ、進め」と、白浪をあげながら江岸へ迫った。

そして、射かける間に、各親船から小舟をおろし、戟(ほこ)、剣の精鋭を陸へ押しあげて、一気に沿岸の防禦を突破しようという気勢であった。

しかし、敵もさるものである。

防禦陣の大将黄祖は、かねて手具脛(てぐすね)ひいて待っていたところであるから、

「怨敵(おんてき)ござんなれ」と、鳴りをしずめたまま、兵船の近づくまで、一矢も放たなかっ

た。

　そして、充分、機を計って、

「よしっ」

と、黄祖が、一令を発すると、陸上に組んである多くの櫓や、また、何町という間、布き列ねてある楯や土塁の蔭から、いちどに飛箭の暴風を浴びせかけた。

　両軍の射交わす矢うなりに、陸地と江上のあいだは矢の往来で暗くなった。黄濁な揚子江の水は岸に激して凄愴な飛沫をあげ、幾度かそこへ、小舟の精兵が群れをなして上陸しようとしたが、皆ばたばたと射殺されて、死体はたちまち、濁流の果てへ、芥のように消えて行った。

「退けや、退けや」

　孫堅は、戦不利と見て、たちまち船陣を矢のとどかぬ距離まで退いてしまった。

　彼は、作戦を変えた。

　夜に入ってからである。さらに、附近の漁船まで狩りだして、それに無数の小舟を列ね、赤々と、篝火を焚かせて、あたかも夜襲を強行するようにみせた。

　江上は、真っ暗なので、その火ばかりが物すごく見えた。陸上の敵は、

「すわこそ」と、昼にもまして、弩弓や火箭を射るかぎり射てきた。

　しかしそれには、兵は乗っていなかったのである。舟をあやつる水夫だけであった。

　孫堅の命令で、水夫は、敵にいたずらな矢数をつかい果たさせるため、暗澹たる江上の

闇で、ただ、わああっと、声ばかりあげていた。

　夜が明けると、小舟も漁船も、敵に正体を見られぬうちに、四散してしまった。そして、夜になるとまた、同じ策を繰返した。

　こうして七日七夜も、毎夜、空船の篝で敵を欺き、敵がつかれ果てた頃、一夜、こんどはほんとに強兵を満載して、大挙、陸上へ馳けのぼり、黄祖の軍勢をさんざんに追い乱した。

六

　船手の水軍は、すべて曠野へ上がって、雲の如き陸兵となった。

　鄧城へ逃げこんだ敵の黄祖は、張虎、陳生の両将を翼として、翌日ふたたび猛烈に撃退しにかかって来た。

　そして、乱軍となるや、「孫堅を始め、一人も生かして帰すな」とばかり、張虎、陳生らは、血眼になって馳けまわり、孫堅の本陣へ突いてくると、大音で罵った。

「汝ら、江東の鼠、わが大国を犯して、なにを求めるかっ」

　聞いて、孫堅は、

「口はばったい草賊めら、あの二人を討て」と、左右へ下知した。

　幕下の韓当は、

「われこそ」と、刀を舞わして、張虎へ当り、戦うこと三十余合、火華は鏘々と、両雄の眸を焦いた。

陳生、それを見て、

「助太刀」と、呼ばわりながら、張虎を扶けて韓当を挟み撃ちに苦しめた。

さしもの韓当もすでに危うしと見えた時である。――父孫堅の傍らにあった孫策は、従者の持っていた弓を取りあげて、キリキリと箭を眦へ当ててふかく引きしぼり、

「おのれ」と、弦を切って放った。

箭は、ぴゅっと、味方の上を越えて、彼方なる陳生の面に立った。

陳生は、物すごい叫びをあげて、どうと鞍から転び落ちる――

「や、やっ」

張虎は、怖れて、にわかに逃げかけた。やらじと追いかけて、韓当はそのうしろから、張虎の盔の鉢上をのぞんで重ね討ちに斬りさげた。

――二将すでに討たる！

と聞えて、全軍敗色につつまれ出したので、黄祖は狼狽して、蜘蛛の子のように散る味方の中、馬を打って逃げ走った。

「黄祖を擒れ」

「生擒りにせよ」

若武者孫策は、槍をかかえて彼を追うこと急だった。

幾たびか、孫策の槍が、彼のすぐ後ろまで迫った。

黄祖は、盔も捨て、ついには、馬までおりて、徒歩の雑兵たちの中へまぎれこんで、危うくも、一つの河をわたり、鄧城の内へ逃げ入った。

この一戦に、荊州の軍勢はみだれて、孫堅の旗幟は十方の野を圧した。

孫堅は、ただちに、漢水まで兵をすすめ、一方、船手の軍勢を、漢江に屯させた。

× × ×

「黄祖が大敗しました」

早馬の使いから、次々、敗報をうけて、劉表は色を失っていた。

蒯良という臣が云った。

「この上は、城を固めて、一方、袁紹へ急使をつかわし、救いをお求めなされるがよいでしょう」

すると、蔡瑁は、

「その計、拙し」と反対して、「敵すでに城下に迫る。なんで手をつかねて生死を他国の救いに待とうぞ。それがし不才なれど、城を出て、一戦を試みん」と豪語した。

劉表も、それを許した。

蔡瑁は、一万余騎をひきいて、襄陽城を発し、峴山（湖北省・襄陽の東）まで出て陣を張った。

孫堅は、各所の敵を席捲して、着々戦果を収めて来た勢いで、またたちまち、峴山の敵も撃破してしまった。

蔡瑁は、口ほどもなく、みじめな残兵と共に、襄陽城へ逃げ帰って来た。

七

大兵を損じたばかりか、おめおめ逃げ帰って来た蔡瑁を見ると、初めに、劉表の前で、卑怯者のようにいい負かされた蒯良は、

「それみたことか」と、面罵して怒った。

蔡瑁は、面目なげに、謝ったが蒯良は、

「わが計事を用いないで、こういう大敗を招いたからには、責めを負うのが当然である」

と、軍法に照らして、その首を刎ねん——と太守へ申し出た。

劉表は、困った顔して、

「いや今は、一人の命も、むだにはできない場合だから」

と、なだめて、ついに、彼を斬ることは許さなかった。

——というのは、蔡瑁の妹は絶世の美人であって、近ごろ劉表は、その妹をひどく愛していたからであった。

蒯良も、ぜひなく黙ってしまった。大義と閨門とはいつも相剋し葛藤する——。が、今は争ってもいられない場合だった。

「頼むは、天嶮と、袁紹の救援あるのみ」

と、蒯良は、悲壮な決心で、城の防備にかかった。

この襄陽の城は、山を負い、水をめぐらしている。

荊州の嶮。

と、いわれている無双な要害であったから、さすが寄手の孫堅軍も、この城下に到ると、攻めあぐんで、ようやく、兵馬は遠征の疲労と退屈を兆していた。

するとある日。

ひどい狂風がふきまくった。

野陣の寄手は、砂塵と狂風に半日苦しんだ。ところが、どうしたことか、中軍に立っている「帥」の文字をぬいとってある将旗の旗竿が、ぽきんと折れてしまった。

「帥」の旗は、総軍の大将旗である。兵はみな不吉な感じにとらわれた。わけて幕僚たちは眉をくもらせて、

「ただ事ではない」と、孫堅をかこみ、そしておのおの口を極めていった。

「ここ戦もはかばかしからず、兵馬もようやく倦んできました。それに、家郷を遠く離れて、はや征野の木々にも冬の訪れが見えだしたところへ――朔風にわかにふいて、中軍の将旗の旗竿が折れたりなどして、皆不吉な予感にとらわれています。もうこの辺で、いちど軍をお退きになられてはいかがでしょうか」

するとと孫堅は
「わははは。其方どもまで、そんな＊御幣をかついでいるのか」と、哄笑した。

彼は、気にもかけていなかった。しかし、士気に関することであるから、孫堅も、真面目になって云い足した。

「風はすなわち天地の呼吸である。冬に先立って、こういう朔風がふくのは冬の訪れを告げるので旗竿を折るためにふいてきたのではない。——それを怪しむのは人間の惑いに過ぎん。もうひと押し攻めれば、落ちるばかりなこの城だ。掌のうちにある敵城をすてて、なんでここから引っ返していいものか」

いわれてみれば、道理でもあった。諸将は二言なく、孫堅の説に服して、また、士気をもり返すべく努めた。

翌日から、寄手はまた、大呼して城へ迫った。水を埋め、火箭鉄砲をうち浴せ、軽兵は筏に乗って、城壁へしがみついた。

しかし、襄陽の城は、頑としていた。

霜が降りてくる。

霙が夜々降る。

蕭々たる戦野の死屍は、いたずらに、寒鴉を歓ばすのみであった。

石

一

旋風のあった翌日である。

襄陽城の内で、蒯良は、劉表のまえに出て、ひそかに進言していた。

「きのうの天変は凡事ではありません。お気づきになりましたか」

「ムム。あの狂風か」

「昼の狂風も狂風ですが、夜に入って、常には見ない熒星が、西の野に落ちました。按ずるに将星地に墜つの象、まさに、天人が何事かを訓えているものです」

「不吉を申すな」

「いや、味方に取っては、憂うべきことではありません。むしろ、壇を設けて祭ってもいいくらいです。方をはかるに、凶兆は敵孫堅の国土にあります。――機をはずさず、この際、袁紹が方へ人をつかわして、援助を乞われたら、寄手の敵は四散するか、退路を断たれて袋の鼠となるか、二つに一つを選ばねばならなくなるでしょう」

劉表は、うなずいて、

「誰か、城外の囲みを突破して、袁紹のもとへ使いする者はないか」と、家臣の列へ云った。

「参りましょう」

呂公は、進んで命をうけた。蒯良は、彼ならばよかろうと、人を払って、呂公に一策を授けた。

「強い馬と、精猛な兵とを、五百余騎そろえて射手をその中にまじえ、敵の囲みを破ったら、まず峴山へ上るがよい。必ず敵は追撃して来よう。このほうはむしろそれを誘って、山の要所に、岩石や大木を積んで置き、下へかかる敵を見たら一度に磐石の雨を浴びせるのだ。——射手は敵の狼狽をうかがって、四林から矢をそそぎかけろ、——さすれば敵は怯み、道は岩石大木に邪げられ、やすやすと袁紹のところまで行くことができよう」

「なるほど、名案ですな」

呂公は、勇んで、その夜、ひそかに鉄騎五百を従えて、城外へ抜けだした。

馬蹄をしのばせて、蕭殺たる疎林の中を、忍びやかに進んで行った。万樹すべて葉をふるい落し、はや冬めいた梢は白骨を植え並べたように白かった。

細い月が懸かっていた。——と敵の哨兵であろう、疎林の端まで来ると、

「誰だ」と、大喝した。

どっと、先頭の十騎ばかりが、跳びかかって、たちまち五人の歩哨を斬りつくした。

すぐ、そこは、孫堅の陣営だったから、孫堅は、直ちに、馳けだして、

「今、馳け通った馬蹄の音は敵か、味方か」と、大声で訊ねた。

答えはなく、五人の歩哨は、二日月の下に、碧(あお)い血にまみれていた。

孫堅は、それを見るなり、

「やっ。さては」と、直覚したので、馬にとび乗るが早いか、味方の陣へ、

「城兵が脱出したぞっ。——われにつづけっ」

と、呼ばわって、自身まっ先に呂公の五百余騎を追いかけて行った。

急なので、孫堅の後からすぐ続いた者は、ようやく、三、四十騎しかなかった。

先の呂公は振りかえって、

「来たぞ、追手が」

かねて計っていたことなので、驚きもせず、疎林の陰へ、射手を隠して、自分らは遮二無二、山上へよじ登って行った。そして敵のかかりそうな断崖の上に、岩石を積みかさねて、待ちかまえていた。

——程なく。

十騎、二十騎、四、五十騎と、敵らしい影が、林の中から山の下あたりへ、わウわウと殺到して、なにか口々に罵(のの)しっていた。

二

中に、孫堅の声がした。

「敵は、山上に逃げたにちがいない。――なんの、これしきの断崖、馬もろとも、乗り上げろっ」

猛将の下、弱卒はない。

孫堅が、馬を向けると後から後から駈けつづいて来た部下も、どっと、峴山（けんざん）の登りへかかりかけた。

けれど、足もとは暗く、雑草の蔓（つる）と、雪崩（なだ）れやすい土砂に悩まされて、孫堅の馬も、ただいななくのみだった。

断崖の上からうかがっていた呂公は、今ぞと思って、

「それっ、落せっ、射ろ」と、山上山下へ、両手を振って合図をした。

大小の岩石は、一度に、崖の上から落ちてきて、下なる孫堅とその部下三、四十人を埋めてしまうばかりだった。しかも、あわてて遁（のが）れようとすれば、四方の木陰から、凄まじい矢うなり疾風（はやて）が身をつつむ。

「しまった！」

孫堅の眼が、二日月を睨んだ。とたんに、彼の頭の上から、一箇の巨大な磐石（ばんせき）が降って来た。

ずしんっ――

地軸の揺れるのを覚えた刹那、孫堅の姿も馬も、その下になっていた。あわれむべし血へどを吐いた首だけが、磐石の下からわずかに出ていた。

孫堅、その時、年三十七歳。

初平三年の辛未、十一月七日の夜だった。巨星は果たして地に墜ちたのだ。夜もすがら万梢悲々と霜風にふるえて、濃き血のにおいとともに夜はあけた。

朝陽を見てから、敵も味方も気づいて、騒ぎ出したことだった。

呂公は、自分の殺した三十余騎の追手中に、敵の大将がいようなどとは、夢にも気がつかなかったのである。

が――疎林の内に残っていた射手の一隊が、夜明けと同時に発見して、

「これこそ孫堅だ」

と、その死体を、狂喜して城内へ奪い去り、呂公は、連珠砲を鳴らして、城内へ異変を告げた。

寄手の勢もにわかの大変に、その狼狽や動揺はおおうべくもない。――号泣する者、喪失して茫然たる者、血ばしって弓よ刀よと騒動する者――兵はみだれ、馬はいななき、早くも陣の備えはその態を崩しはじめた。

劉表、蒯良など、城内の者は、手を打ちたたいて、

「孫堅、洛陽に玉璽を盗んで、まだ二年とも経たぬ間に、はやくも天罰にあたって、大

将にあるまじき末期を遂げたか。――すわや、この虚をはずすな」

黄祖、蔡瑁、蒯良なんどみな一度に城戸をひらいて、どっと寄手のうちへ衝いて行った。

すでに大将を失った江東の兵は戦うも力はなく、打たるる者数知れなかった。

漢江の岸に、兵船をそろえていた船手方の黄蓋は、逃げくずれてきた味方に、大将の不慮の死を知って、大いに憤り、

「いでや、主君の弔合戦」

とばかり、船から兵をあげて、折りから追撃して来た敵の黄祖軍に当り、入り乱れて戦ったが、怒れる黄蓋は、獅子奮迅して、敵将黄祖を、乱軍のなかに生擒って、いささか鬱憤をはらした。

また。

程普は、孫堅の子、孫策を扶けて襄陽城外から漢江まで無二無三逃げて来たが、それを見かけた呂公が、

「よい獲物」とばかり孫策を狙って、追撃して来たので、程普は、

「讐の片割れ、見捨てては去れぬ」と、引っ返して渡り合い、孫策もまた、槍をすぐって程普を助けたので、呂公はたちまち、馬より斬って落されて、その首を授けてしまった。

三

両軍の戦うおめき声は、暁になって、ようやくやんだ。

何分この夜の激戦は、双方ともなんの作戦も統御もなく、一波が万波をよび、混乱が混乱を招いて、闇夜に入り乱れての乱軍だったので、夜が明けてみると、相互の死傷は驚くべき数にのぼっていた。

劉表(りゅうひょう)の軍勢は、城内にひきあげ、呉軍は漢水方面にひき退(しりぞ)いた。

孫堅の長男孫策は漢水に兵をまとめてから、初めて、父の死を確かめた。

ゆうべから父の姿が見えないので、案じぬいてはいたがそれでもまだ、どこからか、ひょっこり現れて、陣地へ帰って来るような気がしてならなかったが、今はその空しいことを知って声をあげて号泣した。

「この上は、せめて父の屍(かばね)なりとも求めて厚く弔(とむら)おう」と、その遭難の場所、峴山の麓を探させたが、すでに孫堅の死骸は、敵の手に収められてしまった後だった。

孫策は、悲痛な声して、

「この敗軍をひっさげ、父の屍も敵に奪られたまま、なんでおめおめ生きて故国へ帰られよう」

と、いよいよ、慟哭(どうこく)してやまなかった。

黄蓋は、慰めて、

「いやゆうべ、それがしの手に、敵の一将黄祖という者を生擒ってありますから、生ける黄祖を敵へ返して、大殿の屍を味方へ乞い請けましょう」と、いった。

すると、軍吏桓楷という者があって、劉表とは、以前の交誼があるとのことなので、桓楷を、その使者に立てた。

桓楷は、ただ一人、襄陽城におもむいて、劉表に会い、

「黄祖と、主君の屍とを、交換してもらいたい」

と、使いの旨を告げると、劉表はよろこんで、

「孫堅の死体は、城内に移してある。黄祖を送り返すならば、いつでも屍は渡してやろう」と、快諾し、また、

「この際、これを機会に、停戦を約して、長く両国の境に、ふたたび乱の起らぬような協定を結んでもいい」と、いった。

使者桓楷は、再拝して、

「では、立帰って、早速その運びをして参りましょう」

と、起ちかけると、劉表の側に在った蒯良が、やにわに、

「無用、無用」と、叫んで、主の劉表に向かって諫言した。

「江東の呉軍を破り尽すのは、今この時です。しかるに、孫堅の屍を返して、一時の平和に安んぜんか、呉軍は、今日の雪辱を心に蓄えて、必ず兵気を養い、他日ふたたびわが国へ仇をなすことは火を見るよりも明かなことだ。――よろしく使者桓楷の首を刎ね

て、即座に、漢水へ追撃の命をお下しあるように望みます」

劉表は、ややしばらく、黙考していたが、首を振って、

「いやいや、わしと黄祖とは、心腹の交わりある君臣だ。それを見殺しにしては、劉表の面目にかかわる」と、蒯良のことばを退けて、遂に屍を与えて、黄祖の身を、城内へ受取った。

蒯良は、そのことの運ばれる間にも、幾度となく、

「無用の将一人をすてても、万里の土地を獲れば、いかなる志も後には行うことができるではありませんか」と、口を酸くして説いたが、遂に用いられなかったので、

「ああ、大事去る！」と、独り長嘆していた。

一方、呉の兵船は、弔旗をかかげて、国へ帰り、孫策は、父の柩を涙ながら長沙城に奉じて、やがて曲阿の原に、荘厳な葬儀を執り行った。

年十七の初陣に、この体験をなめた孫策は、父の業を継ぎ、賢才を招き集めて、ひたすら国力を養い、心中深く他日を期しているもののようであった。

牡丹亭

一

「呉の孫堅が討たれた」

耳から耳へ。

やがて長安（陝西省・西安）の都へその報は旋風のように聞えてきた。

董卓は、手を打って、

「わが病の一つは、これで除かれたというものだ。彼の嫡男孫策はまだ幼年だし……」

と、独りよろこぶこと限りなかったとある。

その頃、彼の奢りは、いよいよ募って、絶頂にまで昇ったかの観がある。

位は人臣をきわめてなおあきたらず、太政太師と称していたが、近頃は自ら尚父とも号していた。

天子の儀仗さえ、尚父の出入の耀かしさには、見劣りがされた。

弟の董旻に、御林軍の兵権を統べさせ、兄の子の董璜を侍中として、宮中の枢機にすえてある。

みな彼の手足であり、眼であり、耳であった。

そのほか、彼につながる一門の長幼縁者は端にいたるまで、みな金紫の栄爵にあずかって、わが世の春に酔っていた。

郿塢――

そこは、長安より百余里の郊外で、山紫水明の地だった。董卓は、地を卜して、王城をもしのぐ大築城を営み、百門の内には金玉の殿舎楼台を建てつらね、ここに二十年の兵糧を貯え、十五から二十歳ぐらいまでの美女八百余人を選んで後宮に入れ、天下の重宝を山のごとく集めた。

そして、憚りもなく、常にいうことには、

「もし、わが事が成就すれば、天下を取るであろう。事成らざる時は、この郿塢城に在って、悠々老いを養うのみだ」――と。

明らかに、大逆の言だ。

けれど、こういう威勢に対しては、誰もそれをそれという者もない。

地に拝伏して、ただ命をおそれる者――それが公卿百官であった。こうして、彼は、自分の一族を郿塢城において、半月に一度か月一度ぐらいずつ、長安へ出仕していた。

沿道百余里、塵をもおそれ、砂を掃き、幕をひき、民家は炊煙も断って、ただただ彼の車蓋の珠簾とおびただしい兵馬鉄槍が事なく通過するのみを禱った。

「太師。お召しですか」

天文官の一員は彼によばれて、ひざまずいた。

その日、朝廷の宴楽台に、酒宴のあるという少し前であった。

「なにか変ったことはないか」

董卓の訊ねに、

「そういえば昨夜、一陣の黒気が立って、月白の中空をつらぬきました。なにか、諸公のうちに、凶気を抱く者があるかと思われます」

「そうだろう」

「なにかお心あたりがおありでございますか」

すると董卓は、はったと睨みつけて云った。

「そちらの知ったことではない。我より問われて初めて答えをなすなど怠慢至極だ。天文官は、絶えず天文を按じ、凶事の来らぬうちに我へ告げねば、なんの役に立つかっ」

「はっ。恐れ入りましてございます」

天文官は、自分の首の根から黒気の立たないうちに、蒼くなってあたふた退出した。

やがて、時刻となると、公卿百官は、宴に蝟集した。すると、酒もたけなわの頃、どこからか、呂布があわただしく帰って来て、

「失礼します」と、董卓のそばへ行って、その耳元へなにやらささやいた。

満座は皆、杯もわすれて、その二人へ、神経をとがらしていた。

――と、董卓は、うなずいていたが、呂布へ向って低声(こごえ)に命じた。

「逃がすなよ」

呂布は、一礼して、そこを離れたと見ると、無気味な眼を光らして、百官のあいだを、のそのそと歩いて来た。

二

「おい。ちょっと起て」

呂布の腕が伸びた。

酒宴の上席のほうにいた司空張温(しくうちょううん)の髻(もとどり)を、いきなりひッ摑んだのである。

「あッ、な、なにを」

張温の席が鳴った。

満座、色醒(いろさ)めて、どうなることかと見ているまに、

「やかましい」

呂布は、その怪力で、鳩でも摑むように、無造作に、彼の身を堂の外へ持って行ってしまった。

しばらくすると、一人の料理人が、大きな盤に、異様な料理を捧げて来て、真ん中の卓においた。

見ると、盤に盛ってある物は、たった今、呂布に摑み出されて行った張温の首だった

ので、朝廷の諸臣は、みなふるえあがってしまった。

董卓は、笑いながら、

「呂布は、いかがした」と呼んだ。

呂布は、悠々、後から姿をあらわして、彼の側に侍立した。

「御用は」

「いや、そちの料理が、少し新鮮すぎたので、諸卿みな杯を休めてしまった。安心して飲めとお前からいってやれ」

呂布は満座の蒼白い顔に向って、傲然と、演説した。

「諸公。もう今日の余興はすみました。杯をお挙げなさい。おそらく張温のほかに、それがしの料理をわずらわすようなお方はこの中にはおらんでしょう。――おらない筈と信じる」

彼が、結ぶと、董卓もまた、その肥満した体軀を、ゆらりと上げて云った。

「張温を誅したのは、ゆえなきことではない。彼は、予に叛いて、南陽の袁術と、ひそかに通謀したからだ。天罰といおうか、袁術の使いが密書を持って、過って呂布の家へそれを届けてきたのじゃ。――で彼の三族も、今し方、残らず刑に処し終った。汝ら朝臣も、このよい実例を、しかと見ておくがよい」

宴は、早めに終った。

さすが長夜の宴もなお足らないとする百官も、この日は皆、匆々に立ち戻り、一人として、酔った顔も見えなかった。

中でも司徒王允は、わが家へ帰る車のうちでも、董卓の悪行や、朝廟の紊れを、つくづく思い沁めて、

「ああ。……ああ」

歎息ばかり洩らしていた。

館に帰っても、憤念のつかえと、不快な懊悩は去らなかった。

折ふし、宵月が出たので、彼は気をあらためようと、杖をひいて、後園を歩いてみたが、なお、胸のつかえがとれないので、茶蘼の花の乱れ咲いている池畔へかがみこんで、きょうの酒をみな吐いてしまった。

そして、冷たい額に手をあてながら、しばらく月を仰ぎ、瞑目していると、どこからか春雨の咽ぶがようなすすり泣きの声がふと聞えた。

「……誰か?」

王允は見まわした。

池の彼方に、水へ臨んでいる牡丹亭がある。月は廂に映じ窓にはかすかな灯が揺れている。

「*貂蟬ではないか。……なにをひとりで泣いているのだ」

近づいて、彼は、そっと声をかけた。

貂蟬は、芳紀十八、その天性の麗わしさは、この後園の芙蓉の花でも、桃李の色香で

も、彼女の美には競えなかった。

まだ母の乳も恋しい幼い頃から、彼女は生みの親を知らなかった。襁褓の籠と共に、市に売られていたのである。王允は、その幼少に求めてわが家に養い、珠をみがくように諸芸を仕込んで楽女とした。

薄命な貂蟬はよくその恩を知っていた。王允もわが子のごとく愛しているが、彼女も聡明で、よく情に感じる性質であった。

三

楽女とは、高官の邸に飼われて、賓客のあるごとに、宴にはべって歌舞吹弾する賤女をいう。

けれど、王允と、貂蟬とは、その愛情においては、主従というよりも、養父と養女というよりも、なお、濃いものであった。

「貂蟬、風邪をひくといけないぞよ。……さ、おだまり、涙をお拭き。おまえも妙齢となったから、月を見ても花を見ても、泣きたくなるものとみえる。おまえくらいな妙齢は、羨ましいものだなあ」

「……なにを仰っしゃいます。そんな浮いた心で、貂蟬は悲しんでいるのではございません」

「では、なんで泣いていたのか」

「大人がお可哀そうでならないから……つい泣いてしまったのです」

「わしが可哀そうで……？」

「ほんとに、お可哀そうだと思います」

「おまえに……おまえのような女子にも、それが分るか」

「分らないでどうしましょう……。そのおやつれよう。お髪も……めっきり白くなって」

「むむう」

王允も、ほろりと、涙をながした。――泣くのをなだめていた彼のほうが、滂沱として、止まらない涙に当惑した。

「なにをいう。そ……そんなことはないよ。おまえの取りこし苦労じゃよ」

「いいえ、おかくしなさいますな。嬰児の時から、大人のお家に養われてきた私です。この頃の朝夕のご様子、いつも笑ったことのないお顔……。そして時折、ふかい嘆息を遊ばします。……もし」

貂蟬は、彼の老いたる手に、瞼を押しあてて云った。

「賤しい楽女のわたくし、お疑い遊ばすのも当り前でございますが、どうか、お胸の悩みを、打明けて下さいまし。……いいえ、それでは、逆しまでした。大人のお胸を訊く前に、わたくしの本心から申さねばなりません。――私は常々、大人のご恩を忘れたことはないのです。十八の年まで、実の親も及ばないほど愛して下さいました。歌吹音楽のほか、人なみの学問から女の諸芸、学び得ないことはなに一つありませんでした。

──みんな、あなた様のお情けにちりばめられた身の宝です。……これを、このご恩を、どうしてお酬いしたらよいか、貂蟬は、この唇や涙だけでは、それを申すにも足りません」

「………」

「大人。……仰っしゃって下さいませ。おそらく、あなたのお胸は、国家の大事を悩んでいらっしゃるのでございましょう。今の長安の有様を、憂い患らっておいでなのでございましょう」

「貂蟬」

急に涙を払って、王允は思わず、痛いほど彼女の手をにぎりしめた。

「うれしい！　貂蟬、よく云ってくれた。……それだけでも、王允はうれしい」

「私のこんな言葉だけで、大人の深いお悩みは、どうしてとれましょう。──というて、男の身ならぬ貂蟬では、なんのお役にも立ちますまいし……。もし私が男であるならば、あなた様のために、生命を捨ててお酬いすることもできましょうに」

「いや、できる！」

王允は、思わず、満身の声でいってしまった。

杖をもって、大地を打ち、

「──ああ、知らなんだ。誰かまた知ろう。花園のうちに、回天の名珠をちりばめた誅悪の利剣がひそんでいようとは」

こういうと、王允は、彼女の手を取らんばかりに誘って、画閣*の一室へ伴い、堂中に坐らせてその姿へ頓首再拝した。

貂蟬は、驚いて、

「大人。何をなさいますか、もったいない」

あわてて降ろうとすると、王允は、その裳を抑えて云った。

「貂蟬。おまえに礼をほどこしたのではない。漢の天下を救ってくれる天人を拝したのだ。……貂蟬よ、世のために、おまえは生命をすててくれるか」

四

貂蟬は、さわぐ色もなく、すぐ答えた。

「はい。大人のおたのみなら、いつでもこの生命は捧げます」

王允は、座を正して、

「では、おまえの真心を見込んで頼みたいことがあるが」

「なんですか」

「董卓を殺さねばならん」

「…………」

「彼を除かなければ、漢室の天子はあってもないのと同じだ」

「…………」

「百姓万民の塗炭の苦しみも永劫に救われはしない……貂蟬」

「はい」

「おまえも薄々は、今の朝廷の累卵の危うさや、諸民の怨嗟は、聞いてもいるだろう」

「ええ」

貂蟬は、目瞬きもせず、彼の吐きだす熱い言々を聞き入っていた。

「——が、董卓を殺そうとして、効を奏した者は、きょうまで一人としてない。かえって皆、彼のために殺し尽されているのだ」

「…………」

「要心ぶかい。十重二十重の警固がゆき届いている。また、あらゆる密偵が網の目のように光っている。しかも、智謀無類の李儒が側にいるし、武勇無双の呂布が守っている」

「…………」

「それを殺さんには……。天下の精兵を以てしても足らない。……貂蟬。ただ、おまえのその腕のみがなし得る」

「……どうして、私に？」

「まず、おまえの身を、呂布に与えると欺いて、わざと、董卓のほうへおまえを贈る」

「…………」

さすがに、貂蟬の顔は、そう聞くと、梨の花みたいに蒼白く冴えた。

「わしの見るところでは、呂布も董卓も、共に色に溺れ酒に耽る荒淫の性だ。——おまえを見て心を動かさないはずはない。呂布の上に董卓あり、董卓の側に呂布のついているうちは、到底、彼らを亡ぼすことは難しい。まずそうして、二人を割き、二人を争わせることが、彼らを滅亡へひき入れる第一の策だが……貂蟬、おまえはその体を犠牲にささげてくれるか」

貂蟬は、ちょっと、うつ向いた。珠のような涙が床に落ちた。――が、やがて面を上げると、

「いたします」

きっぱりいった。

そしてまた、「もし、仕損じたら、わたしは、笑って白刃の中に死にます。世々ふたたび人間の身をうけては生れてきません」と、覚悟のほどを示した。

数日の後。

王允は、秘蔵の黄金冠を、七宝をもって飾らせ、*音物として、使者に持たせ、呂布の私邸へ贈り届けた。

呂布は、驚喜した。

「あの家には、古来から名剣宝珠が多く伝わっているとは聞いたが、洛陽から遷都して来た後も、まだこんな佳品があったのか」

彼は、武勇絶倫だが、単純な男である。歓びの余り、例の赤兎馬に乗って、さっそく王允の家へやってきた。

王允は、あらかじめ、彼が必ず答礼に来ることを察していたので、歓待の準備に手ぬかりはなかった。

「おう、これは珍客、ようこそお出でくだされた」と、自身、中門まで出迎えて、下へも置かぬもてなしを示し、堂上に請じて、呂布を敬い拝した。

傾国

一

王允は、一家を挙げて、彼のためにもてなした。

善美の饗膳を前に、呂布は、手に玉杯をあげながら主人へ云った。

「自分は、董太師に仕える一将にすぎない。あなたは朝廷の大臣で、しかも名望ある家の主人だ。一体、なんでこんなに鄭重になさるのか」

「これは異なお訊ねじゃ」

王允は、酒をすすめながら、

「将軍を饗するのは、その官爵を敬うのではありません。わしは日頃からひそかに、将軍の才徳と、武勇を尊敬しておるので、その人間を愛するからです」

「いや、これはどうも」と、呂布は、機嫌のよい顔に、そろそろ微紅を呈して、「自分のようながさつ者を、大官が、そんなに愛していて下さろうとは思わなかった。身の面目というものだ」

「いやいや、計らずも、お訪ねを給わって、名馬赤兎を、わが邸の門につないだだけでも、王允一家の面目というものです」

「大官、それほどまでに、この呂布を愛し給うなら、他日、天子に奏して、それがしをもっと高い職と官位にすすめて下さい」

「仰せまでもありません。この王允は、董太師を徳とし、董太師の徳は生涯忘れまいと、常に誓っておる者です。将軍もどうか、いよいよ太師のため、自重して下さい」

「いうまでもない」

「そのうちに、おのずから栄爵に見舞われる日もありましょう。――これ、将軍へ、お杯をおすすめしないか」

彼は、ことばをかえて、室内に連環して立っている給仕の侍女たちへ、いった。

そして、その中の一名を、眼で招いて、

「めったにお越しのない将軍のお訪ね下すったことだ。貂蟬にもこれへ来て、ちょっと、ごあいさつをするがよいといえ」

と、小声でいいつけた。

「はい」

侍女は、退がって行った。間もなく、室の外に、楚々たる気はいがして、侍立の女子が、帳をあげた。客の呂布は、杯をおいて、誰がはいって来るかと、眸を向けていた。

*丫鬟の侍女ふたりに左右から扶けられて、歩々、牡丹の大輪が、かすかな風をも怖がるように、それへはいって来た麗人がある。

楽女貂蟬であった。

「……いらっしゃいませ」

貂蟬は、客のほうへ、わずかに眼を向けて、優かにあいさつした。*雲鬢重たげに、呂布の眼を羞恥らいながら、王允の蔭へ、隠れてしまいたそうにすり寄っている。

「……？」

呂布は、恍惚とながめていた。

王允は、自分の前の杯を、貂蟬にもたせて云った。

「おまえの名誉にもなる。将軍へ杯をさしあげて、おながれをいただくがよい」

貂蟬は、うなずいて、呂布のまえへ進みかけたが、ちらと、彼の視線に会うと、眼もとに、まばゆげな紅をたたえ、遠くからそっと、真白な繊手へ、翡翠の杯をのせて、聞きとれないほどな小声でいった。

「……どうぞ」

「や。これは」

呂布は、われに返ったように、その杯を持った。——なんたる可憐！

貂蟬は、すぐ退がって、帳の外へ隠れかけた。呂布はまだ、手の杯を、唇にもしない。——彼女がそのまま去るのを残り惜しげに、眼も離たずにいた。酒を干すいとまもらない眼であった。

二

「貂蟬。——お待ち」

王允は、彼女を呼びとめて、客の呂布と等分に眺めながら云った。

「こちらにいらっしゃる呂将軍は、わしが日頃、敬愛するお方だし、わが一家の恩人でもある。——おゆるしをうけて、そのままお側におるがよい。充分に、おもてなしをなさい」

「……はい」

貂蟬は、素直に、客のそばに侍した。——けれど、うつ向いてばかりいて、何もいわなかった。

呂布は、初めて、口を開いて、

「ご主人。この麗人は、当家のご息女ですか」

「そうです。女の貂蟬というものです」

「知らなかった。大官のお女に、こんな美しいお方があろうとは」

「まだ、まったく世間を知りませんし、また、家の客へも、めったに出たこともありませんから」

「そんな深窓のお女を、きょうは呂布のために」

「一家の者が、こんなにまで、あなたのご来訪を、歓んでいるということを、お酌み下されば倖せです」

「いや、ご歓待は、充分にうけた。もう、酒もそうは飲めない。大官、呂布は酔いましたよ」

「まだよろしいでしょう。貂蟬、おすすめしないか」

貂蟬は、ほどよく、彼に杯をすすめ、呂布もだんだん酔眼になってきた。夜も更けたので、呂布は、帰るといって立ちかけたが、なお、貂蟬の美しさを、くり返して称えた。

王允は、そっと、彼の肩へ寄ってささやいた。

「おのぞみならば、貂蟬を将軍へさしあげてもよいが」

「えっ。お女を。……大官、それはほんとですか」

「なんで偽りを」

「もし、貂蟬を、この呂布へ賜うならば、呂布はお家のために、犬馬の労を誓うでしょう」

「近い内に、吉日を選んで、将軍の室へ送ることを約します。……貂蟬も、今夜の容子では、たいへん将軍が好きになっているようですから」

「大官。……呂布は、すっかり酩酊しました。もう、歩けない気がします」

「いや、今夜ここへお泊めしてもよいが、董太師に知れて、怪しまれてはいけません。吉日を計って、必ず、貂蟬はあなたの室へ送るから、今夜はお帰りなさい」

「間違いはないでしょうな」

呂布は、恩を拝謝し、また、何度もくどいほど、念を押してようやく帰った。

王允は、後で、

「……ああ、これで一方は、まずうまく行った。貂蟬、何事も天下のためと思って、眼をつぶってやってくれよ」と、彼女へ云った。

貂蟬は、悲しげに、しかしもう観念しきった冷たい顔を、横に振って、

「そんなに、いちいち私をいたわらないで下さい。おやさしくいわれると、かえって心が弱くなって、涙もろくなりますから」

「もういうまい。……じゃあかねて話してある通り、また近いうちに、董卓を邸へ招くから、おまえは妍をこらして、その日には歌舞吹弾もし、董卓の機嫌もとってくれよ」

「ええ」

貂蟬は、うなずいた。

次の日、彼は、朝に出仕して、呂布の見えない隙をうかがい、そっと董卓の閣へ行って、まずその座下に拝跪した。

「毎日のご政務、太師にもさぞおつかれと存じます。郿塢城へお還りある日は、満城を

挙げて、お慰みを捧げましょうが、また時には、茅屋の粗宴も、お気が変って、かえってお慰みになるかと思われます。――そんなつもりで実は、小館にいささか酒宴の支度を設けました。もし駕を枉げていただければ、一家のよろこびこれにすぎたるものはありませんが」

と、彼の遊意を誘った。

三

聞くと、董卓は、

「なに、わしを貴邸へ招いてくれるというのか。それは近頃、歓ばしいことである。卿は国家の元老、特にこの董卓を招かるるに、なんで芳志にそむこう」

と、非常な喜色で、

「――ぜひ、明日行こう」と、諾した。

「お待ちいたします」

王允は、家に帰ると、この由を、ひそかに貂蟬にささやき、また家人にも、

「明日は巳の刻に、董太師がお越しになる。一家の名誉だし、わし一代のお客だ。必ず粗相のないように」と、督して、地には青砂をしき、床には錦繡をのべ、正堂の内外には、帳や幕をめぐらし、家宝の珍什を出して、饗応の善美をこらしていた。

次の日。――やがて巳の刻に至ると、

「大賓のお車が見えました」と、家僕が内へ報じる。

王允は、朝服をまとって、すぐ門外へ出迎えた。

——見れば、太師董卓の車は、戟を持った数百名の衛兵にかこまれ、行装の絢爛は、天子の儀仗もあざむくばかりで、車簾を出ると、たちまち、侍臣、秘書、幕側の力者などに、左右前後を護られて、佩環のひびき玉沓の音、簇擁して門内へ入った。

「ようおいでを賜わりました。きょうはわが王家の棟に、紫雲の降りたような光栄を覚えまする」

王允は、董太師を、高座に迎えて、最大の礼を尽した。

董卓も、全家の歓待に、大満足な容子で、

「主人は、わが傍らにあがるがよい」と、席をゆるした。

やがて、嚠喨たる奏楽と共に、盛宴の帳は開かれた。酒泉を汲みあう客たちの瑠璃杯に、薫々の夜虹は堂中の歓語笑声をつらぬいて、座上はようやく杯盤狼藉となり、楽人楽器を擁してあらわれ、騒客杯を挙げて歌舞し、眼も綾に耳も聾せんばかりであった。

「太師、ちとこちらで、ご少憩あそばしては」

王允は誘った。

「ウム……」

と、董卓は、主にまかせて、護衛の者をみな宴に残し、ただ一人、彼について行った。

王允は、彼を、後堂に迎えて、家蔵の宝樽を開け、夜光の杯について、献じながら静かにささやいた。

「こよいは、星の色までが、美しく見えます。これはわが家の秘蔵する長寿酒です。太師の寿を万代にと、初めて瓶をひらきました」

「やあ、ありがとう」

董卓は、飲んで、

「こう歓待されては、何を以て司徒の好意にむくいてよいか分らんな」

「私の願うようになれば私は満足です。——私は幼少から天文が好きで、いささか天文を学んでおりますが、毎夜、天象を見ておるのに、漢室の運気はすでに尽きて、天下は新たに起ろうとしています。太師の徳望は、今や巍々たるものですから、古の舜が堯を受けたように、禹が舜の世を継いだように、太師がお立ちになれば、もう天下の人心は、自然、それにしたがうだろうと思います」

「いや、いや。そんなことは、まだわしは考えておらんよ」

「天下は一人のひとの天下ではありません。天下のひとの天下です。徳なきは徳あるに譲る。これはわが朝のしきたりです。世定まれば、誰も叛逆とはいいません」

「はははは。もし董卓に天運が恵まれたら、司徒、おん身も重く用いてやるぞ」

「時節をお待ちします」

王允は再拝した。

とたんに、堂中の燭はいっぺんに灯って、白日のようになった。そして正面の簾がまかれると、教坊の楽女たちが美音をそろえて歌いだし、*糸竹管弦の妙な音にあわせて、楽女貂蟬が、袖をひるがえして舞っていた。

四

客もなく、主もなく、また天下の何者もなく、貂蟬のひとみは、ただ舞うことに、澄みかがやいていた。

舞う――舞う――貂蟬は袖をひるがえして舞う。教坊の奏曲は、彼女のために、糸竹と管弦の技をこらし、人を酔わしめずにおかなかった。

「ウーム、結構だった」

董卓は、うめいていたが、一曲終ると、

「もう一曲」と、望んだ。

貂蟬が再び起つと、教坊の楽手は、さらに粋を競って弾じ、彼女は、舞いながら哀々と歌い出した。

紅牙催拍シテ燕ノ飛ブコト忙シ
一片ノ行雲画堂ニ到ル
眉黛促シテ成ス遊子ノ恨ミ
臉容初メテ故人ノ腸ヲ断ツ

　楡銭買ワズ千金ノ笑
　柳帯ナンゾ用イン百宝ノ粧イ
　舞罷ミ簾ヲ隔テテ目送スレバ
　知ラズ誰カコレ楚ノ襄王

眼を貂蝉のすがたにすえ、歌詞に耳をすましていた董卓は、彼女の歌舞が終るなり、感極まった容子で、王允へ云った。

「主。あの女性は、いったい誰の女か。どうも、ただの教坊の妓でもなさそうだが」

「お気に召しましたか。当家の楽女、貂蝉というものですが」

「そうか。呼べ」と、斜めならぬ機嫌である。

「貂蝉、おいで」

王允は、さし招いた。

貂蝉は、それへ来て、ただ羞恥っていた。董卓は、杯を与えて、

「幾歳か」と、訊いた。

「…………」

答えない。

貂蝉は、小指を、唇のそばの黒子に当てて、王允の陰に、うつ向いてしまった。

「ははは、恥かしいのか」

「たいへんな羞恥み性です。なにしろめったに人に接しませんから」

「いい声だの。すがたも、舞もよいが。……主、もう一度、歌わせてくれないか」

「貂蟬。あのように、今夜の大賓が、求めていらっしゃる。なんぞもう一曲……お聴きしていただくがよい」

「はい」

貂蟬は、素直にうなずいて、檀板を手に――こんどはやや低い調子で――客のすぐ前にあって歌った。

一点ノ桜桃絳唇ヲ啓ク
両行ノ砕玉陽春ヲ噴ク
丁香ノ舌ハ衠鋼ノ剣ヲ吐キ
姦邪乱国ノ臣ヲ斬ラント要ス

「いや、おもしろい」

董卓は、手をたたいた。

前に歌った歌詞は自分を讃美していたので、今の歌が自分をさして暗に姦邪乱国の臣としているのも、気づかなかった。

「神仙の仙女とは、実に、この貂蟬のようなのをいうのだろうな。いま、郿塢城にもあまた佳麗はいるが、貂蟬のようなのはいない。もし貂蟬が一笑したら、長安の*粉黛はみな色を消すだろう」

「太師には、そんなにまで、貂蟬がお気に入りましたか」

「む……。予は、真の美人というものを、今夜初めて見たここちがする」

「献じましょう。貂蟬も、太師に愛していただければ、無上の幸せでありましょうから」

「え。この美人を、予に賜わるというのか」

「お帰りの車の内に入れてお連れください。――そういえば、夜も更けましたから、相府のご門前までお送りしましょう」

「謝す。謝す。――王允司徒、ではこの美女は、氈車に乗せて連れ帰るぞ」

董卓は、ほとんど、その満足をあらわす言葉も知らないほど歓んで、貂蟬を擁して、車へ移った。

五

王允は、心のうちで、しすましたりと思いながら、貂蟬と董卓の車を丞相府まで送って行った。

「……では」と、そこの門で、董卓に暇を乞うていると、ふと、氈車の内から、貂蟬のひとみが、じっと、自分へ、無言の別れを告げているのに気づいた。

「では、これにて」

王允は、もういっぺん、くり返して云った。それは貂蟬へ、それとなく返した言葉であった。

貂蟬のひとみは、涙でいっぱいに見えた。王允も、胸がせまって、長くいられなかった。

あわてて彼は、わが家のほうへ引っ返してきた。すると、彼方の闇から、二列に松明の火を連ね、深夜を戛々と急いでくる騎馬の一隊がある。

近づいてくると、その先頭には赤兎馬に踏みまたがった呂布の姿が見えた。――はっと思うまもなく、呂布は、王允の姿を見つけて、

「おのれ、今帰るか」

と、馬上から猿臂を伸ばして、王允の襟がみをつかみ大の眼をいからして、

「よくも汝は、先日、貂蟬をこの呂布に与えると約束しておきながら、こよい董太師に供えてしまいおったな。憎いやつめ。おれを小児のようにもてあそぶか」と、どなった。

王允は、騒ぐ色もなく、

「どうして将軍は、そんなことをもうご存じなのか。まあ、待ち給え」と、なだめた。

呂布は、なお怒って、

「今、わが邸へ、董太師が美女をのせて、相府へ帰られたと、告げて来た者があるのだ。そんなことが知れずにいると思うのか。この二股膏薬め。八ツ裂きにしてくれるから覚えておれよ」

と、従う武士にいいつけて、はや引ったてようとした。

王允は、手をあげて、

「はやまり給うな将軍。あれほど固く約したこの王允を、なにとて、お疑いあるぞ」

「やあ、まだ吐かすか」

「ともあれ、もう一度邸へお越しください。ここではお話もしにくいから」

「そうそう何度も、貴様の舌には欺かれぬぞ」

「その上でなお、お合点がゆかなかったら、即座に、王允の首をお持ち帰りください」

「よしっ、行ってやる」

呂布は彼について行った。

密室に通して、王允は、

「仔細はこうです」と、言葉巧みに云った。

「――実はこよい、酒宴の果てた後で、董太師が興じて仰せられるには、そちは近頃、呂布へ貂蟬を与える約束をした由だが、その女性を、ひとまず予が手許へあずけて置け。そして吉日を卜して大いに自分が盛宴を設け、不意に、呂布と娶わせて、やんやと、酒席の興にして、大いに笑い祝す趣向とするから。――と、かような言葉なのでした」

「えっ。……では、董太師が、おれの艶福をからかう心算で、つれておいでになったのか」

「そうです。将軍のてれる顔を酒宴で見て、手を叩こうという、お考えだと仰っしゃるのです。——で、折角の尊命をそむくわけにも参りませんから、貂蟬をおあずけした次第です」

「いや、それはどうも」と、呂布は、頭をかいて、

「軽々しく、司徒を疑って、何とも申しわけがない。こよいの罪は、万死に値するが、どうかゆるしてくれい」

「いや、お疑いさえ解ければ、それでいい。必ず近日のうちに、将軍の艶福のために、盛宴が張られましょう。貂蟬もさだめし待っておりましょう。いずれ彼女の歌舞の衣裳、化粧道具など一切もお手許のほうへ送らせることといたします」

呂布は、そう聞くと、三拝して、立帰った。

痴蝶鏡

一

春は、丈夫の胸にも、悩ましい血を沸かせる。

王允のことばを信じて、呂布はその夜、素直に邸に帰ったもののなんとなく寝ぐるし

くて、一晩中、熟睡できなかった。

「――どうしているだろう、貂蟬は今頃」

そんなことばかり考えた。

董太師の館へ伴われて行ったという貂蟬が、どんな一夜を明かしているかと、妄想をたくましゅうして、果ては、牀のうえにじっとしていられなくなった。

呂布は、帳を排して、窓外へ眼をやった。そして彼女のいる相府の空をぼんやり眺めていた。

鴻が鳴き渡ってゆく。

朧月が更けている。――夜はまだ明けず、雲も地上も、どことなく薄明るかった。庭前を見れば、海棠は夜露をふくみ、茶蘼は夜靄にうな垂れている。

「ああ」

彼は、独り呻きながら、また、牀へ横たわった。

「こんなに心のみだれるほど想い悩むのは、俺として生れてはじめてだ。――貂蟬、貂蟬、おまえはなぜ、あんな蠱惑な眼をして、おれの心を囚えてしまったのだ」

彼は、夜明けを待ちかねた。

――が、朝となれば、彼は毅然たる武将だった。邸にも多くの武士を飼っている彼だ。朝陽を浴びて颯爽と、例の赤兎馬に乗って、丞相府へ出仕した。

べつに、そう急用もなかったのであるが、彼は早速、董卓の閣へ出向いて、

「太師はお目ざめですか」と、護衛の番将に訊ねた。

番将は懶げに、そこから後堂の秘園をふり向いて、

「まだ帳を下ろしていらっしゃるようですな」と、無感情な顔して云った。

「ほ」

呂布は、何かむらむらと、不安に襲われたが、わざと長閑な陽を仰いで云った。

「もう午の刻にも近いのに、まだお寝みなのか」

「後堂の廊も、あの通り閉したままですから」

静かに、春園の禽は、昼を啼きぬいていた。

――寝殿は帳を垂れたまま寂として、陽の高きも知らぬもののように見える。

呂布はおおい難い顔いろの裡からやや乱れた言葉でまた訊ねた。

「太師には、昨夜、よほどお寝みがおそかったとみえますな」

「ええ、王允の邸へ、饗宴に招かれて、だいぶごきげんでお帰りでしたからね」

「非常な美姫をお伴れになったそうですな」

「や、将軍もそれを、もうご存じですか」

「ムム、王允の家の貂蟬といえば有名な美人だから」

「それですよ、太師のお目ざめが遅いわけは。昨夜、その美人を幸いして、春宵の短きを嘆じていらっしゃることでしょう。……何しても、きょうはよい日和ですな」

「あちらで待っているから、太師がお目ざめになったら知らしてくれ」

呂布は、思わず、憤然と眉に色を出して、そこから立去った。

相府の一閣で、彼はぼんやりと腕ぐみしていた。気にかかるので、時折、池の彼方の閣を見まもっていた。後堂の寝殿は、真午になって、ようやく窓をひらいた様子であった。

「太師には、ただ今、お目ざめになられました」

さっきの番将が告げに来た。

呂布は、取次も待たずに、董卓の後堂へ入って行った。そして、廊にたたずみながら奥をうかがうと、臥房深き所、芙蓉の帳まだみだれて、ゆうべいかなる夢をむすんだか、鏡に向って、臙脂を唇に施している美姫のうしろ姿がちらと見えた。

二

呂布は、われを忘れて、臥房のすぐ扉口の外まで、近づいて行った。

「オ……。貂蟬」

彼は、泣きたいように胸を締めつけられた。七尺の偉丈夫も、魂を掻きむしられ、沈吟、去りもやらず、鏡の中に映る彼女のほうを偸み見していた。

そして、煮え沸る心の底で、

「貂蟬はもう昨夜かぎりで、処女ではなくなっている！ ……。ここの臥房には、まだすすり泣きの声が残っているようだ。……ああ、董太師もひどい。貂蟬もまた貂蟬だ。

……それとも王允がおれを欺いたのか。いやいや董太師に求められては、かよわい貂蟬はもうどうしようもなかったろう」

彼の蒼白い顔は、なにかのはずみに、ふと室内の鏡に映った。

貂蟬は、

「あら？」

びっくりして振向いた。

「…………」

呂布は、怨みがましい眼をこらして、彼女の顔をじっと睨んだ。――貂蟬は、とたんに、雨をふくんだ梨花のようにわななないて、

（――ゆるして下さい。わたくしの本心ではありません。胸をなでて……怺えて……。このつらいわたしの胸も分っていて下さるでしょう）

哀れを乞うような、すがりついて泣きたいような、声なき想いを、眼と姿態にいわせて呂布へ訴えた。

すると、壁の陰で、

「貂蟬。……誰かそれへ参ったのか」と、董卓の声がした。

呂布は、ぎょっとして、数歩跫音をしのばせて、室を離れ、そこからわざと大股に、ずっとはいって来て、

「呂布です。太師には、今お目ざめですか」と、常と変らない態を装って礼をした。

春宵の夢魂、まだ醒めやらぬ顔して、董卓は、その巨軀を、鴛鴦(えんおう)の牀(しょう)に横たえていたので、唐突な彼の跫音に、びっくりして身を起した。

「誰かと思えば、呂布か。……誰に断って、臥房へ入って来た」

「いや、今、お目ざめと、番将が知らしてくれたものですから」

「いったい、何の急用か」

「は……」

呂布は、用向きを問われて口ごもった。——臥房へまで来て命を仰ぐほどな用事は何もないのであった。

「実は……こうです。夜来、なんとなく寝ぐるしいうちに、太師が病にかかられた夢を見たものですから、心配のあまり、夜が明けるのを待ちかねて、相府へ詰めておりました。——がしかし、お変りのない容子を見て、安心いたしました」

「何をいっておるのか」

董卓は、彼のしどろもどろな口吻(くちぶり)を怪しんで、舌打ちした。

「起きぬけから忌(いま)わしいことを聞かせおる。そんな凶夢を、わざわざ耳に入れにくるやつがあるか」

「恐れ入りました。常々健康をお案じしておるものですから」

「嘘をいえ」と、叱って、「そちの容子は、なんとなくいぶかしいぞ。その眼の暗さはなんだ。その挙動のそわそわしている様(さま)はなんだ。去れっ」

「はっ」

呂布は、うつ向いたまま、一礼して悄然と、影を消した。

その日、早めに邸へ帰って来ると、彼の妻は、良人の顔色の冴えないのを憂いて訊いた。

「なにか太師のごきげんを損ねたのではありませんか」

すると呂布は、大声で、

「うるさいっ。董太師がなんだ。この呂布を圧えることは、太師でもできるものか。貴さまは、できると思うのか」

と、妻に当って、どなりちらした。

三

呂布の容子は、目立って変ってきた。

相府への出仕も、休んだり遅く出たり、夜は酒に酔い、昼は狂躁に罵ったり、また、終日、茫然とふさぎ込んだまま、口もきかない日もあった。

「どうしたんですか」

妻が問えば、

「うるさい」としかいわない。

床を踏み鳴らして、檻の猛獣のように、部屋の中を独り廻っている時など、頰を涙にぬらしていることがあった。

そうこうする間に、一月余りは過ぎて、悩ましい後園の春色も衰え、浅翠の樹々に、初夏の陽が、日ましに暑さを加えてきた。

「お勤めはともかく、この際、お見舞にも出ないでは、大恩のある太師へ叛く者と、人からも疑われましょう」

彼の妻はしきりと諫めた。

近頃、董太師が、重いというほどでもないが、病床にあるというので、たびたび、出仕をすすめるのだった。

呂布もふと、

「そうだ。出仕もせず、お見舞にも出なくては、申し訳ない」

気を持ち直したらしく、久しぶりで、相府へ出向いた。

そして、董卓の病床を見舞うと、董卓は、もとより、彼の武勇を愛して、ほとんど養子のように思っている呂布のことであるから、いつか、叱って追い返したようなことは、もう忘れている顔で、

「オオ、呂布か、そちも近頃は、体が勝れないで休んでいるということではないか。どんな容体だの」と、かえって病人から慰められた。

「大したことではありません。すこしこの春に、大酒が過ぎたあんばいです」

呂布は、淋しく笑った。

そしてふと、傍らにある貂蟬のほうを眼の隅から見やると、この半月の余は、董卓の枕元について帯も裳も解かず、誠心から看護して、すこし面やつれさえして見える容子なので――呂布はたちまち、むらむらと嫉妬の火に全身の血を燃やされて、

(初めは、心にもなくゆるした者へも、女はいつか、月日と共に、身も心も、その男に囚われてしまうものか)と、遣るかたなく、煩悶しだした。

董卓は、咳入った。

その間に、呂布は、顔いろをさとられまいと、牀の裾へ退いた。――そして董卓の背をなでている貂蟬の真白な手を、物に憑かれた人間のように見つめていた。

すると、貂蟬は、董卓の耳へ、顔をすりよせて、

「すこし静かに、おやすみ遊ばしては……」

とささやいて、衾をおおい、自分の胸をも、上からかぶせるようにした。

呂布の眼は、焰になっていた。その全身は、石の如く、去るのを忘れていた。貂蟬は、病人の視線を隠すと、その姿を振向いて、片手で袖を持って、眼を拭った。……さめざめと、泣いてみせているのである。

(――辛い。わたしは辛い。想っているお方とは、語らうこともできず、こうして、いつまで心にもない人と一室に暮らさなければならないのでしょう。あなたは無情です。ちっともこの頃は、お姿を見せてくださらない！　せめて、お姿を見るだけでも、わたしは人知れず慰められているものを)

もとより声に出してはいえなかったが、彼女の一滴一滴の涙と、濡れた睫毛と、物いえぬ唇のわななきは、言葉以上に、惻々と、呂布の胸へ、その想いを語っていた。

「……では、では、そなたは」

呂布は、断腸の思いの中にも、体中の血が狂喜するのをどうしようもなかった。盲目的に彼女のうしろへ寄って行った。そして、その白い頸を抱きすくめようとしたが、屏風の角に、剣の佩環が引っかかったので、思わず足をすくめてしまった。

「呂布っ。何するか」

病床の董卓は、とたんに、大喝して身をもたげた。

四

呂布は、狼狽して、

「いや、べつに……」と、牀の裾へ退がりかけた。

「待てっ」と、董卓は、病も忘れて、額に青すじを立てた。

「今、おまえは、わしの眼を偸んで、貂蟬へたわむれようとしたな。――わしの寵姫へ、みだらなことをしかけようとしたろう」

「そんなことはしません」

「ではなぜ、屏風の内へはいろうとしたか。いつまで、そんな所に物欲しそうにまごついているか」

「………」

呂布は、いい訳に窮して、真っ蒼な顔してうつ向いた。

彼は、弁才の士ではない。また、機知なども持ち合わせない人間である。それだけに、こう責めつけられると、進退きわまったかの如く、惨澹たる唇を噛むばかりだった。

「不届き者めッ、恩寵を加えれば恩寵に狎れて、身のほどもわきまえずにどこまでもツケ上がりおる！　向後は予の室へ、一歩でもはいると承知せぬぞ。いや、沙汰あるまで自邸で謹慎しておれ。――退がらぬかっ。これ、誰かある、呂布をおい出せ」

と、董卓の怒りは甚しく、口を極めて罵った。

どやどやと、室外に、武将や護衛の力者たちの跫音が馳け集まった。――が、呂布は、その手を待たず、

「もう、来ません！」

云い放って、自分からさっと、室の外へ出て行った。

ほとんど、入れちがいに、

「何です？　何か起ったのですか」と、李儒が入ってきた。

まだ怒りの冷めない董卓は、火のような感情のまま、呂布が、この病室で、自分の寵姫に戯れようとした罪を、外道を憎むように唾して語った。

「困りましたなあ」

李儒は冷静である。にが笑いさえうかべて聞いていたが、

「なるほど、不届きな呂布です。——けれど太師。天下へ君臨なさる大望のためには、そうした小人の、少しの罪は、笑っておゆるしになる寛度もなければなりません」

「ばかな」

董卓は、肯じない。

「そんなことをゆるしておいたら、士気はみだれ、主従のあいだはどうなるか」

「でも今、呂布が変心して、他国へ奔ったら、大事はなりませぬぞ」

「…………」

董卓も、李儒に説かれているうちに、やや激怒もおさまって来た。ひとりの寵姫よりは、もちろん、天下は大であった。いかに貂蟬の愛に溺れていても、その野望は捨てきれなかった。

「だが李儒。呂布のやつは、かえって傲然と帰ってしまったが、では、どうしたらよいか」

「そうお気づきになれば、ご心配はありません。呂布は単純な男です。明日、お召しあって、金銀を与え、優しくお諭しあれば、単純だけに、感激して、向後はかならず慎むでしょう」

李儒の忠言を容れて、彼はその翌日、呂布を呼びにやった。

どんな問罪を受けるかと、覚悟してきて見ると、案に相違して、黄金十斤、錦二十四

を賜わった上、董卓の口から、

「きのうは、病のせいか、癇癖を起して、そちを罵ったが、わしは何ものよりも、そちを力にしておるのだ。悪く思わず、以前のとおりわが左右を離れずに、日ごとここへも顔を見せてくれい」

と、なだめられたので、呂布はかえって心に苦しみを増した。しかし主君の温言のてまえ、拝跪して恩を謝し、黙々とその日は無口に退出した。

絶纓の会

一

その後、日を経て、董卓の病もすっかりよくなった。

彼はまた、その肥大強健な体に驕るかのように、日夜貂蟬と遊楽して、帳裡の痴夢に飽くことを知らなかった。

呂布も、その後は、以前よりはやや無口にはなったが、日々精勤して、相府の出仕は欠かさなかった。

董卓が朝廷へ上がる時は、呂布が赤兎馬にまたがって、必ずその衛軍の先頭に立ち、董卓が殿上にある時は、また必ず呂布が戟を持って、その階下に立っていた。

或る折。

天子に政事を奏するため、董卓が昇殿したので、呂布はいつものように戟を執って、内門に立っていた。

壮者の旺な血ほど、気懶い睡気を覚えるような日である。呂布は、そこここを飛びかう蝶にも、睡魔に襲われ、眼をあげて、夏近い太陽に耀く木々の新翠や真紅の花を見ては、「——貂蟬は何をしているか」と、煩悩にとらわれていた。

ふと、彼は、

「きょうは必ず董卓の退出は遅くなろう。……そうだ、この間に」と考えた。

むらむらと、思慕の炎に駆られだすと、彼は矢も楯もなかった。

にわかに、どこかへ、駆けだして行ったのである。

董卓の留守の間に——と、呂布はひとり相府へ戻って来たのだった。そして勝手を知った後堂へ忍んで行ったと思うと、戟を片手に、寵姫の室へ入って、帳をのぞいた。

「貂蟬。——貂蟬」と、声をひそめながら、

「誰？」

貂蟬は、窓に倚って、独り後園の昼を見入っていたが、振向いて、呂布のすがたを見ると、

「オオ」

と、馳け寄って、彼の胸にすがりついた。

「まだ太師も朝廷からお退がりにならないのに、どうしてあなただけ帰って来たのですか」

「貂蟬。わしは苦しい」

呂布は、呻くように云った。

「この苦しい気もちが、そなたには分らないのだろうか。実は、きょうこそ太師の退出が遅いらしいので、せめて束の間でもと、わし一人そっとここへ走り戻って来たのだ」

「では……そんなにまで、この貂蟬を想っていて下さいましたか。……うれしい」

貂蟬は、彼の火のような眸を見て、はっと、脅えたように、

「ここでは、人目にかかっていけません。後から直ぐに参りますから、園のずっと奥の鳳儀亭で待っていてください」

「きっと来るだろうな」

「なんで嘘をいいましょう」

「よし、では鳳儀亭に行って待っているぞ」

呂布はひらりと庭へ身を移していた。そして、木の間を走るかと思うと、後園の奥まった所にある一閣へ来て、貂蟬を待っていた。

貂蟬は彼が去ると、いそいそと化粧をこらし、ただ一人で忍びやかに、鳳儀亭の方へ

忍んで行った。

柳は緑に、花は紅に、人なき秘園は、熟れた春の香いにむれていた。

貂蟬は、柳の糸のあいだから、そっと鳳儀亭のあたりを見まわした。

呂布は、戟を立てて、そこの曲欄にたたずんでいた。

二

曲欄の下は、蓮池だった。

鳳儀亭へ渡る朱の橋に、貂蟬の姿が近づいて来た。花を分け柳を払って現れた月宮の仙女かと怪しまれるほど、その粧いは麗わしかった。

「呂布さま」

「おう……」

ふたりは亭の壁の陰へ倚った。そして長いあいだ無言のままでいた。呂布は、体じゅうの血が燃えるかと思った。うつつの身か、夢の身かを疑っていた。

「……おや、貂蟬、どうしたのだね」

「………………」

「ええ、貂蟬」

呂布は、彼女の肩をゆすぶった。——彼の胸に顔をあてていた貂蟬が、そのうちにさめざめと泣き出したからであった。

「わしとこうして会ったのを、そなたはうれしいと思わないのか。いったい、何をそんなに泣くのか」

「いいえ、貂蟬は、うれしさのあまり、胸がこみあげてしまったのです。――お聞きください。呂布さま。わたくしは王允様の真の子ではありません。さびしい孤児でした。けれど、わたしを真の子のように可愛がって下された王允様は、行く末は必ず、凜々しい英傑の士を選んで嫁けてやるぞ――といつも仰っしゃって下さいました。それからぬか、将軍をお招きした夜、それとなく私とあなたとを会わせて賜わりましたから、私は、ひとたび、あなたにお目にかかると、これで平生の願いもかなうかと、その夜から、夢にも見るほど、楽しんでおりました」

「ウむ。……ムム」

「ところが、その後、董太師のために、心に秘めていた想いの花は、ふみにじられてしまいました。太師の権力に、泣く泣く心にそまぬ夜々を明かしました。もうこの身は、以前のきれいな身ではありません。……いかに心は前と変らず持っていても、汚された身をもって、将軍の妻室にかしずくことはできませんから、それを思うと、恐ろしくて、口惜しくて……」

貂蟬は、あたりへ聞えるばかり嗚咽して、彼の胸に、とめどなく悶えて泣いていたが、突然、

「呂布さま。どうか貂蟬の心根だけは、不愍なものと、忘れないでいてください」

と、叫びざま、曲欄へ走り寄って、蓮の池へ身を投げようとした。

呂布は、びっくりして、

「何をする」と、抱き止めた。

その手を、怖ろしい力で、貂蟬は振りのけようと争いながら、

「いえ、いえ、死なせて下さい。生きていても、あなたとこの世のご縁はないし、ただ心は日ごと苦しみ、身は不仁な太師の贄になって、夜々、虐まれるばかりです。せめて、後世の契りを楽しみに、冥世へ行って待っております」

「愚かなことを。来世を願うよりも今生に楽しもう。貂蟬、今にきっと、そなたの心に添うようにするから、死ぬなどと、短気なことは考えぬがいい」

「えっ……ほんとですか。今のおことばは、将軍の真実ですか」

「想う女を、今生において、妻ともなし得ないで、豈、世の英雄と呼ばれる資格があろうか」

「もし、呂布さま。それがほんとなら、どうか貂蟬の今の身を救うて下さいませ。一日も一年ほど長い気がいたします」

「時節を待て。それも長いこととはいわぬ――また、今日は老賊に従って、参殿の供につき、わずかな隙をうかがってここへ来たのだから、もし老賊が退出してくるとたちまち露顕してしまう。そのうちに、またよい首尾をして会おう」

「もう、お帰りですか」

貂蟬は、彼の袖をとらえて、離さなかった。

「将軍は、世に並ぶ者なき英雄と聞いていましたのに、どうしてあんな老人をそんなに、怖れて、董卓の下風に従いているのですか」

「そういうわけではないが」

「私は、太師の跫音を聞いても、ぞっと身がふるえてきます。……ああいつまでも、こうしていたい」

なお、寄りすがって、紅涙雨の如き姿態であった。――ところへ、董卓は朝から帰って来るなり、ただならぬ血相をたたえて彼方から歩いて来た。

三

「はて。貂蟬も見えないし、呂布もどこへ行きおったか？」

董卓の眸は、猜疑に燃えていた。

今し方、彼は朝廷から退出した。呂布の赤兎馬は、いつもの所につないであるのに、呂布のすがたは見えなかった。怪しみながら、車に乗って相府へ帰ってみると、貂蟬の衣は、衣桁に懸っているが、貂蟬のすがたは見当らないのである。

「さては」

と、彼は、侍女を糺して、男女の姿を見つけに、自身、後園の奥へ捜しに来たのであった。

二人は鳳儀亭の曲欄にかがみこんで、泣きぬれていた。貂蟬は、ふと、董卓の姿が彼方に見えたので、

「あっ……来ました」と、あわてて呂布の胸から飛び離れた。

呂布も、驚いて、

「しまった。……どうしよう」

うろたえている間に、董卓はもう走り寄って来て、

「匹夫っ。白日も懼れず、そんな所で、何しているかっ」

と、怒鳴った。

呂布は、物もいわず、鳳儀亭の朱橋を躍って、岸へ走った。——すれ交いに、董卓は、

「おのれ、どこへ行く」と、彼の戟を引ったくった。

呂布が、その肘を打ったので、董卓は、奪った戟を取り落してしまった。彼は、肥満しているので、身をかがめて拾い取るのも、遅鈍であった。——その間に、呂布はもう五十歩も先へ逃げていた。

「不埓者っ」

董卓は、その巨きな体を前へのめらせながら、喚いて云った。

「待てっ。こらっ。待たぬかっ、匹夫め」

すると、彼方から馳けて来た李儒が、過って出会いがしらに、董卓の胸を突きとばし

た。

董卓は、樽の如く、地へ転げながら、いよいよ怒って、

「李儒っ、そちまでが、予をささえて、不届きな匹夫を援けるかっ。——不義者をなぜ捕えん」

と、吼号した。

李儒は、急いで、彼の身を扶け起しながら、

「不義者とは、誰のことですか。——今、てまえが後園に人声がするので、何事かと出てみると、呂布が、太師狂乱して、罪もなきそれがしを、お手討になさると追いかけて参るゆえ、何とぞ、助け賜われとのこと、驚いて、馳けつけて来たわけですが」

「何を、ばかな。——董卓は狂乱などいたしてはおらん。予の目を偸んで、白昼、貂蟬に戯れているところを、予に見つけられたので、狼狽のあまり、そんなことを叫んで逃げ失せたのだろう」

「道理で、いつになく、顔色も失って、ひどく狼狽の態でしたが」

「すぐ、引っ捕えて来い。呂布の首を刎ねてくれる」

「ま。そうお怒りにならないで、太師にも少し落着いて下さい」

李儒は、彼の沓を拾って、彼の足もとへ揃えた。

そして、閣の書院へ伴い、座下に降って、再拝しながら、

「ただ今は、過ちとはいえ、太師のお体を突き倒し、罪、死に値します」

と、詫び入った。

董卓はなお、怒気の冷めぬ顔を、横に振って、

「そんなことはどうでもよい。速やかに、呂布を召捕って来て、予に、呂布の首を見せい」

といった。

李儒は、あくまで冷静であった。董卓が、怒るのを、あたかも痴児の囈言（たわごと）のように、苦笑のうちに聞き流して、

「恐れながら、それはよろしくありません。呂布の首を刎ねなさるのは、ご自身の頸（うなじ）へご自身で刃（やいば）を当てるにも等しいことです」と、諫（いさ）めた。

四

「なぜ悪いかっ。なぜ、不義者の成敗をするのが、よろしくないか」

董卓は、そう云いつのって、どうしても、呂布を斬れと命じたが、李儒は、

「不策です。いけません」

頑として、彼らしい理性を、変えなかった。

「太師のお怒りは、自己のお怒りに過ぎませんが、てまえがお諫め申すのは、社稷（しゃしょく）*のためです。——昔、こういう話があります」

と、李儒は、例をひいて、語りだした。

それは、楚国の荘王のことであるが、或る折、荘王が楚城のうちに、盛宴をひらいて、武功の諸将をねぎらった。

すると——宴半ばにして、にわかに涼風が渡って、満座の燈火がみな消えた。

荘王、

（はや、燭をともせ）と、近習へうながし、座中の諸将は、かえって、

（これも涼しい）と、興ありげにさわいでいた。

——と、その中へ、特に、諸将をもてなすために、酌にはべらせておいた荘王の寵姫へ、誰か、武将のひとりが戯れてその唇を盗んだ。

寵姫は、叫ぼうとしたが、じっとこらえて、その武将の冠の纓をいきなりむしりとって、荘王の側へ逃げて行った。

そして、荘王の膝へ、泣き声をふるわせて、

「この中で今、誰やら、暗闇になったのを幸いに、妾へみだらに戯れたご家来があります。はやく燭をともして、その武将を縛めてください。冠の纓の切れている者が下手人です」

と、自分の貞操をも誇るような誇張を加えて訴えた。

すると荘王は、どう思ったか、

「待て待て」と、今しも燭を点じようとする侍臣を、あわてて止め、

「今、わが寵姫が、つまらぬことを予に訴えたが、こよいはもとより心から諸将の武功

をねぎらうつもりで、諸公の愉快は予の愉快とするところである。酒興の中では今のようなことはありがちだ。むしろ諸公がくつろいで、今宵の宴をそれほどまで楽しんでくれたのが予も共にうれしい」

と、いって、さてまた、

「これからは、さらに、無礼講として飲み明かそう。みんな冠の纓を取れ」と、命じた。

そしてすべての人が、冠の纓を取ってから、燭を新たに灯させたので、寵姫の機智もむなしく、誰が、女の唇を盗んだ下手人か知れなかった。

その後、荘王は、秦との大戦に、秦の大軍に囲まれ、すでに重囲のうちに討死と見えた時、ひとりの勇士が、乱軍を衝いて、王の側に馳けより、さながら降天の守護神のごとく、必死の働きをして敵を防ぎ、満身朱になりながらも、荘王の身を負って、ついに一方の血路をひらいて、王の一命を完うした。

王は、彼の傷手のはなはだしいのを見て、

「安んぜよ、もうわが一命は無事なるを得た。だが一体、そちは何者だ。そして如何なるわけでかくまで身に代えて、予を守護してくれたか」と、訊ねた。

すると、傷負の勇士は、

「――されば、それがしは先年、楚城の夜宴で、王の寵姫に冠の纓をもぎ取られた痴者です」

と、にこと笑って答えながら死んだという。

――李儒は、そう話して、

「いうまでもなく、彼は、荘王の大恩に報じたものです。世にはこの佳話を、絶纓の会と伝えています。……太師におかれても、どうか、荘王の大度を味わってください」

董卓は、首を垂れて聞いていたが、やがて、

「いや、思い直した。呂布の命は助けておこう。もう怒らん」

翻然と、諫めを容れて去った。

五

李儒はかねて、呂布が何を不平として、近ごろ董卓に含んでいるか、およそ察していたので、

――困ったものだ。

と、内心、貂蟬に溺れている董卓にも、それに瞋恚を燃やしている呂布にも、胸を傷めていた折であった。

それゆえ、「絶纓の会」の故事をひいて、諄々と、諫めたところ、さすが、董卓も暗愚ではないので、

「忘れおこう、呂布はゆるせ」と、釈然と悟った容子なので、これ、太師の賢明によるところ、覇業万歳の基であると、直ちに、呂布へもその由を告げて、大いに安心してい

た。

董卓は、李儒を退けると、すぐ後堂へ入って行ったが、見ると、帳にすがって、貂蟬はまだ独りしくしく泣いていた。

「何を泣くか。女にも隙があるから、男が戯れかかるのだ。そなたにも半分の罪があるぞ」

董卓が、いつになく叱ると、貂蟬はいよいよ悲しんで、

「でも、太師は常に、呂布はわが子も同様だと仰っしゃっていらっしゃいましょう。――ですから私も、太師のご養子と思って、敬まっていたんです。それを今日は、恐い血相で、戟を持って私を脅し、むりやりに鳳儀亭に連れて行ってあんなことをなさるんですもの……」

「いや、深く考えてみると、悪いのは、そなたでも呂布でもなかった。この董卓が愚かだった。――貂蟬、わしが媒ちして、そなたを呂布の妻にやろう。あれほど忘れ難なく恋している呂布だ。そなたも彼を愛してやれ」

眼をとじて、董卓がいうと、貂蟬は、身を投げて、その膝にとりすがった。

「なにをおっしゃいます。太師に捨てられて、あんな乱暴な奴僕の妻になれというのですか。嫌なことです。死んだって、そんな辱めは受けません」

いきなり董卓の剣を抜きとって、咽に突き立てようとしたので、董卓は仰天して、彼女の手から剣を奪りあげた。

貂蟬は、慟哭して、床に伏しまろびながら、

「……わ、わかりました。これはきっと、李儒が呂布に頼まれて、太師へそんな進言をしたにちがいありません。あの人と呂布とは、いつも太師のいらっしゃらない時というと、ひそひそ話していますから。……そうです。太師はもう、私よりも、李儒や呂布のほうがお可愛いんでしょう。わたしなどはもう……」

董卓は、やにわに、彼女を膝に抱きあげて、泣き濡れているその頰やその唇へ自分の顔をすり寄せて云った。

「泣くな、泣くな、貂蟬、今のことばは、冗戯じゃよ。なんでそなたを、呂布になど与えるものか。――明日、郿塢の城へ帰ろう。郿塢には、三十年の兵糧と、数百万の兵が蓄えてある。事成れば、そなたを貴妃とし、事成らぬ時は、富貴の家の妻として、生涯を長く楽しもう。……嫌か、ウム、嫌ではあるまい」

次の日――

李儒は改まって、董卓の前に伺候した。ゆうべ、呂布の私邸を訪い、恩命を伝えたところ、呂布も、深く罪を悔いておりました――と報告してから、

「きょうは幸いに、吉日ですから、貂蟬を呂布の家にお送りあってはいかがでしょう。――彼は単純な感激家です。きっと、感涙をながして、太師のためには、死をも誓うにちがいありません」

と、いった。

すると董卓は、色を変じて、

「たわけたことを申せ。──李儒っ、そちは自分の妻を呂布にやるかっ」

李儒は、案に相違して、唖然としてしまった。

董卓は早くも車駕を命じ、珠簾の宝台に貂蝉を抱き乗せ、扈従の兵馬一万に前後を守らせ、郿塢の仙境をさして、揺々と発してしまった。

天颷

一

董太師、郿塢へ還る。──と聞えたので、長安の大道は、拝跪する市民と、それを送る朝野の貴人で埋まっていた。

呂布は、家にあったが、

「はてな？」

窓を排して、街の空をながめていた。

「今日は、日も吉いから、貂蝉を送ろうと、李儒は云ったが？」

車駕の轣音や馬蹄のひびきが街に聞える。巷のうわさは嘘とも思えない。

「おいっ、馬を出せっ、馬を」

呂布は、厩へ馳け出して呶鳴った。

飛びのるが早いか、武士も連れず、ただ一人、長安のはずれまで鞭打った。そこらはもう郊外に近かったが、すでに太師の通過と聞えたので、菜園の媼も、畑の百姓も、往来の物売りや旅芸人などまで、すべて路傍に草の如く伏していた。

呂布は、丘のすそに、駒を停めて、大樹の陰にかくれてたたずんでいた。そのうちに車駕の列が蜿蜒と通って行った。

――見れば、金華の車蓋に、珠簾の揺れ鳴る一車がきしみ通って行く。四方翠紗の籠屛の裡に、透いて見える絵の如き人は貂蟬であった。――貂蟬は、喪心しているもののように、うつろな容貌をしていた。

ふと、彼女の眸は、丘のすそを見た。そこには、呂布が立っていた。――呂布は、われを忘れて、オオと、馳け寄らんばかりな容子だった。

貂蟬は、顔を振った。その頰に、涙が光っているように見えた。――前後の兵馬は、畑土を馬蹄にあげて、たちまち、その姿を彼方へ押しつつんでしまった。

「…………」

呂布は、茫然と見送っていた。――李儒の言は、ついに、偽りだったと知った。いや、李儒に偽りはないが、董卓が、頑として、貂蟬を離さないのだと思った。

「……泣いていた、貂蟬も泣いていた。どんな気もちで郿塢の城へいったろう」

彼は、気が狂いそうな気がしていた。沿道の百姓や物売りや旅人などが、そのせいか、じろじろと彼を振向いてゆく。呂布の眼はたしかに血走っていた。

「や、将軍。……こんな所で、なにをぼんやりしているんですか」

白い驢を降りて、彼のうしろからその肩を叩いた人がある。

呂布は、うつろな眼を、うしろへ向けたが、その人の顔を見て、初めてわれにかえった。

「おう、あなたは王司徒ではないか」

王允は、微笑して、

「なぜ、そんな意外な顔をなされるのか。ここはそれがしの別業の竹裏館のすぐ前ですのに」

「ああ、そうでしたか」

「董太師が郿塢へお還りと聞いたので、門前に立ってお見送りしたついでに、一巡りしようかと驢を進めて来たところです。——将軍は、何しに？」

「王允、何しにとは情けない。其許がおれの苦悶をご存じないはずはないが」

「はて。その意味は」

「忘れはしまい。いつか貴公はこの呂布に、貂蟬を与えると約束したろう」

「もとよりです」

「その貂蟬は老賊に横奪りされたまま、今なお呂布をこの苦悩に突きおとしているではないか」

「……その儀ですか」

王允は、急に首を垂れて、病人のような嘆息をもらした。

「太師の所行はまるで禽獣のなされ方です。わたくしの顔を見るたびに、近日、呂布の許へ貂蟬は送ると、口ぐせのようにいわるるが、今もって、実行なさらない」

「言語道断だ。今も、貂蟬は、車のうちで泣いて行った」

「ともかく、ここでは路傍ですから……、そうだ、ほど近い私の別業までお越し下さい。篤と、ご相談もありますから」

王允は、慰めて、白驢に乗って先へ立った。

二

そこは長安郊外の、幽邃な別業であった。

呂布は、王允に誘われて、竹裏館の一室へ通されたが、酒杯を出されても、沈湎として、溶けぬ忿怒にうな垂れていた。

「いかがです、おひとつ」

「いや、今日は」

「そうですか。では、あまりおすすめいたしません。心の楽しまぬ時は、酒を含んでも、いたずらに、口にはにがく、心は燃えるのみですから」

「王司徒」

「はい」

「察してくれ……。呂布は生れてからこんな無念な思いは初めてだ」

「ご無念でしょう。けれど、私の苦しみも、将軍に劣りません」

「おぬしにも悩みがあるか」

「あるか——どころではないでしょう。折角、将軍の室へ娶っていただこうと思ったわが養女を、董太師に汚され、あなたに対しては、義を欠いている。——また、世間は将軍をさして、わが女房を奪われたる人よ、と蔭口をきくであろうと、わが身に誹りを受けるより辛く思われます」

「世間がおれを嘲うと！」

「董太師も、世の物笑いとなりましょうが、より以上、天下の人から笑い辱められるのは、約束の義を欠いた私と、将軍でしょう。……でもまだ私は老いぼれのことですから、どうする術もあるまいと、人も思いましょうが、将軍は一世の英雄でありまた、お年も壮んなのに、なんたる意気地のない武士ぞといわれがちにきまっています。……どうぞ、私の罪を、おゆるし下さい」

王允がいうと、

「いや、貴下の罪ではない！」

呂布は、憤然、床を鳴らして突っ立ったかと思うと、

「王司徒、見ておれよ。おれは誓って、あの老賊をころし、この恥をそそがずにはおかぬから」

王允は、わざと仰山に、

「将軍、卒爾なことを口走り給うな。もし、そのようなことが外へ洩れたら、お身のみか、三族を亡ぼされますぞ」

「いいや、もうおれの堪忍もやぶれた。大丈夫たる者、豈鬱々として、この生を老賊の膝下に屈んで過そうや」

「おお、将軍。今の僭越な諫言をゆるして下さい。将軍はやはり稀世の英邁でいらっしゃる。常々ひそかに、将軍の風姿を見ておるに、古の韓信などより百倍も勝れた人物だと失礼ながら慕っていました。韓信だに、王に封ぜられたものを、いつまで、区々たる丞相府の一旗下で居たまうわけはない……」

「ウーム、だが……」

呂布は牙を嚙んで呻いた。

「――今となって、悔いているのは、老賊の甘言にのせられて、董卓と義父養子の約束をしてしまったことだ。それさえなければ、今すぐにでも、事を挙げるのだが、かりそめにも、義理の養父と名のついているために、おれはこの憤りを抑えておるのだ」

「ほほう……。将軍はそんな非難を怖れていたんですか。世間は、ちっとも知らないこ

とですのに」

「なぜ」

「でも、でも、将軍の姓は呂、老賊の姓は董でしょう。聞けば、鳳儀亭で老賊は、あなたの戟を奪って投げつけたというじゃありませんか。父子の恩愛がないことは、それでも分ります。ことに、未だに、老賊が自分の姓を、あなたに名乗らせないのは、養父養子という名にあなたの武勇を縛っておくだけの考えしかないからです」

「ああ、そうか。おれはなんたる智恵の浅い男だろう」

「いや、老賊のため、義理に縛られていたからです。今、天下の憎む老賊を斬って、漢室を扶け、万民へ善政を布いたら、将軍の名は青史のうえに不朽の忠臣としてのこりましょう」

「よしっ、おれはやる。必ず、老賊を馘ってみせる」

呂布は、剣を抜いて、自分の肘を刺し、淋漓たる血を示して、王允へ誓った。

三

呂布の帰りを門まで送って出ながら、王允は、そっとささやいた。

「将軍、きょうのことは、ふたりだけの秘密ですぞ。誰にも洩らして下さるな」

「もとよりのことだ。だが大事は、二人だけではできないが」

「腹心の者には明かしてもいいでしょう。しかし、この後は、いずれまた、ひそかにお目にかかって相談しましょう」

赤兎馬にまたがって、呂布は帰って行った。王允は、その後ろ姿を見送って、

――思うつぼに行った。

と独りほくそ笑んでいた。

その夜、王允はただちに、日頃の同志、校尉黄琬、僕射士孫瑞の二人を呼んで、自分の考えをうちあけ、

「呂布の手をもって、董卓を討たせる計略だが、それを実現するに、何かよい方法があるまいか」

と、計った。

「いいことがあります」と、孫瑞がいった。

「天子には、先頃からご不予でしたが、ようやく、この頃ご病気も癒えました。ついては、詔と称し、偽の勅使を郿塢の城へつかわして、こういわせたらよいでしょう」

「え。偽勅の使いを？」

「されば、それも天子の御為ならば、お咎めもありますまい」

「そしてどういうのか」

「天子のおことばとして――朕病弱のため帝位を董太師に譲るべしと、偽りの詔を下して彼を召されるのです。董卓はよろこんで、すぐ参内するでしょう」

「それは、餓虎に生餌を見せるようなものだ。すぐ跳びついてくるだろう」

「禁門に力ある武士を大勢伏せておいて、彼が、参内する車を囲み、有無をいわせず誅戮してしまうのです。——呂布にそれをやらせれば、万に一つものがす気遣いはありません」

「偽勅使には誰をやるか」

「李粛が適任でしょう。私とは同国の人間で、気性も分っていますから、大事を打明けても、心配はありません」

「騎都尉の李粛か」

「そうです」

「あの男は、以前、董卓に仕えていた者ではないか」

「いや、近頃勘気をうけて、董卓の扶持を離れ、それがしの家に身を寄せています。なにか、董卓にふくむことがあるらしく、快々として浮かない日を過しているところですから、よろこんでやりましょうし、董卓も、以前目をかけていた男だけに、勅使として来たといえば、必ず心をゆるして、彼の言を信じましょう」

「それは好都合だ。早速、呂布に通じて、李粛と会わせよう」

王允は、翌晩、呂布をよんで、云々と、策を語った。——呂布は聞くと、

「李粛なら自分もよく知っている。そのむかし赤兎馬をわが陣中へ贈ってきて、自分に、養父の丁建陽を殺させたのも、彼のすすめであった。——もし李粛が、嫌のなんのといったら、一刀のもとに斬りすててしまう」と、いった。

深夜、王允と呂布は、人目をしのんで、孫瑞（そんずい）の邸へゆき、そこに食客となっている李粛に会った。

「やあ、しばらくだなあ」

呂布はまずいった。李粛は、時ならぬ客に驚いて唖然としていた。

「李粛。貴公もまだ忘れはしまいが、ずっと以前、おれが養父丁原と共に、董卓と戦っていた頃、赤兎馬や金銭をおれに送り、丁原に叛かせて、養父を殺させたのは、たしか貴公だったな」

「いや、古いことになりましたね。けれど一体、何事ですか、今夜の突然のお越しは」

「もう一度、その使いを、頼まれて貰いたいのだ。しかし、こんどは、おれから董卓のほうへやる使いだが」

呂布は、李粛のそばへ、すり寄った。そして、王允に仔細を語らせて、もし李粛が不承知な顔いろを現したら、即座に斬って捨てんとひそかに剣を握りしめていた。

四

ふたりの密謀を聞くと、李粛は手を打って、

「よく打明けて下すった。自分も久しく董卓を討たんとうかがっていたが、めったに心底を語る者もないのを恨みとしていたところでした。善哉善哉（よいかなよいかな）、これぞ天の助けというものだろう」

と喜んで、即座に、誓いを立てて荷担した。

そこで三名は、万事を諜しあわせて、その翌々日、李粛は二十騎ほど従えて郿塢の城へおもむき、

「天子、李粛をもって、勅使として降し給う」と、城門へ告げた。

董卓は、何事かと、直ぐに彼を引いて会った。

李粛は恭しく、拝をなして、

「天子におかれては、度々のご不予のため、ついに、太師へ御位を譲りたいとご決意なされました。どうか天下の為、すみやかに大統をおうけあって、九五の位にお昇りあるよう。今日の勅使は、その御内詔をお伝えに参ったわけです」

そういって、じっと董卓の面を見ていると、つつみきれぬ喜びに、彼の老顔がぱっと紅くなった。

「ほ。……それは意外な詔だが、しかし、朝臣の意向は」

「百官を未央殿にあつめ給い、僉議も相すみ、異口同音、万歳をとなえて、一決いたした結果です」

聞くと、董卓は、いよいよ眼を細めて、

「司徒王允は、何といっておるかの」

「王司徒は、よろこびに堪えず、受禅台を築いて、早くも、太師の即位を、お待ちしているふうです」

「そんなに早く事が運んでいるとは驚いた。ははは。……道理で思い当ることがある」

「なんですか。思い当ることとは」

「先頃、夢を見たのじゃ」

「夢を」

「むむ。巨龍雲を起して降り、この身に纏うと見て目がさめた」

「さてこそ、吉瑞です。一刻も早く、車をご用意あって、朝へ上り、詔をおうけなされたがよいと思います」

「この身が帝位についたら、そちを執金吾に取立てて得させよう」

「必ず忠誠を誓います」

李粛が、再拝しているまに、董卓は、侍臣へ向って、車騎行装の支度を命じた。

そして彼は、馳けこむように、貂蟬の住む一閣へ行って、

「いつか、そなたに云ったことがあろう。わしが帝位に昇ったら、そなたを貴妃として、この世の栄華を尽させんと。とうとうその日が来た」と、早口に云った。

貂蟬は、チラと、眼をかがやかしたが――すぐ無邪気な表情をして、

「まあ。ほんとですか」と、狂喜してみせた。

董卓はまた、後堂から母をよび出して、事の由をはなした。彼の母はすでに年九十の余であった。耳も遠く眼もかすんでいた。

「……なんじゃ。俄に、どこへ行くというのかの」

「参内して、天子の御位をうけるのです」

「誰がの？」

「あなたの子がです」

「おまえがか」

「ご老母。あなたも、いい伜を持ったお蔭で、近いうちに、皇太后と敬われる身になるんですぞ。嬉しいと思いませんか」

「やれやれ。わずらわしいことだのう」

九十余歳の老媼は、上唇をふるわせて、むしろ悲しむが如く、天井を仰いだ。

「あははは、張合いのないものだな」

董卓は、嘲りながら、濶歩して一室へかくれ、やがて盛装をこらして車に打乗り、数千の精兵に前後を護られて郿塢山を降って行った。

人間燈

一

蜿蜒と行列はつづいた。

幡旗に埋められて行く車蓋、白馬金鞍の親衛隊、数千兵の戟の光など、威風は道を掃い、その美しさは眼もくらむばかりだった。

すでに十里ほど進んで来ると、車の中の董卓は、ガタッと大きく揺すぶられたので、

「どうしたのだっ」と、咎めた。

「お車の輪が折れました」と、侍臣が恐懼して云った。

「なに。車の輪が折れた」

彼は、ちょっと機嫌を曇らし、

「沿道の百姓どもが、道の清掃を怠って、小石を残しておいたからだろう。見せしめのため、村長を馘れ」

彼は、傾いた車を降りて、逍遥玉面というべつな車馬へ乗りかえた。

そしてまた、六、七里も来たかと思うと、こんどは馬が暴れいないて、轡を切った。

「李粛、李粛」と、金簾のうちから呼んで、彼は怪しみながら訊ねた。

「車の輪が折れたり、馬が轡を嚙み切ったり、これは一体、どういうわけだろう」

「お気にかけることはありません。太師が、帝位に即き給うので、旧きを捨て新しきに代る吉兆です」

「なるほど。明らかな解釈だ」

董卓はまた、機嫌を直した。

途中、一宿して、翌日は長安の都へかかるのだった。ところがその日は、めずらしく霧がふかく、行列が発する頃から狂風が吹きまくって、天地は昏々と暗かった。

「李粛。この天相は、なんの瑞祥だろうか」

事毎に、彼は気に病んだ。

李粛は笑って、

「これぞ、紅光紫霧の賀瑞ではありませんか」と、太陽を指した。

簾の陰から、雲を仰ぐと、なるほど、その日の太陽には、虹色の環がかかっていた。

やがて長安の外城を通り、市街へ進み入ると、民衆は軒を下ろし、道にかがまり、頭をうごかす者もない。

王城門外には、百官が列をなして出迎えていた。

王允、淳于瓊、黄琬、皇甫嵩なども、道の傍に、拝伏して、

「おめでとう存じあげます」と、慶賀を述べ、臣下の礼をとった。

董卓は、大得意になって、

「相府にやれ」と、車の馭官へ命じた。

そして丞相府にはいると、

「参内は明日にしよう。すこし疲れた」と、いった。

その日は、休憩して、誰にも会わなかったが、王允だけには会って、賀をうけた。

王允は、彼に告げて、明日は斎戒沐浴をなし、万乗の御位を譲り受け給わらんことを」と、禱って去った。

「どうか、こよいは悠々身心をおやすめ遊ばして、明日は斎戒沐浴をなし、万乗の御位

「ご気分はいかがです」と、誰かその後から帳をうかがう者があった。

呂布であった。

董卓は、彼を見ると、やはり気強くなった。

「オオ、いつもわしの身辺を護っていてくれるな」

「大事なお体ですから」

「わしが位についたら、そちには何をもって酬いようかな。そうだ、兵馬の総督を任命してやろう」

「ありがとうございます」

呂布は、常のように戟を抱え、彼の室外に立って、夜もすがら忠実に護衛していた。

二

その夜は、さすがに彼も、婦女を寝室におかず、眠りの清浄を守った。

けれど、明日は、九五の位をうける身かと思うと、心気昂ぶって、容易に眠りつけない様子だった。

――と、室の外を。

戞。戞。

と、誰か歩く靴音がする。

むくと、身を起し、

「誰かっ」と咎めると、帳の外に、まだ起きていた李粛が、

「呂布が見廻っているのです」と、答えた。

「呂布か……」

そう聞くと、彼はすっかり安心してかすかに鼾をかき始めたが、また、眼をさまして、しきりと、耳をそばだてている。

――遠く、深夜の街に、子どもらの謡う童歌が聞えた。

青々、千里の草も
　眼に青ければ
　　運命の風ふかば
　　十日の下は
　生き得まじ

風に漂ってくる歌声は、深沈と夜をながれて、いかにも哀切な調子だった。

彼は、それが耳について、

「李粛」と、また呼んだ。

「は。まだお目をさましておいででしたか」

「あの童謡は、どういう意味だろう。なんだか、不吉な歌ではないか」
「その筈です」
李粛は、でたらめに、こう解釈を加えて、彼を安心させた。
「漢室の運命の終りを暗示しているんですから。――ここは長安の帝都、あしたから帝が代るのですから、無心な童謡にも、そんな予兆が現れないわけはありません」
「なるほど。そうか……」
憐れむべし、彼はうなずいて、ほどなく昏々と、ふかい鼾の中に陥ちた。
後に思えば。
童謡の「千里の草」というのは「董」の字であり、「十日の下」とは卓の字のことであった。
千里草
何青々
十日下
猶不生
と街に歌っていた声は、すでに彼の運命を何者かが嘲笑していた暗示だったのであるが、李粛の言にあやされて、さしもの奸雄も、それはわが身ならぬ漢室のことだと思っていたのである。
朝の光は、彼の枕辺に映しこぼれてきた。

董卓は、斎戒沐浴した。

そして、儀仗をととのえ、きのうに勝る行装をこらして、朝霧のうすく流れている宮門へ向って進んでゆくと、一旒の白旗をかついで青い袍を着た道士が、ひょこり道を曲ってかくれた。

その白旗に、口の字が二つ並べて書いてあった。

「なんじゃ、あれは」

董卓が、李粛へ問うと、

「気の狂った祈禱師です」と、彼は答えた。

口の字を二つ重ねると「呂」の字になる。董卓はふと、呂布のことが気になった。鳳儀亭で貂蟬と密会していた彼のすがたが思い出されていやな気もちになった。

――と、もうその時、儀仗の先頭は、宮中の北掖門へさしかかっていた。

三

禁門の掟なので、董卓も、儀仗の兵士をすべて、北掖門にとどめて、そこから先は、二十名の武士に車を押させて、禁廷へ進んだ。

「やっ？」

董卓は、車の内でさけんだ。

見れば、王允と黄琬の二人が、剣を執って、殿門の両側に立っているではないか。

彼は、何か異様な空気を感じたのであろう。突然、

「李粛李粛。——彼らが、抜剣して立っているのは如何なるわけか」

と、呶鳴った。

すると、李粛は車の後ろで、

「されば、閻王（えんおう）の旨により、太師を冥府（めいふ）へ送らんとて、はや迎えに参っているものとおぼえたりっ」

と、大声で答えた。

董卓は、仰天して、

「な、なんじゃと？」

膝を起そうとした途端に、李粛は、それっと懸け声して、彼の車をぐわらぐわらと前方へ押し進めた。

王允は、大音あげて、

「郿塢（びう）の逆臣が参ったり、出でよっ、武士どもっ」

声を合図に——

「おうっ」

「わあっ」

馳け集まった御林軍の勇兵百余人が、車を顚覆（くつが）えして、董卓を中からひきずり出し、

「賊魁（ぞっかい）ッ」

「この大奸(たいかん)」

「うぬっ」

「天罰」

「思い知れや」

無数の戟(ほこ)は、彼の一身へ集まって、その胸を、肩を、頭を滅多打ちに突いたり斬り下げたりしたが、かねて要心ぶかい董卓は、刃(は)もとおさぬ鎧(よろい)や肌着に身をかためていたので、多少血しおにはまみれてもなお、致命傷には至らなかった。

巨体を大地に転(まろ)ばせながら、彼はその間に絶叫を放っていた。

「——呂布(りょふ)っ、呂布ッ。——呂布はあらざるかっ、義父(ちち)の危難を助けよ」

すると、呂布の声で、

「心得たり」と、聞えたと思うと、彼は画桿(がかん)の大戟(おおほこ)をふりかぶって、董卓の眼前に躍り立ち、「勅命によって逆賊董卓を討つ」と、喚(おめ)くや否、真っ向から斬り下げた。

黒血は霧のごとく噴いて、陽も曇るかと思われた。

「うッ——むっ。……おのれ」

戟はそれて、右の臂(ひじ)を根元から斬り落したにすぎなかった。

董卓は、朱(あけ)にそまりながら、はったと呂布をにらんで、まだなにか叫ぼうとした。

呂布は、その胸元をつかんで、

「悪業のむくいだ」と罵りざま、ぐざと、その喉(のんど)を刺しつらぬいた。

禁廷の内外は、怒濤のような空気につつまれたが、やがて、それと知れ渡ると、

「万歳っ」

と、誰からともなく叫びだし、文武百官から厩の雑人や、衛士にいたるまで、皆万歳を唱え合い、その声、そのどよめきは、小半刻ほど鳴りもやまなかった。

李粛は、走って、董卓の首を打落し、剣尖に刺して高くかかげ、呂布はかねて王允から渡されていた詔書をひらいて、高台に立ち、

「聖天子のみことのりにより、逆臣董卓を討ち終んぬ。――その余は罪なし、ことごとくゆるし給う」

と、大音で読んだ。

董卓、ことし五十四歳。

千古に記すべきその日その年、まさに漢の献帝が代の初平三年 壬申、四月二十二日の真昼だった。

四

大奸を誅して、万歳の声は、禁門の内から長安の市街にまで溢れ伝わったが、なお、

「このままではすむまい」

「どうなることか」と、戦々兢々たる人心の不安は去りきれなかった。

呂布は、云った。

「今日まで、董卓のそばを離れず、常に、董卓の悪行を扶けていたのは、あの李儒という秘書だ。あれは生かしておけん」

「そうだ。誰か行って、丞相府から李儒を搦め捕って来い」

王允が命じると、

「それがしが参ろう」

李粛は答えるや否、兵をひいて、丞相府へ馳せ向った。

すると、その門へ入らぬうちに、丞相府の内から、一団の武士に囲まれて、悲鳴をあげながら、引きずり出されて来るあわれな男があった。

見ると、李儒だった。

丞相府の下部たちは、

「日頃、憎しと思う奴なので、董太師が討たれたりと聞くや否、かくの如く、われわれの手で搦め、これから禁門へつきだしに行くところでした。どうか、われわれには、お咎めなきよう、お扱いねがいます」と、訴えた。

李粛は、なんの労もなく、李儒を生擒ったので、すぐ引っさげて、禁門に献じた。

王允は、直ちに、李儒の首を刎ねて、

「街頭に梟けろ」と、それを刑吏へ下げた。

なお、王允がいうには、

「郿塢の城には、董卓の一族と、日頃養いおいた大軍がいる。誰か進んでそれを掃討してくれる者はいないか」

すると、声に応じて、「それがしが参る」と、真っ先に立った者がある。

呂布であった。

「呂布ならば」と、誰も皆、心にゆるしたが、王允は、李粛、皇甫嵩にも、兵をさずけ、約三万余騎の兵が、やがて郿塢へさして下って行った。

郿塢には、郭汜、張済、李傕などの大将が一万余の兵を擁して、留守を護っていたが、

「董太師には、禁廷において、無残な最期を遂げられた」

との飛報を聞くと、愕然、騒ぎだして、都の討手が着かないうちに、総勢、涼州方面へ落ちてしまった。

呂布は、第一番に、郿塢の城中へ乗込んだ。

彼は、何者にも目をくれなかった。

ひたむきに、奥へ走った。

そして、秘園の帳内を覗きまわって、

「貂蟬っ、貂蟬っ……」

と、彼女のすがたを血眼で捜し求めた。

貂蟬は、後堂の一室に、黙然とたたずんでいた。呂布は、走りよって、

「おいっ、歓べ」と、固く抱擁しながら、物いわぬ体を揺すぶった。

「うれしくないのか。あまりのうれしさに口もきけないのか。貂蟬、おれはとうとうやったよ。董卓を殺したぞ。これからは二人も晴れて楽しめるぞ。さあ、怪我をしては大変だ。長安へお前を送ろう」

呂布はいきなり彼女の体を引っ抱えて、後堂から走り出した。城内にはもう皇甫嵩や李粛の兵がなだれ入って、殺戮、狼藉、放火、奪財、あらゆる暴力を、抵抗なき者へ下していた。

金銀珠玉や穀倉やその他の財物に目を奪われている味方の人間どもが、呂布には馬鹿に見えた。

彼は、貂蟬をしかと抱いて、乱軍の中を馳け出し、自分の金鞍に乗せて、一鞭、長安へ帰って来た。

五

郿塢城の大奥には、貂蟬のほかにも良家の美女八百余人が蓄えられてあった。

繚乱の百花は、暴風の如く、馳け入る兵に踏み荒され、七花八裂、狼藉を極めた。

皇甫嵩は、部下の兵が争うて奪うにまかせ、なお、

「董卓が一族は、老幼をわかたず、一人残らず斬り殺せ」と、厳命した。

董卓の老母で今年九十幾歳という媼は、よろめき出て、

「扶け給え」と、悲鳴をあげながら、皇甫嵩の前へひれ伏したが、ひとりの兵が跳びか

かったかと見るまにその首はもう落ちていた。

わずか半日のまに、誅殺された一族の数は男女千五百余人に上ったという。

それから金蔵を開いてみると、十庫の内に黄金二十三万斤、白銀八十九万斤が蓄えられてあった。また、そのほかの庫内からも金繡綾羅、珠翠珍宝、山を崩して運ぶ如く、続々と城外へ積み出された。

王允は、長安から命を下して、

「すべて、長安へ移せ」と、いいつけた。

また、穀倉の処分は、「半ばを百姓に施し、半ばは官庫に納むべし」と、命令した。

その米粟の額も八百万石という大量であった。

長安の民は賑わった。

董卓が殺されてからは、天の奇瑞か、自然の暗合か、数日の黒霧も明らかに霽れ、風は熄んで地は和やかな光に盈ち、久しぶりに昭々たる太陽を仰いだ。

「これから世の中がよくなろう」

彼らは、他愛なく歓び合った。

城内、城外の百姓町人は、老いも若きも、男も女も祭日のように、酒の瓶を開き、餅を作り軒に彩聯を貼り、神に燈明を灯し、往来へ出て、夜も昼も舞い謡った。

「平和が来た」

「善政がやって来よう」

「これから夜も安く眠られる」

そんな意味の詞を、口々に唄い囃して、銅鑼をたたいて廻った。

すると彼らは、街頭に曝してあった董卓の死骸に群れ集まって、

「董卓だ董卓だ」と、騒いだ。

「きょうまで、おれ達を苦しめた張本人」

「あら憎や」

首は足から足へ蹴とばされ、また首のない屍の臍に蠟燭をともして手をたたいた。

生前、人いちばい肥満していた董卓なので、膏が煮えるのか、臍の燈明は、夜もすがら燃えて朝になってもまだ消えなかったということである。

また。

董卓の弟の董旻、兄の子の董璜のふたりも、手足を斬られて、市に曝された。

李儒は、董卓のふところ刀と日頃から憎しみも一倍強くうけていた男なので、その最期は誰よりも惨たるものだった。

こうして、ひとまず誅滅も片づいたので、王允は一日、都堂に百官をあつめて慶びの大宴を張った。

するとそこへ、一人の吏が、

「何者か、董卓の腐った屍を抱いて、街路に嘆いている者があるそうです」

と、告げて来たので、すぐ引っ捕えよと命じると、やがて縛られて来たのは、侍中蔡

邕であったから人々はみなびっくりした。

蔡邕は、忠孝両全の士で、また曠世の逸才といわれる学者だった。だが、彼もただ一つ大きな過ちをした。それは董卓を主人に持ったことである。

人々は、彼の人物を惜しんだが、王允は獄に下して、免さなかった。そのうちに何者かのために獄の中で縊め殺されてしまった。彼ばかりか、こういう惜しむべき人間もまた、幾多犠牲になったことか知れないであろう。

六

都堂の祝宴にも、ただひとり顔を見せなかった大将がある。

呂布であった。

「微恙のため」と断ってきたが、病気とも思われない。

長安の市民が七日七夜も踊り狂い、酒壺を叩いて、董卓の死を祝している時、彼は、門を閉じて、ひとり慟哭していた。

「貂蟬、貂蟬っ……」

それは、わが家の後園を、狂気のごとく彷徨いあるいている呂布の声だった。

そして、小閣の内へかくれると、そこに横たえてある貂蟬の冷たい体を抱きあげては

また、「なぜ死んだ」と、頰ずりした。

貂蟬は、答えもせぬ。

彼女は、郿塢城の炎の中から、呂布の手にかかえられて、この長安へ運ばれ、呂布の邸にかくされていたが、呂布がふたたび戦場へ出て行った後で、ひとり後園の小閣にはいって、見事、自刃してしまったのである。

「もう貂蟬も、おれのものだ。はれておれの妻となった」

やがて帰って来た呂布は、それまでの夢を打破られてしまった。

貂蟬の自殺が、

「なぜ死んだか」

彼には解けなかった。

「——貂蟬は、あんなにも、おれを想っていたのに。おれの妻となるのを楽しんでいたのに」

と思い迷った。

貂蟬は、何事も語らない。

だが、その死顔には、なんの心残りもないようであった。

——すべきことを為しとげた。

微笑の影すら唇のあたりに残っているように見えた。

彼女の肉体は獣王の犠牲にひとたびは供されたが、今は彼女自身のものに立ち返っていた。天然の麗質は、死んでからよけいに珠のごとく燦いていた。死屍の感はすこしもなく、生けるように美しかった。

呂布の煩悩は、果てしなく醒めなかった。彼の一本気は、その煩悩までが単純であった。

きのうも今宵も、彼は飯汁も喉へ通さなかった。夜も、後園の小閣に寝た。

月は晦い。

晩春の花も黒い。

懊悩の果て、彼は、貂蟬の胸に、顔を当てたままいつか眠っていた。ふと眼がさめると、深夜の気はひそとして、闇の窓から月がさしていた。

「おや、何か？」

彼は、貂蟬の肌に秘められていた鏡嚢を見つけて、何気なく解いた。中には、貂蟬が幼少から持っていたらしい神符札やら麝香などがはいっていた。それと、一葉の桃花箋に詩を書いたものが小さく折りたたんであった。

詩箋は麝香に染みて、名花の芯をひらくような薫りがした。貂蟬の筆とみえ、いかにも優しい文字である。呂布は詩を解さないが、何度も読んでいるうちに、その意味だけは分った。

女の皮膚は弱いというが
鏡にかえて剣を抱けば
剣は正義の心を強めてくれる
わたしはすすんで荆棘へ入る

父母以上の恩に報いる為に
またそれが国の為と聞くからに
楽器を捨て、舞踊する手に
匕首(ひしゅ)を秘めて獣王へ近づき
遂に毒杯を献じたり、右と左にそして最後の一盞(さん)にわれを仆(たお)しぬ
聞ゆ――今、死の耳に
長安の民が謡う平和の歓び
われを呼ぶ天上の迦陵頻伽(かりょうびんが)*の声

「あ……あっ。では……？」

呂布もついに覚(さと)った。貂蟬の真の目的が何にあったかを知った。

彼は、貂蟬の死体を抱えて、いきなり馳け出すと、後園の古井戸へ投げこんでしまった。それきり貂蟬のことはもう考えなかった。天下の権を握れば、貂蟬ぐらいな美人はほかにもあるものと思い直した容子(ようす)だった。

大権転々

一

西涼（甘粛省・蘭州）の地方におびただしい敗兵が流れこんだ。

郿塢の城から敗走した大軍だった。

董卓の旧臣で、その四大将といわれる李傕、張済、郭汜、樊稠などは、連名して、使者を長安に上せ、

「伏して、赦を乞う」

と、恭順を示した。

ところが、王允は、

「断じて赦せない」

と、使いを追い返し、即日、討伐令を発した。

西涼の敗兵は、大いに恐れた。

すると、謀士の聞えある賈詡が云った。

「動揺してはいけない。団結を解いてはならん。もし諸君が、一人一人に分離すれば、田舎の小役人の力でも召捕ることができる。よろしく集結を固め、その上に、陝西の地方民をも糾合して、長安へ殺到すべしである。――うまくゆけば、董卓の仇を報じて、朝廷をわれらの手に奉じ、失敗したらその時逃げても遅くない」

「なるほど」

四将は、その説に従った。

すると、西涼一帯に、いろいろな謡言が流布されて、州民は、恐慌を起した。

「長安の王允が、大兵を向けて、地方民まで、みなごろしにすると号している」と、いう噂だ。

その人心へつけ入って、

「坐して死を待つより、われわれの軍と共に、抗戦せよ！」と、四将は煽動した。

集まった雑軍を入れて、十四万という大軍になった。

気勢をあげて、押し進むと、途中で董卓の女婿の中郎将牛輔も、残兵五千をつれて、合流した。

いよいよ意気は昂った。

だが、やがて敵と近づいて対峙すると、

「これはいかん」と、四将の軍は、たちまち意気沮喪してしまった。

それは、有名な呂布が向って来たと分ったからである。

「呂布にはかなわない」と戦わぬうちから観念したからであった。

で、一度は退いたが、謀士の賈詡が、夜襲しろといったので、夜半、ふいに戻って敵陣をついた。

ところが、敵は案外もろかった。

その陣の大将は呂布でなく、董卓誅殺の時、郿塢の城へ偽勅使となって来た李粛だった。

油断していた李粛は、兵の大半を討たれ、三十里も敗走するという醜態だった。

後陣の呂布は、

「何たるざまだ」と、激怒して、「戦の第一に、全軍の鋭気をくじいた罪は浅くない」と、李粛を斬ってしまった。

李粛の首を、軍門に梟けるや、彼は自身、陣頭に立ち、またたくまに牛輔の軍を撃破した。

牛輔は、逃げ退いて、腹心の胡赤児という者へ、蒼くなってささやいた。

「呂布に出て来られては、とても勝てるものではない。いっそのこと、金銀をさらって、逃亡しようと思うが」

「そのことです。足もとの明るいうちだと、私も考えていたところで」

四、五名の従者だけをつれて、未明の陣地から脱走した。

だが、この主君の下にこの家来ありで、胡赤児は、途中の河べりまで来ると、川を渉りかけた牛輔を、不意に後ろから斬って、その首を掻き落してしまった。

そして、呂布の陣へ走り、

「牛輔の首を献じますから、私を取立てて下さい」と、降伏して出た。

だが、仲間の一人が、胡赤児が牛輔を殺したのは、金銀に目がくれて、それを奪おうためであると、陰へ廻って自白したので、呂布は、

「牛輔の首だけでは取立ててやるには不足だ。その首も出せ」

と、胡赤児を叱咤し、その場ですぐ彼をも馘ってしまった。

二

牛輔の死が伝えられた。また、それを殺した胡赤児も、呂布に斬られたという噂が聞えた。

「この上は、死か生か、決戦あるのみだ」と、敵の四将も臍をかためたらしい。

四将の一人、李傕は、「呂布には、正面からぶつかったのでは、所詮、勝ち目はない」と、呂布が勇のみで、智謀に長けないのをつけ目として、わざと敗れては逃げ、戦っては敗走して、呂布の軍を、山間に誘いこみ、決戦を長びかせて、彼をして進退両難におちいらしめた。

その間――

張済と樊稠の二将は、道を迂回して、長安へ進んでしまった。

「長安が危ない。はやく引返して防げ」と、王允から幾たびも急使が来たが、呂布は動きがつかなかった。

山峡の隘地を出て、軍を返そうとすれば、たちまち、李傕や郭汜の兵が、沢や峰や渓谷の陰から、所きらわず出て来て戦を挑むからだった。

好まない戦だが、応戦しなければ潰滅するし、応戦していれば果てしがない。

結局、空しく、進退を失ったまま、幾日かを過ごしていた。

一方。

長安へ向って、殺到した張済、樊稠の軍は、行くほどに、勢いをまして、

「董卓の仇をとれ」

「朝廷をわが手に奉ぜよ」と、潮の決するような勢いで、城下へ肉薄して行った。

しかし、そこには、鉄壁の外城がある。いかなる大軍も、そこでは喰い止められるものと人々は考えていたところ、なんぞ計らん、長安の市中に潜伏して生命を保っていた無数の旧董卓派の残党が、

「時こそ来れ」と、ばかり白日の下におどり出して、各城門を内部からみな開けてしまった。

「天われに与す」と、西涼軍は、雀躍りして、城内へなだれこんだ。それはまるで、堤を切った濁流のようだった。

雑軍の多い暴兵である。ひとたび長安の巷におどると、狼藉いたらざるなしの態たらくであった。

ついこの間、酒壺をたたき、平和来を謳って、戸ごとに踊り祝っていた民家は、ふたたび暴兵の洪水に浸され、渦まく剣光を阿鼻叫喚に逃げまどった。

どこまで呪われた民衆であろうか。

無情な天は、そこからあがる黒煙に、陽を潜め、月を隠し、ただ暗々瞑々、地上を酸

鼻にまかせているのみであった。

変を聞いて。

呂布は、一大事とばかり、ようやく山間の小競り合いをすてて引返して来た。

だが、時すでに遅し――

彼が、城外十数里のところまで駆けつけて来てみると、長安の彼方、夜空いちめん真赤だった。

天に冲する火焔は、もうその下に充満している敵兵の絶対的な勢力を思わせた。

「……しまった！」

呂布は呻いた。

茫然と、火光の空を、眺めたまましばらく自失していた。

やんぬる哉。さすがの呂布も、今はいかんともする術もなかった。手も足も出ない形とはなった。

「そうだ、ひとまず、袁術の許へ身を寄せて後図を計ろう」

そう考えて、軍を解き、わずか百余騎だけを残し、にわかに道をかえて、夜と共に悄然と落ちて行った。

前には、恋の貂蟬を亡い、今また争覇の地を失って、呂布のうしろ影には、いつもの凛々たる勇姿もなかった。

好漢惜しむらくは思慮が足らない。また、道徳に欠けるところが多い。――天はこの稀世の勇猛児の末路を、そも、何処に運ぼうとするのであろうか。

三

騒乱の物音が遠くする。

夜も陰々と。

昼間も轟々と。

宮中の奥ふかき所——献帝はじいっと蒼ざめた顔をしておられた。

長安街上に躍る火の魔、血の魔がそのお眸には見えるような心地であられたろう。

「皇宮の危機が迫りました」

侍従が云って来た。

しばらくするとまた、

「西涼軍が、潮のごとく、禁門の下へ押して参りました」と、侍臣が奏上した。

——こんどは朝廷へ襲ってくるな、とはや、観念されたように、献帝は眼をふさいだまま、

「ウム。……むむ」

うなずかれただけだった。

事実、朝臣すべても、この際、どうしたらいいか、為すことを知らなかった。

すると侍従の一人が、

「彼らも、帝座の重きことはわきまえておりましょう。この上は、帝ご自身、宣平門の楼台に上がられて、乱をご制止あそばしたら、鎮まるだろうと思います」と奏請した。

献帝は、玉歩を運んで宣平門へ上がった。血に酔って、沸いていた城下の狂軍は、禁門の楼台に瑤々と翳された天子の黄蓋にやがて気づいて、

「天子だ」

「ご出御だ」

と、その下へ、わいわいと集まった。

李傕、郭汜の二将は、

「しずまれっ。鎮まれっ」

と、にわかに味方を抑え、必死に暴兵を鎮圧して、自分らも、宣平門の下へ来た。

献帝は門上から、

「汝ら、何ゆえに、朕がゆるしも待たず、ほしいままに長安へ乱入したか」と、大声で詰問された。

すると、李傕は、

「陛下っ。亡き董太師は、陛下の股肱であり、社稷の功臣でした。しかるに、ゆえなくして、王允らの一味に謀殺され、その死骸は、街路に辱められました。──それ故に、われわれ董卓恩顧の旧臣が、復讐を計ったのであります。謀叛では断じてありません。

──今、陛下のお袖の陰にかくれている憎ッくき王允の身を、われらにおさげ下さるな

ら、われらは、即時禁門から撤兵します！」と、宙を指さして叫んだ。

その声を聞くと、全軍、わあっと雷同して、献帝の答えいかにと要求を迫る色を示した。

献帝は、ご自身の横を見た。

そこには王允が侍している。

王允は、蒼ざめた唇をかんで、眼下の大軍を睨んでいたが、献帝の眸が自分のもとにそそがれたと知ると、やにわに起って、

「一身何かあらん」と、門楼のうえから身をなげうって飛び降りた。

犇々と林立していた戟や槍の上へ、彼の体は落ちて来た。

なんで堪ろう。

「おうっ、こいつだ」

「巨魁っ」

「主の讐め」

寄りたかった剣槍は、たちまち、王允の体をずたずたにしてしまった。

兇暴な彼らは、要求が容れられても、まだ退かなかった。この際、天子を弑し、一挙に大事を謀らんなど、区々な暴議をそこで計っている様子だった。

「だが、そんな無茶をしても、恐らく民衆が服従しないだろう。おもむろに、天子の勢力を削いで、それからの仕事をしたほうが賢明だろう」

樊稠や、張済の意見に、軍はようやく鎮まった気ぶりだが、なお退かないので帝は、

「はや、軍馬を返せ」と、ふたたび諭された。

すると壁下の暴将兵は、

「いや、王室へ功をいたしたわれわれ臣下にまだ勲爵の沙汰がないので、待っているわけです」

と、官職の要求をした。

四

宮門に軍馬をならべて、官職を与えよと、強請する暴臣のさけびに、帝も浅ましく思われたに違いないが、その際、帝としても、如何とする術もなかった。

彼らの要求は認められた。

で――李傕は車騎将軍に、郭汜は後将軍に、樊稠は右将軍に任ぜられた。

また、張済は驃騎将軍となった。

匹夫みな衣冠して、一躍、廟堂に並列したのである。――実に、一個の董卓の掌から、天下の大権は、転々と騒乱のうちにもてあそばれ、こうしてまたたちまち、四人の掌に移ったのであった。

猜疑心は、成りあがり者の持前である。彼らは、献帝のそばにまで、密偵を立たせておいた。

こういう政府が、長く人民に平和と秩序を布いてゆけるわけはない。

果たして。

それから程なく、西涼の太守馬騰と、并州の刺史韓遂のふたりは、十余万の大軍をあわせて、「朝廟の賊を掃討せん」と号して長安へ押しよせて来た。

李傕たちの四将は、「どうしたものか」と、謀士賈詡に計った。

賈詡は、一策を立てて、消極戦術をすすめた。

長安の周囲の外城をかため、塁の上に塁を築き、溝はさらに掘って溝を深くし、いくら寄手が喚いて来ても、「相手にするな」と、ただ守り固めていた。

百日も経つと、寄手の軍は、すっかり意気を沮喪させてしまった。糧草の欠乏やら、長期の滞陣に士気は倦み、あげくの果てに、雨期をこえてからおびただしい病人が出たりして来たのである。

機をうかがっていた長安の兵は、一度に四門をひらいて寄手を蹴ちらした。大敗した西涼軍は、ちりぢりになって逃げ走った。

すると、その乱軍の中で、并州の韓遂は、右将軍の樊稠に追いつかれて、すでに一命も危うかった。

韓遂は、苦しまぎれに、以前の友誼を思い出してさけんだ。

「樊稠樊稠っ。貴公とわしとは同郷の人間ではないか」

「ここは戦場だ。国乱をしずめるためには、個々の誼みも情も持てない」

「とはいえ、おれが戦いに来たのも、国家のためだ。貴公が国士なら、国士の心もちは分るだろう。おれは君に討たれてもよいが、全軍の追撃をゆるめてくれ給え」

樊稠は、彼のさけびに、つい人情にとらわれて、軍を返してしまった。

翌日、長安の城内で勝軍の大宴がひらかれたが、その席上、四将の一人李傕は、樊稠のうしろへ廻って、

「裏切者っ」と、突然、首を刎ねた。

同僚の張済は驚きのあまり床へ坐って、慄えおののいてしまった。李傕は、彼を扶け起して、

「君にはなんの科もない。樊稠はきのう戦場で、敵の韓遂を故意に助けたから誅罰したのだ」といった。

樊稠のことを叔父に密告したのは李傕の甥の李別という者だった。李別は、叔父に代って、

「諸君、こういうわけだ」と、樊稠の罪を、席上の将士へ、大声で演舌した。

最後に、李傕はまた、張済の肩をたたいて、

「今も甥がいったようなわけで樊稠は刑罰に附したが、しかし、貴公はおれの腹心だから、おれは貴公になんの疑いも抱いてはおらんよ。安心し給え」

と、樊稠隊の統率を、みな張済の手に移した。

秋雨の頃

一

諸州の浪人の間で、

「近ごろ兗州の曹操は、頻りと賢を招き、士を募って、有能の士には好遇を与えるというじゃないか」と、もっぱら評判であった。

聞きつたえて、兗州（山東省西南部）へ志してゆく勇士や学者が多かった。

ここ山東の天地はしばらく静かだったが、帝都長安の騒乱は、去年からたびたび聞えて来た。

「こんどは、李傕、郭汜などという者が、兵権も政権も左右しているそうだ」

とか、

「西涼軍は、木ッぱ微塵に敗れて、再起もおぼつかないそうだ」

とか、また、

「李傕という男も、朝廷を切ってまわすくらいだから、前の董卓にもおとらない才物とみえる」

などと大国だけに、都の乱もひと事のように語っていた。

そのうちに青州地方（済南の東）にまた黄巾賊が蜂起しだした。中央が乱れると、響きに答えるように、この草賊はすぐ騒ぎ出すのである。

朝廷から曹操へ、

「討伐せよ」と、命が下ってきた。

曹操は、近頃、朝廷に立ってほしいままに兵馬政権をうごかしている新しい廟臣たちを、内心では認めていない。

だが、朝廷という名において、命に服した。また、どんな機会にでも、自分の兵馬をうごかすのは一歩の前進になると考えるので、命を奉じた。

彼の精兵は、たちまち、地方の鼠賊を掃滅してしまった。朝廷は、彼の功を嘉し、新たに、「鎮東将軍」に叙した。

けれど、その封爵の恩典よりも、彼の獲た実利のほうがはるかに大きかった。

討伐百日の戦に、賊軍の降兵三十万、領民のうちからさらに屈強な若者を選んで総勢百万に近い軍隊を新たに加えた。もちろん、済北済南の地は肥沃であるから、それを養う糧草や財貨もあり余るほどだった。

時は初平三年十一月だった。

こうして彼の門には、いよいよ諸国から、賢才や勇猛の士が集まった。

曹操が見て、

「貴様は我が張子房である」

と許したほどの人物、荀彧もその時に抱えられた。

荀彧はわずか二十九歳だった。また甥の荀攸も、行軍教授として、兵学の才を用いられて仕え、そのほか、山中から招かれて来た程昱だの、野に隠れていた大賢人郭嘉だの、みな礼を篤うしたので、曹操の周囲には、偉材が綺羅星のごとく揃った。

わけても、陳留の典韋は、手飼いの武者数百人をつれて、仕官を望んで来た。身丈は一丈に近く眼は百錬の鏡のようだった。戦えば常に重さ八十斤の鉄の戟を左右の手に持って、人を討つこと草を薙ぐにひとしいと豪語してはばからない。

「嘘だろう」

曹操も信じなかったが、

「さらば、お目にかけん」と、典韋は、馬を躍らせて、言葉のとおり実演して見せた。

ちょうどまた、その折、大風が吹いて、営庭の大旗がたおれかかったので、何十人の兵がかたまって、旗竿をたおすまいとひしめいていたが、強風の力には及ばず、あれよあれよと騒いでいるのを見て、典韋は、

「みんな退け」と、走りよって、片手でその旗竿を握り止めてしまったのみか、いかに烈風が旗を裂くほど吹いても、両掌を用いなかった。

「ウーム、古の悪来にも劣らない男だ」

曹操も舌を巻いて、即座に彼を召抱え、白金襴の戦袍に名馬を与えた。

悪来というのは、昔、殷の紂王の臣下で、大力無双と名のあった男である。曹操がそれにも勝ると称したので、以来、典章の綽名になった。

二

曹操は、一日ふと、

「おれも今日までになるには、随分親に不孝をかさねてきた」と、故山の父を思い出した。

彼の老父は、その頃もう故郷の陳留にもいなかった。瑯琊という片田舎に隠居していると聞くのみであった。

山東一帯に地盤もでき、一身の安定もつくと、曹操は老父をそうしておいては済まないと思い出した。

「わしの厳父を迎えて来い」

彼は、泰山の太守応劭を、使いとして、にわかに瑯琊へ向けた。

迎えをうけて、曹操の父親の曹嵩は、夢かとばかり歓んだ。それと共に、周囲へ向って、

「それみろ」と、曹嵩の息子自慢はたいへんなものだった。

「あれの叔父貴も、親類どもも、曹操が少年時分には行く末が案じられる不良だなど

と、口をきわめて、悪く云いおったが——なアに、あいつは見所があるよと、大まかに許していたのは、わしばかりじゃった。やはりわしの眼には狂いがなかったんじゃ」

落ちぶれても、一家族四十何人に、召使いも百人からいた。それに家財道具を、百余輛の車につんで、曹嵩一家は、早速、兗州へ向って出発した。

折から秋の半ばだった。

「楓林停車」という南画の画題そのままな旅行だった。老父は時おり、紅葉の下に車を停めさせて、

「こんな詩ができたがどうじゃ。——ひとつ曹操に会ったら見せてやろう」

などと興じていた。

途中、徐州（江蘇省・徐州）まで来ると、太守陶謙が、わざわざ自身、郡境まで出迎えに出ていた。そして、

「ぜひ、こよいは城内で」と、徐州城に迎え、二日にわたって下へもおかないほど歓待した。

「一国の太守が、老いぼれのわしを、こんなに待遇するはずはない。曹操が偉いからだ。思えばわしはよい子を持った」

曹嵩は、城内にいる間も、息子自慢で暮していた。

事実、ここの太守陶謙はかねてから曹操の盛名を慕って、折あれば曹操と誼みを結びたいと思っていたが、よい機会もなかったのである。——ところへ、曹操の父が一家を

あげて、自分の領内を通過して兗州へ引移ると聞いたので、「それはよい機会だ」と、自身出迎えて、一行を城内に泊め、精いっぱいの歓迎を傾けたのであった。

「陶謙は好い人らしいな」

曹操の老父は、彼の人物にふかく感じた。陶謙が温厚な君子であることは、彼のみでなく、誰も認めていた。

恩を謝して、老父の一行は、三日目の朝、徐州を出発した。陶謙は特に、部下の張闓に五百の兵隊をつけて、「途中、間違いのないよう、お送り申しあげろ」と、いいつけた。

華費という山中まで来ると、変りやすい秋空がにわかにかき曇って、いちめんの暗雲になった。

青白い電光が閃いてきたかと思うと、ぽつ、ぽつと大粒の雨が落ちて来た。木の葉は、山風に捲かれ、峰も谷も霧にかくれて、なんとなく物凄い天候になった。

「通り雨だ。どこか、雨宿りするところはないか」

「寺がある。山寺の門が」

「あれへ逃げこめ」

馬も車も人も雨に打ち叩かれながら山門の陰へ隠れこんだ。

そのうちに、日が暮れてきたので、

「こよいはこの寺へ泊るから、本堂を貸してくれと、寺僧へ掛合って来い」

と、張闓は兵卒へ命じた。

彼は日頃、部下にも気うけのよくない男と見え、濡れ鼠となった兵隊は皆何か不平にみちた顔をしていた。

三

冷たい秋の雨は、蕭条と夜中までつづいていた。

暗い廊に眠っていた張闓は、何思ったか、むっくりと起きて、兵の伍長を、人気のない所へ呼びだしてささやいた。

「宵から、兵隊たちが皆、不平顔をしているじゃないか」

「仕方がありません。なにしろ日頃の手当は薄いし、こんなつまらぬ役をいつかって、兗州まであんな老いぼれを護送して行っても、なんの手功にもならないことは知れていますからね」

伍長は、嘯いて云った。叱るのかと思うと、張闓は、

「いや、もっともだ、無理はない」と、むしろ煽動して、

「なにしろ、俺たちは、もともと黄巾賊の仲間にいて、自由自在に、気ままな生活をしていたんだからな。――陶謙に征伐されて、やむなく仕えてみたが、ただの仕官というやつは、薄給で窮屈で、兵隊どもが、不平勝ちに思うのも仕方がない。……どうだ、いっそのこと、また以前の黄色い巾を髪につけて、自由の野に暴れ出そうか」

「――といっても、今となっちゃあ遅蒔でしょう」

「なあに、金さえあればいいのだ。幸い、俺たちの護衛して来た老いぼれの一族は、金もだいぶ持っているらしいし、百輌の車に、家財を積んでいる。こいつを横奪りして山寨へ立て籠るんだ」

こんな悪謀がささやかれているとは知らず、曹嵩は、肥えた愛妾と共に、寺の一室でよく眠っていた。

夜も三更に近い頃――

突然、寺のまわりで、喊声がわきあがったので、老父の隣の部屋に寝ていた曹操の実弟の曹徳が、

「やっ。何事だろう」と、寝衣のまま、廊へ飛び出したところを、物もいわず、張闓が剣をふりかざして斬り殺してしまった。

――ぎゃっッ。

という悲鳴が、方々で聞えた。曹嵩のお妾は、

「ひッ、ひと殺しっ」

と絶叫しながら、方丈の墻をこえて逃げようとしたが、肥っているので転げ落ちたところを、張闓の手下が槍で突き刺してしまった。

護衛の兵は、兇悪な匪賊と変じて、一瞬の間に殺戮をほしいままにしはじめたのである。

老父の曹嵩も厠へかくれたが発見されて、ズタズタに斬り殺されてしまい、その他の家族召使いなど百余人、すべて血の池の中へ葬られてしまった。

曹操から迎えのため派遣されて付いていた使者の応劭は、この兇変に度を失って、わずかな従者と共に危難は脱したが、自分だけ助かったので後難をおそれたか、主君の曹操のところへは帰りもせず、その地から袁紹を頼って逃亡してしまった。

——酸鼻な夜は明けた。

まだそぼ降っている秋雨の中に、山寺は火を放たれて焼けていた。そして、張闓一味の兇兵は、百余輛の財物と共に、もう一人もいなかった。

×　　　×　　　×

兗州の曹操は、変を聞いて、嚇怒した。

「老父をはじめ、我が一家の縁者を、みな殺しにした陶謙こそ、不倶戴天の仇敵である」

と、眦を裂いて云った。

彼はあくまで、老父の遭難を陶謙の罪として怨んだ。

若年の頃、自分の邪推から、叔父の一家をみな殺しにして、平然とすましていた曹操ではあったが、それと似た兇変が今、自分の身近にふりかかってみると、その残虐を憎まずにいられなかった。その酷たらしさを聞いて哭かずにいられなかった。

「徐州を討て」

即日、大軍動員の令は発せられた。軍の上には報讐雪恨と書いた旗がひるがえった。

四

復讐の大軍を催して、曹操が徐州へ攻進するという噂が諸州へ聞えわたった前後、

「ぜひ会わせて下さい」と、曹操を陣門に訪ねて来た者があった。

それは陳宮であった。

陳宮は、かつて曹操が、都から落ちて来る途中、共に心肚を吐いて、将来を盟い合ったが、やがて曹操の性行を知って、

（この人は、王道に拠って、真に国を憂うる英雄ではない。むしろ国乱をして、いよいよ禍乱へ追い込む覇道の姦雄だ）と怖れをなして、途中の旅籠から彼を見限り、彼を棄てて行方をくらましてしまった旧知であった。

「君は今、何しているか」

曹操に訊かれると、陳宮は、すこし間が悪そうに、

「東郡の従事という小役人を勤めています」と、答えた。

すると曹操は、皮肉な笑みをたたえながら、早くも相手の来意を読んでいた。

「じゃあ、徐州の陶謙とは親しい間がらとみえるね。たぶん君は、その知己のために、予をなだめに来たのだろうが、おそらく君の懇願も、この曹操の恨みと憤りを解くのは不可能だと思う。――まあ遊んで行き給え」

「お祭しの通りな目的で来ました。小生の知る陶謙は、世に稀な仁人です、君子です。――ご尊父がむごたらしい難に遭われたのは、まったく陶謙の罪ではなく、張闓の仕業です。小生は、ゆえなき戦乱のため、仁君子が苦しめられ、同時に将軍の声望が傷つけられんとするのを見て、悲しまずにいられません」

「ばかをいえ」

曹操は、今までの微笑を一喝に変えて云い放った。

「父や弟の恨みをそそぐのが、なんでわが声望の失墜になるか、君は元来、逆境の頃の予を見捨てて走った男ではないか、人に向って遊説して歩く資格があると思うのか」

陳宮は、顔赤らめて、辞し去ったが、その不成功を、陶謙に復命する勇気もなく、そこから陳留の太守張邈の所へ走ってしまった。

かくて「報讐雪恨」の大旗は、曹操の怒りにまかせて、陶謙の胆を抉り肉を喰らわねばやまじ――とばかりの勢いで、徐州城下へ向って進発した。

行く行くこの猛軍は人民の墳墓をあばいたり、敵へ内通する疑いのある者などを、仮借なく斬って通ったので、民心は極端に恐れわなないた。

徐州の老太守陶謙は、

「曹操の軍には、とても敵しようもない。彼の恨みをうけたは皆、自分の不徳である。――自分は縛をうけて、甘んじて、彼の憤刀へこの首を授けようと思う。そして百姓や城兵の命乞いを彼にすがろう」

諸将を集めてそう告げた。しかし、将の大部分は、

「そんなことはできません。太守を見殺しにして、なんで自分らのみ助けをうけられましょうや」

と、策を議して、北海（山東省・寿光県）に急使を派し、孔子二十世の孫で泰山の都尉孔宙の子孔融に援けを頼んだ。

折からまた、黄巾の残党が集結して、各所で騒ぎだしていた。北平の公孫瓚も、国境へ征伐に向っていたが、その旗下にあった劉備玄徳は、ふと徐州の兵変を聞いて、義のため、仁人の君子といううわさのある陶謙を援けに行きたいと、公孫瓚にはなしてみた。

公孫瓚は、むしろ不賛成で、

「よしてはどうだ。なにも君は曹操に恨みがあるわけでもなし、陶謙に恩もないだろうに」

と、止めた。

けれど、玄徳は、義の廃れた今、義を示すのは今だと思った。強いて暇を乞い、また、幕僚の趙雲を借りて、総勢五千人を率い、曹操の包囲を突破して、遂に徐州へ入城した。

太守陶謙は、手をとらんばかり玄徳を迎え、

「今の世にも、貴君のごとき義人があったか」と、涙をたたえた。

死活往来

一

城兵の士気は甦った。

孤立無援の中に、苦闘していた城兵は、思わぬ劉玄徳の来援に、幾たびも歓呼をあげてふるった。

老太守の陶謙は、「あの声を聞いて下さい」と、歓びにふるえながら、玄徳を上座に直すと、直ちに太守の佩印を解いて、

「今日からは、この陶謙に代って、あなたが徐州の太守として、城主の位置について貰いたい」

といった。

玄徳は驚いて、

「飛んでもないことです」と、極力辞退したが、

「いやいや、聞説、あなたの祖は、漢の宗室というではないか。あなたは正しく帝系の

血をうけている。天下の擾乱を鎮め、紊れ果てた王綱を正し、社稷を扶けて万民へ君臨さるべき資質を持っておられるのだ。——この老人の如きは、もうなんの才能も枯れている。いたずらに、太守の位置に恋々としていることは、次に来る時代の黎明を遅くさせるばかりじゃ。わしは今の位置を退きたい。それを安んじて譲りたい人物も貴公以外には見当らない。どうか微衷を酌んで曲げてもご承諾ねがいたい」

陶謙のことばには真実がこもっていた。うわさに聞いていた通り、私心のない名太守であった。世を憂い、民を愛する仁人であった。

けれど劉備玄徳は、なお、

「自分はあなたを扶けに来た者です。若い力はあっても、老台のような徳望はまだありません。徳のうすい者を太守に仰ぐのは、人民の不幸です。乱の基です」

と、どうしても、彼もまた、固辞して肯き容れなかった。

張飛、関羽のふたりは、彼のうしろの壁ぎわに侍立していたが、

「つまらない遠慮をするものだ。どうも大兄は律義すぎて、現代人でなさ過ぎるよ、……よろしいと、受けてしまえばよいに」と、歯がゆそうに、顔見合わせていた。

老太守の熱望と、玄徳の謙譲とが、お互いに相手を立てているのに果てしなく見えたので、家臣糜竺は、

「後日の問題になされては如何ですか。何ぶん城下は敵の大軍に満ちている場合ではあるし」

と、側から云った。

「いかにも」

二人もうなずいて、即刻、評議をひらき、軍備を問い、その上で、一応はこの解決を外交策に訴えてみるも念のためであるとして、劉玄徳から曹操へ使いを立て、停戦勧告の一文を送った。

曹操は、玄徳の文を見ると、

「何。……私の讐事は後にして、国難を先に扶けよと。……劉備ごときに説法を受けんでも、曹操にも大志はある。不遜な奴めが」

と、それを引っ裂いて、

「使者など斬ってしまえ」と、一喝に退けた。

時しもあれ、その時、彼の本領地の兗州から、続々早打ちが駆けつけて来て、

「たいへんです。将軍の留守をうかがって、突如、呂布が兗州へ攻めこみました」

と、次々に報らせが来た。

× × ×

呂布がどうして、曹操の空巣をねらってその根拠地へ攻めこんできたのであろうか。

彼も、都落ちの一人である。

李傕、郭汜などの一味に、中央の大権を握られ、長安を去った彼は、一時、袁術の所へ身を寄せていたが、その後また、諸州を漂泊して陳留の張邈を頼り、久しくそこに足

するといた。すると一日、彼が閤外の庭先から駒を寄せて、城外へ遊びに出かけようとしていると、

「ああ、近頃は天下の名馬も、無駄に肥えておりますな」

呂布の顔の側へきて、わざと皮肉に呟いた男があった。

二

――変なことをいう奴だ。

呂布は迂さん臭い顔して、その男の風采を黙って見つめていた。

それは、陳宮であった。

先頃、陶謙に頼まれて、曹操の侵略を諫止せんと、説客におもむいたが、かえって曹操に一蹴されて不成功に終ったのを恥じて、徐州に帰らず、そのままこの張邈の許へ隠れていた彼だった。

「なんで吾輩の馬が、いたずらに肥えていると嘆くのか。よけいなおせっかいではないか」

呂布がいうと、

「いや、もったいないと申したのです」と、陳宮はいい直して、

「駒は天下の名駿赤兎馬、飼い人は、三歳の児童もその名を知らぬはない英傑であられるのに、碌々として、他家に身を寄せ、この天下分崩、群雄の競い立っている日を、空

しく鞭を遊ばせているのは、実に惜しいことだと思ったのです」

「そういう君は一体誰だ」

「陳宮という無名の浪人です」

「陳宮？　……。では以前、中牟県の関門を守り、曹操が都落ちをした時、彼を助けるため、官を捨てて奔った県令ではないのか」

「そうです」

「いや、それはお見それした。だが、君は吾輩に今、謎みたいなことをいわれたが、どういう真意なのか」

「将軍は、この名馬をひいて、生涯、食客や遊歴に甘んじているおつもりか。それを先に聞きましょう」

「そんなことはない。吾輩にだって志はあるが時利あらずで」

「時は眼前に来ているではありませんか。――今、曹操は徐州攻略に出征して、兗州にわずかな留守がいるのみです。この際、兗州を電撃すれば、無人の野を収める如く、一躍尨大な領土が将軍のものになりましょう」

呂布の顔色に血がさした。

「あっ、そうか。よく云ってくれた。君の一言は、吾輩の懶惰をよく醒ましてくれた。やろう！」

それからのことである。

兗州は兵乱の巷になり、虚を衝いて侵入した呂布の手勢は、曹操の本拠地を占領してから、さらに、勢いにのって、濮陽方面（河北省・開州）にまで兵乱をひろげていた。

×　　×　　×

「不覚！」

曹操は、唇を嚙んだ。

われながら不覚だったと悔いたがもう遅い。彼は、徐州攻略の陣中で、その早打ちを受けとると、

「どうしたものか」と、進退きわまったものの如く、一時は茫然自失した。

けれど、彼の頭脳は、元来が非常に明敏であった。また、太ッ腹でもあった。一時の当惑から脱すると、すぐ鋭い機智が働いて、常の顔いろに返った。

「最前、城内からの劉備玄徳の使者は、まだ斬りはしまいな。——斬ってはならんぞ。急いでこれへ連れて来い」

それから彼は、玄徳の使いに、

「深く考えるに、貴書の趣には、一理がある。仰せにまかせて、曹操はいさぎよく撤兵を断行する。——よろしく伝えてくれい」

と、掌を返すように告げて、使者を鄭重に城中へ送り帰し、同時に洪水の退くように、即時、兗州へ引揚げてしまった。

偶然だが、玄徳の一文がよくこの奇効を奏したので、城兵の随喜はいうまでもなく、

老太守の陶謙はふたたび、

「ぜひ自分に代って、徐州侯の封を受けてもらいたい、自分には子もあるが、柔弱者で、国家の重任にたえないから――」と、玄徳へ、国譲りを迫った。

しかし玄徳は、なんとしても肯き入れなかった。そしてわずかに近郷の小沛という一村を受けて、ひとまず城門を出、そこに兵を養いながら、なおよそながら徐州の地を守っていた。

三

快鞭一打――

曹操は、大軍をひっさげて、国元へ引っ返した。

彼は、難局に立てば立つほど、壮烈な意気にいよいよ強靭を加える性だった。

「呂布、何者」

とばかり、すでに相手をのんでいた。奪われた兗州を奪回するに、何の日時を費やそうぞと、手に唾して向っていった。

軍を二つに分け、旗下の曹仁をして兗州を囲ませ、自身は濮陽へ突進した。敵の呂布は、濮陽を占領して、そこの州城にいると見たからである。

濮陽に迫ると、

「休め」

と、彼は兵馬にひと息つかせ、真ッ紅な夕陽が西に沈むまで、動かなかった。

その前に、旗下の曹仁が、彼に向って注意した言葉を、彼はふと胸に思い出した。

それは、こういうことだった。

「呂布の大勇にはこの近国で誰あって当る者はありません。それに近頃彼の側には例の陳宮が付き従っているし、その下には文遠、宣高、郝萌などとよぶ猛将が手下に加わっておるそうです。よくよくお心をつけて向わぬと、意外に臍を噛むやも知れませんぞ

――」

曹操は、その言葉を今、胸に反復してみても、格別、恐怖をおぼえなかった。呂布に勇猛あるかも知れぬが、彼には智慮がない。策士陳宮の如きは、たかの知れた素浪人、しかも自分を裏切り去った卑怯者、目にもの見せてやろうと考えるだけであった。

一方。

呂布は、曹操の襲来を知って、藤県から泰山の難路をこえて引っ返して来た。彼もまた、

「曹操、何かあらん」という意気で、陳宮の諫めも用いず、総軍五百余騎をもって対峙した。

曹操の炯眼では、「彼の西の寨こそ手薄だな」と見た。

で、暗夜に山路を越え、李典、曹洪、于禁、典韋などを従えて、不意に攻めこんだ。

呂布はその日正面の野戦で曹操の軍をさんざんに破っていたので、勝戦に驕り、陳宮

が、

「西の寨が危険です」と、注意したにもかかわらず、そう気にもかけず眠っていた。けれど濮陽の城内は混乱した。西の寨はたちまちに陥落して曹操の兵が旗を立てた。けれどはね起きた呂布が、

「寨は我一人でも奪回して見せん。汝ら入りこんだ敵の奴ばらを、一匹も生かして帰すな」

と、指揮に当ると、彼の麾下はまたたくまに、秩序をとりかえし、鼓を鳴らして包囲して来た。

山間の嶮をこえて深く入り込んだ奇襲の兵は、もとより大軍でないし、地の理にも晦かった。一度、占領した寨は、かえって曹操らの危地になった。

乱軍のうちに、夜は白みかけている。身辺を見るとたのむ味方もあらかた散ったり討死している。曹操は死地にあることを知って、

「しまった」

にわかに寨を捨てて逃げ出した。

そして南へ馳けて行くと、南方の野も一面の敵。東へ逃げのびんとすれば、東方の森林も敵兵で充満している。

「愈々いかん」

彼の馬首は、行くに迷った。ふたたびゆうべ越えて来た北方の山地へ奔るしかなかっ

た。

「すわや、曹操があれに落ちて行くぞ」

と、呂布軍は追跡して来た。もちろん、呂布もその中にいるだろう。

逃げまわった末、曹操は、城内街の辻を踏み迷って、鞭も折れんばかり馬腹を打って来た。するとまたもや前面にむらがっていた敵影の中から、カンカンカンと梆子の音が高く鳴ったと思うと、曹操の身一つを的に、八方から疾風のように箭が飛んで来た。

「最期だっ。予を助けよ。誰か味方はいないか!」

さすがの曹操も、思わず悲鳴をあげながら、身に集まる箭を切り払っていた。

四

——時に、彼方から誰やらん、おうっ——と吠えるような声がした。

見れば、左右の手に、重さ八十斤もあろうかと見える戟をひっさげ、敵の真っただ中を斬り開いて馳せつけて来る者がある。馬も人も、朱血を浴びて、焔が飛んで来るようだった。

「ご主君、ご主君っ、馬をお降りあれ。そして地へ這いつくばり、しばらく敵の矢をおしのぎあれ」

矢攻めの中に立ち往生している曹操へ向って、彼は近よるなり大声で注意した。

誰かと思えば、これなん先ごろ召抱えたばかりの悪来——かの典章であった。

「おお、悪来か」

曹操は急いで馬を跳び下り、彼のいう通り地へ這った。

悪来も馬を降りた。両手の戟を風車のように揮って矢を払った。そして敵軍に向って濶歩しながら、

「そんなヘロヘロ矢がこの悪来の身に立ってたまるか」

と、豪語した。

「小癪なやつ。打殺せ」

五十騎ほどの敵が一かたまりになって馳けて来た。

悪来は善く戦い、敵の短剣ばかり十本も奪い取った。彼の戟はもう鋸のようになっていたので、それをなげうって、十本の短剣を身に帯びて、曹操の方を振向いた。

「——逃げ散りました。今のうちです。さあおいでなさい」

彼は、徒歩のまま、曹操の轡をとって、また馳け出した。二、三の従者もそれにつづいた。

けれど矢の雨はなお、主従を目がけて注いで来た。悪来は、盔の錣を傾けてその下へ首を突っ込みながら、真っ先に突き進んでいたが、またも一団の敵が近づいて来るのを見て、

「おいっ、士卒」と、後ろへどなった。

「——おれは、こうしているから、敵のやつが、十歩の前まで近づいたら声をかけろ」

と命じた。

そして、矢唸り(やうな)の流れる中に立って、眠り鴨(がも)のように、顔へ錣(しころ)をかざしていた。

「十歩ですっ」

と、後ろで彼の従者が教えた。

とたんに、悪来は、

「来たかっ」

と、手に握っていた短剣の一本をひゅっと投げた。

われこそと躍り寄って来た敵の一騎が、どうっと、鞍からもんどり打って転げ落ちた。

「——十歩ですっ」

また、後ろで聞えた。

「おうっ」

と、短剣が宙を切って行く。

敵の騎馬武者が見事に落ちる。

「十歩っ」

剣はすぐ飛魚の光を見せて唸(うな)ってゆく——

そうして十本の短剣が、十騎の敵を突き殺したので、敵は怖れをなしたか、土煙の中に馬の尻を見せて逃げ散った。

「笑止なやつらだ」

悪来はふたたび曹操の駒の轡をとって、逃げまどう敵の中へ突ッ込んで行った。そして敵の武器によって敵をなで斬りにしながら、ようやく一方の血路をひらいた。

山の麓まで来ると、旗下の夏侯惇が数十騎をつれて逃げのびて来たのに出会った。味方の手負いと討死は、全軍の半分以上にものぼった。――惨憺たる敗戦である。いや曹操の生命が保たれたのはむしろ奇蹟といってよかった。

「そちがいなかったら、千に一つもわが生命はなかったろう」

曹操は、悪来へ云った。――夜に入って大雨となった。越えてゆく山嶮は滝津瀬にも似ていた。

帰ってから悪来の典章は、この日の功によって、領軍都尉に昇級された。

五

ここ呂布は連戦連勝だ。

失意の漂泊をつづけていた一介の浪人は、またたちまち濮陽城の主だった。先に曹操を思うさま痛めつけて、城兵の士気はいやが上にも昂まっていた。

「この土地に、田氏という旧家があります。ごぞんじですか」

謀士の陳宮が、唐突に云い出したことである。呂布も近頃は、彼の智謀を大いに重ん

じていたので、また何か策があるかと、

「田氏か。あれは有名な富豪だろう。召使っている僮僕も数百人に及ぶと聞いているが」

「そうです。その田氏をお召出しなさいまし。ひそかに」

「軍用金を命じるのか」

「そんなつまらないことではありません。領下の富豪から金をしぼり取るなんていうことは、自分の蓄えを気短かに喰ってしまうようなものです。大事さえ成れば、黄金財宝は、争って先方がご城門へ運んで来ましょう」

「では、田氏をよびつけて何をさせるのか」

「曹操の一命を取るのです」

陳宮は、声をひそめて、なにかひそひそと呂布に説明していた。

それから数日後。

ひとりの百姓が、竹竿の先に鶏の蒸したのを苞にくるみ、それを縛って、肩にかつぎながら、寄手の曹操の陣門近くをうろついていた。

「胡散な奴」と、捕えてみると、百姓は、

「これを大将に献じたい」と、伏し拝んでいう。

「密偵だろう」

と、有無をいわさず、曹操の前へ引っぱって来た。すると百姓は態度を変えて、

「人を払って下さい、いかにも私は密使です。けれど、あなたの不為になる使いではありません」

と、いった。

近臣だけを残して、士卒たちを遠ざけた。百姓は、鶏の苞を刺していた竹の節を割って、中から一片の密書を出して曹操の手へ捧げた。

見ると、城中第一の旧家で富豪という聞えのある田氏の書面だった。呂布の暴虐に対する城中の民の恨みが綿々と書いてある。こんな人物に城主になられては、わたくし達は他国へ逃散するしかないとも認してある。

そして、密書の要点に入って、

(——今、濮陽城は留守の兵しかいません。呂布は黎陽へ行っているからです。即刻、閣下の軍をお進め下さい。わたくしどもは機を計って内応し、城中から攪乱します。義の一字を大きく書いた白旗を城壁のうえに立てますから、それを合図に、一挙に濮陽の兵を殲滅なさるように禱る——機はまさに今です)と、ある。

曹操は、破顔してよろこんだ。

「天、われに先頃の雪辱をなさしめ給う。濮陽はもう掌のうちの物だ!」

使いを犒って、承諾の返辞を持たせ帰した。

「危険ですな」

策士の劉曄がいった。

「念のため、軍を三分して、一隊だけ先へ進めてごらんなさい。呂布は無才な男ですが、陳宮には油断はできません」

曹操も、その意見を可として、三段に軍を立てて、徐々と敵の城下まで肉薄して行った。

「オオ、見える」

曹操はほくそ笑んだ。

果たせるかな、大小の敵の旌旗が吹きなびいている城壁上の一角――西門の上あたりに一旒の白い大旗がひるがえっていた。手をかざして見るまでもなく、その旗には明らかに「義」の一字が大書してあった。

六

「もはや事の半ばは成就したも同じだ」

曹操は左右へいって、

「――だが、夜に入るまでは、息つぎの小競り合いに止めておいて敵が誘うとも深入りはするな」

と、誡めた。

城下の商戸はみな戸を閉ざし、市民はみな逃げ去って、町は昼ながら夜半のようだった。曹操の軍馬はそこ此処に屯して、食物や飲水を求めたり、夜の総攻撃の準備をしていた。

果たして、城兵は奇襲して来た。辻々で少数の兵が衝突して、一進一退をくり返しているうちに陽はやがて、とっぷり暮れて来た。

薄暮のどさくさまぎれにひとりの土民が曹操のいる本陣へ走りこんできた。捕えて詰問すると、

「田氏から使いです」と密書を示していう。

曹操は聞くとすぐ取寄せてひらいてみた。紛れもない田氏の筆蹟である。

初更の星、燦々の頃
城上に銅鑼鳴るあらん
機、逸し給うなかれ、即ち前進。
衆民、貴軍の蹄戛を待つや久し
鉄扉、直ちに内より開かれ
全城を挙げて閣下に献ぜん

「よしっ。機は熟した」

曹操は、密書の示す策によって、すぐ総攻撃の配置にかかった。

夏侯惇と曹仁の二隊は、城下の門に停めておいて、先鋒には夏侯淵、李典、楽進と押しすすめ、中軍に典韋らの四将をもって囲み、自身はその真ん中に大将旗を立てて指揮に当り、重厚な陣形を作って徐々と内城の大手へ迫った。

しかし李典は、城内の空気に、なにか変な静寂を感じたので、

「一応、われわれが、城門へぶつかって、小当りに探ってみますから、御大将には、暫時、進軍をお待ちください」と、忠言してみた。

曹操は気に入らない顔をして、

「兵機*というものは機をはずしては、一瞬勝ち目を失うものだ。田氏の合図に手違いをさせたら、全線が狂ってしまう」

といって肯き入れないのみか、なお逸って自身、真っ先に馬を進めだした。

月はまだ昇らないが満天の星は宵ながら繚乱と燦めいていた。たッたッたッたッ――と曹操に馳けつづく軍馬の蹄が城門に近づいたかと思うと、西門あたりに当って、陰々と法螺貝の音が尾をひいて長く鳴った。

「やっ、なんだっ」

寄手の諸将はためらい合ったが、曹操はもう濠の吊橋を騎馬で馳け渡りながら、

「田氏の合図だっ。何をためらっているか。この機に突っこめっ――」と、振向いてどなった。

とたんに、正面の城門は、内側から八文字に開け放されていた。――さては、田氏の密書に嘘はなかったかと、諸将も勢いこんで、どっと門内へなだれ入った。

――が、とたんに、

「わあっ……」

と、闇の中で、喊声があがった。敵か味方か分らなかったし、もう怒濤のように突貫の行き足がついているので、にわかに、駒を止めて見返してもいられなかった。

すると、どこからともなく、石の雨が降って来た。石垣の陰や、州の政庁の建物など

の陰から、同時に無数の松明が光りかがやき、その数は何千か知れなかった。

「や、や、やっ？」

疑う間に投げ松明だ。軍馬の上に、大地に、盔に、袖に、火の雨がそそがれ出したの

である。曹操は仰天して、突然、

「いかんっ。――敵の謀計にひッかかった。退却しろ」

と、声をかぎりに後ろへ叫んだ。

七

敵の計に陥ちたとさとって、曹操が、しまったと馬首をめぐらした刹那、一発の雷砲

が、どこかでどん――と鳴った。

彼につづいて突入してきた全軍は、たちまち混乱に墜ちた。奔馬と奔馬、兵と兵が、

方向を失って渦巻くところへなお、

「どうしたっ？」

「早く出ろ」と、後続の隊は、後から後からと押して来た。

「退却だっ」

「退くのだっ」

混乱は容易に救われそうもない。

石の雨や投げ松明の雨がやんだと思うと、城内の四門がいちどに口を開いて、中から呂布の軍勢が、

「寄手の奴らを一人も生かして帰すな」と、東西から挟撃した。

度を失った曹操の兵は、網の中の魚みたいに意気地もなく殲滅された。討たれる者、生捕られる者数知れなかった。

さすがの曹操も狼狽して、

「不覚不覚」

と憤然、唇を嚙みながら、一時北門から逃げ退こうとしたが、そこにも敵軍が充満していた。南門へ出ようとすれば南門は火の海だった。西門へ奔ろうとすれば、西門の両側から伏兵が現れてわれがちに喚きかかってくる。

「ご主君ご主君。血路はここに開きました。早く早く」

彼を呼んだのは悪来の典韋であった。典韋は、歯をかみ眼をいからして、むらがる敵を蹴ちらし、曹操のために吊橋の道を斬り開いた。

曹操は、征矢の如く駆けぬけて城下の町へ走った。殿となった悪来も、後を追ったが、もう曹操の姿は見あたらない。

「おういっ。曹操の……わが君っ」

悪来が捜していると、

「典章じゃないか」と、誰か一騎、馳け寄って来た味方がある。

「オオ、李典か、ご主君の姿を見なかったか」

「自分も、それを案じて、お捜し申しているところだ」

「どう落ちて行かれたやら」

兵を手分けして、二人は八方捜索にかかったが、皆目知れなかった。

何処を見ても火と黒煙と敵兵だった。曹操自身さえ南へ馳けているのか西へ向っているのか分らない。ただ果てしない乱軍の囲みと炎の迷路だった。その中からどうしても出ることができないほど、頭脳も顚倒していた。

――すると彼方の暗い辻から、一団の松明が、赤々と夜霧をにじませて曲って来た。

近づいて見るまでもなく敵にちがいない。曹操は、

「南無三」と、思ったが、あわてて引っ返してはかえって怪しまれる。肚をすえて、そのまま行き過ぎようとした。

何ぞ計らん、従者の松明に囲まれて戛々と歩いて来たのは、敵将の呂布であった。例の凄まじい大戟を横たえ、左に赤兎馬の手綱を持って悠然と来る姿が、はっと、曹操の眸に大きく映った。

ぎょっとしたが、すでに遅し！　である。曹操は顔をそ向け、その顔を手で隠しながら、何気ない素振りを装ってすれ違った。

すると呂布は、何思ったか、戟の先を伸ばして曹操の盔の鉢金をこつんと軽く叩いた。そして——恐らくは自分の味方の将と間違えたのだろう、こう訊ねた。

「おい。曹操はどっちへ逃げて行ったか知らんか。——敵の曹操は？」

「はっ」

曹操は、作り声で、

「それがしも彼を追跡しているところです。何でも、毛の黄色い駿足にまたがって、彼方へ走って行ったそうで」と、指さすや否、その方角へ向って、一散に逃げ去った。

八

「やっ、怪しい……？」と、後見送りながら、呂布が気づいた時は、すでに曹操の影は、町中に立ちこめている煙の中に見えなくなっていた。

「ああ、危うかった」

曹操は、夢中で逃げ走ってきてから、ほっと駒を止めて呟いた。真に虎口を脱したとは、このことだろうと思った。

——が、一体ここは何処か。西か東か。その先の見当は依然として五里霧中のここちだった。

そうしてさまよっているうちに、ようやく自分を捜している悪来に出会った。そして悪来に庇護されながら、辻々で血路を斬り開き、東の街道に出る城外の門まで逃げてきた。

「やあ、ここも出られぬ！」

曹操は、思わず嘆声をあげた。駒も大地を蹄でたたくばかりで前へ出なくなった。

それも道理。街道口の城門は、今、さかんに焼けていた。長い城壁は一連の炎の樋となって、火熱は天地も焦がすばかりである。

「どうッ。どうッ。どうッ……」

熱風を恐れて駒は狂いに狂う。鞍つぼにも、盔へも、パラパラと火の粉は降りかかる。

曹操は、絶望的な声で、

「悪来。戻るより外はあるまい」と、後ろを見て云った。

悪来は、火よりも赤い顔に、眦を裂いて睨んでいたが、

「引っ返す道はありません。ここの門が幽明の境です。てまえが先に駆け抜けて通りますから、すぐ後からお続きなさい」

楼門は一面焔につつまれている。城壁の上には、沢山な薪や柴に火が移っている。まさに地獄の門だ。その下を駆け抜けるなどは、九死に一生を賭す芸当より危険にちがいない。

しかし、活路はここしかない。

悪来の乗っている馬の尻に、びゅんッと凄い音がした。彼の姿はとたんに馬もろと

も、火焔の洞門を突破して行った——と見るや否、曹操も、戟をもって火塵を払いながら、どっと焔の中へ駈けこんだ。

一瞬に、呼吸がつまった。

眉も、耳の穴の毛までも、焼け縮れたかと思われた時は、曹操の胸がもう一歩で、楼門の向う側へ駈け抜けるところだった。

——が、その刹那。

楼上の一角が、焼け落ちて来たのである。何たる惨! 火に包まれた巨大な梁が、そこから電光の如く落下してきた。そしてちょうど曹操の乗った馬の尻をうったので、馬は脚をくじいて地にたおれ、ほうり出された曹操の体のほうへ、その梁はまたぐわらっと転がって来た。

「——あっ」

曹操は、仰向けにたおれながら、手をもってその火の梁を受けた。——当然、掌も肱も、大火傷をした。自分の体じゅうから、焦げくさい煙が立ちのぼった。

「……ウウム!」

彼は手脚を突っ張ってそり返ったまま焔の下に、気を失ってしまった。

しきりと自分を呼ぶ者がある。——どれくらい時が経っていたか、とにかくかすかに意識づいた時は、彼は、何者かの馬上に引っ抱えられていた。

「悪来か。悪来か」

「そうです。もうご安心なさい。ようやく敵地も遠くなりましたから」

「わしは、助かったのか」

「満天の星が見えましょう」

「見える……」

「お生命はたしかです。お怪我も火傷の程度だから、癒るにきまっています」

「ああ……。星空がどんどん後ろへ流れてゆく」

「後から馳け続いて来るのは、味方の夏侯淵ですから、ご心配には及びませんぞ」

「……そうか」

うなずくと曹操はにわかに苦しみ始めた。安心すると同時に半身の大火傷の痛みも分ってきたのである。

九

夜は白々と明けた。

将も兵もちりぢりばらばらに味方の砦へ帰って来た。どの顔も、どの姿も、惨憺たる敗北の血と泥にまみれている。

しかも、生きて還ったのは、全軍の半分にも足らなかったのである。

そこへ、悪来と夏侯淵に扶けられた曹操が、馬の鞍に抱えられて帰ってきたので、全軍の士気は墓場のように銷沈してしまい、滅失の色深い陣営は、旗さえ朝露重たげにうなだれていた。

「何。将軍が戦傷なされたと？」

「ご重傷か」

「どんなご容体か」

聞き伝えた幕僚の将校たちは、曹操の抱えこまれた陣幕の内へ、どやどやと群れ寄ってきた。

「しッ……」

「静かに」

と、中の者に制されて、なにかぎょっとしたものを胸に受けながら、将校たちは急に厳粛な無言を守り合っていた。

手当てに来ていた典医がそっと戻って行った。典医の顔も憂色に満ちている。それを見ただけで、幕僚たちは胸が迫ってきた。

──すると、突然幕のうちで、

「わははは、あははは」

曹操の笑う声がした。

しかも、平常よりも快活な声だ。

驚いて一同、彼の横臥している周りを取巻いて、その容体をのぞきこんだ。

右の肱から肩、太股まで、半身は大火傷にただれているらしい。繃帯ですっかり巻かれていた。顔半分も、薬を塗って、白い覆面をしたように片目だけ出していた。玉蜀黍の毛のように、髪の毛まで焦げている。

「もう、いい。心配するな」

片目で幕僚を見まわしながら、曹操は強いて笑いを見せて、

「考えてみると、何も、敵が強いのでもなんでもない。おれは火に負けたまでだ。火にはかなわんよ。——なあ、諸君」と、いってまた、「それと、少し軽率だった。たとえ、過ちにせよ、匹夫呂布ごとき者の計におちたのは、われながら面目ない。しかしおれもまた彼に向って計をもって酬いてくれる所存だ。まあ見ておれ」

すこし身をねじろうとしたが、体が動かない。無理に首だけ動かして、

「夏侯淵」

「はっ」

「貴様に、予の葬儀を命ずる。葬儀指揮官の任につけ」

「不吉なお言葉を」

「いや、策だ。——今暁、曹操遂に死せりと、喪を発するがよい。伝え聞くや、呂布はこの時とばかり、城を出て攻め寄せて来るにちがいない。仮埋葬を営むと触れてわが仮の柩を、馬陵山へ葬れ」

「はっ……」

「馬陵山の東西に兵を伏せ、敵をひき寄せ、円陣のうちにとらえて、思う存分、殲滅し

てくれるのだ。わかったか」

「わかりました」

「どうだ、諸君」

「ご名策です」

幕僚は、その場で皆、喪章をつけた。——そして将軍旗の竿頭にも、弔章が附せられた。

——曹操死す。

の声が伝わった。まことしやかに濮陽にまで聞えて来た。呂布は耳にすると、

「しめた、おれの強敵は、これで除かれた」

と膝を叩き、念のため、探りを放って確かめると、喪の敵陣は、枯野のように、寂として声もないという。

馬陵山の葬儀日を狙って、呂布は濮陽城を出て、一挙に敵を葬り尽そうとした。ところがなんぞ計らん。それは呂布を拉して冥途へ送らんとする偽りの葬列だった。起伏する丘陵一帯の陰から、たちまち鳴り起った陣鼓鑼声は、完全に呂布軍をたたきのめした。

呂布は、命からがら逃げた。一万に近い犠牲と面目を馬陵山に捨てて逃げた。——以来、それにこりごりして、濮陽を堅く守り、容易にその城から出なかった。

牛と「いなご」

一

穴を出ない虎は狩れない。

曹操は、あらゆる策をめぐらして、呂布へ挑んだが、

「もうその策には乗らない」と、彼は容易に、濮陽から出なかった。

そのくせ、前線と前線との、偵察兵や小部隊は日々夜々小ぜりあいをくり返していたが、戦いらしい戦いにもならず、といってこの地方が平穏にもならなかった。

いや、世の乱脈な兇相は、ひとりこの地方ばかりではない。土のある所、人間の住む所、血腥い風に吹き捲られている。

こういう地上にまた、戦争以上、百姓を悲しませる出来事が起った。

或る日。

一片の雲さえなく晴れていた空の遠い西の方に、黒い綿を浮かべたようなものが漂って来た。やがて、疾風雲のように見る見るうちにそれが全天に拡がって来たかと思う

と、

「い、いなごだ。いなごだ」

百姓は騒ぎ始めた。

いなごの襲来と伝わると、百姓は茫然、泣き悲しんで、鋤鍬も投げて、土蜂の巣みたいな土小屋へ逃げこみ、

「ああ。しかたがない」

絶望と諦めの呻きを、おののきながら洩らしているだけだった。

いなごの大群は、蒙古風の黄いろい砂粒よりたくさん飛んで来た。天をおおういちめんの雲かとも紛う妖虫の影に、白日もたちまち晦くなった。

地上を見れば、地上もいなごの洪水であった。たちまち稲の穂を蝕い尽してしまい、蝕う一粒の稲もなくなると、妖虫の狂風は、次々と、他の地方へ移動してゆく。

後からくるいなごは、喰う稲がない。遂には、餓殍と餓殍が嚙みあって何万何億か知れない虫の空骸が、一物の青い穂もない地上を悽惨に敷きつめている。

——が、その浅ましい光景は、虫の社会だけではない。やがて人間も嚙み合い出した。

「喰う物がない！」

「生きて行かれないっ」

悲痛な流民は、喰う物を追って、東西に移り去った。

糧食とそれを作る百姓を失った軍隊は、もう軍隊としての働きもできなくなってしまった。

軍隊も「食」に奔命しなければならない。しかも山東の国々ではその年、いなごの災厄のため、物価は暴騰に暴騰をたどって、米一斛の価は銭百貫を出しても、なかなか手に入らなかった。

「やんぬる哉」

曹操は、これには、策もなく、手の下しようもなかった。

戦争はおろか、兵が養えないのである。やむなく彼は、陣地を引払って、しばらくは他州にひそみ、衣食の節約を令して、この大飢饉をしのぎ、他日を待つしか方法はあるまいと観念した。

同じように、濮陽の呂布たりといえども、この災害をこうむらずにいるわけはない。

「曹操の軍も、とうとう囲みを解いて、引揚げました」

そう報告を聞いても、

「うむ。そうか」とのみで、彼の愁眉はひらかれなかった。

彼もまた、

「細く長く喰え」

と、兵糧方に厳命した。

自然――

双方の戦争はやんでしまった。

いや、いなごが、人間の戦争を休止させてしまったのである。

とはいえ。

また、春は来る。夏は巡って来る。大地は生々と青い穀物や稲の穂を育てるであろう。いなごは年々襲っては来ないが、人間同士の戦争は、遂に、土が物を実らせる力のある限り永劫に絶えそうもない。

二

ここに、徐州の太守陶謙はまた、誰に我がこの国を譲って死ぬべきや――を、日ごと、病床で考えていた。

「やはり、劉備玄徳をおいては、ほかにない」

彼はもう年七十になんなんとしていた。ことにこんどは重態である。自ら命数を感じている。けれど、国の将来に安心の見とおしがつかないのが、なんとしても心の悩みであった。

「お前らはどう思う」

枕頭に立っている重臣の糜竺、陳登のふたりへ、鈍い眸をあげて云った。

「ことしは、いなごの災害のために、曹操は軍をひいたが、来春にでもなればまた、捲土重来してくるだろう。その時、ふたたびまた、呂布が彼の背後を襲うような天佑があってくれれば助かるが、そういつも奇蹟はあるまい。わしの命数も、この容子ではいつとも知れないから、今のうちに是非、確たる後継者をきめておきたいが」

「ごもっともです」

糜竺は、老太守の意中を察しているので、自分からすすめた。

「もう一度、劉玄徳どのをお招きになって、懇ろにお心を訴えてごらんになっては如何ですか」

陶謙は、重臣の同意を得、少し力づいたものの如く、

「早速、使いを派してくれ」と、いった。

使いをうけた玄徳は、取る物も取りあえず、小沛から駈けつけて、太守の病を見舞った。

陶謙は、枯木のような手をのばして、玄徳の手を握り、

「あなたが、うんと承諾してくれないうちは、わしは安心して死ぬことができない。どうか、世の為に、また、漢朝の城地を守るために、この徐州の地をうけて、太守となってもらいたいが」

「いけません。折角ですが」

玄徳は、依然として、断りつづけた。そして――

（あなたには、二人のご子息があるのに）と、理由を云いかけたが、それをいうとまた、重態の病人が、出来の悪い不肖の実子のことについて、昂奮して語り出すといけな

いので、――玄徳はただ、

「私は、その器でありません」と、ばかり頑なに首をふり通してしまった。

そのうちに、陶謙は、ついに息をひきとってしまった。

徐州は喪を発した。城下の民も城士もみな喪服を着け、哀悼のうちに籠った。そして葬儀が終ると、玄徳は小沛へ帰ったが、すぐ糜竺、陳登などが代表して、彼を訪れ、

「太守が生前の御意であるから、まげても領主として立っていただきたい」

と、再三再四、懇請した。

すると、また、次の日、小沛の役所の門外に、わいわいと一揆のような領民が集まって来た。――何事かと、関羽、張飛を従えて、玄徳が出てみると、何百とも知れない民衆は、彼の姿をそこに見出すと、

「オオ、劉備さまだ」と、一斉に大地へ坐りこんで、声をあわせて訴えた。

「わたくしども百姓は、年々戦争には禍いされ、今年はいなごの災害に見舞われて、もうこの上の望みといったら、よいご領主様がお立ちになって、ご仁政をかけていただくことしかございません。もし、あなた様でなく他のお方が、太守になるようでもあったら、私どもは、闇夜から闇夜を彷徨わなければなりません。首をくって死ぬ者がたくさん出来るかも知れません」

中には、号泣する者もあった。

その愍れな飢餓の民衆を見るに及んで、劉備もついに意を決した。即ち太守牌印を受

領して、小沛から徐州へ移ったのである。

三

劉玄徳は、ここに初めて、一州の太守という位置をかち得た。

彼の場合は、その一州も、無名の暴軍や悪辣な策謀を用いて、強いて天に抗して横奪したのではなく、きわめて自然に、めぐり来る運命の下に、これを授けられたものといってよい。

涿県の一寒村から身を起して今日に至るまでも、よく節義を持して、風雲にのぞんでも功を急がず、悪名を流さず、いつも関羽や張飛に、「われわれの兄貴は、すこし時勢向きでない」と、歯がゆがられていたことが、今となってみると、遠い道を迂回していたようでありながら、実はかえって近い本道であったのである。

さて、彼は、徐州の牧となると、第一に先君陶謙の霊位を祭って、黄河の原でその盛大な葬式を営んだ。

それから陶謙の徳行や遺業を表に彰して、これを朝廷に奏した。

また、糜竺だの、孫乾、陳登などという旧臣を登用して、大いに善政を布いた。

こうして「いなご飢饉」と戦争に、草の芽も枯れ果てた領土へのぞんで、民力の恢復を計ったので、百姓たちのひとみにも、生々と、希望がよみがえって来た。

ところが、百姓たちの謳歌して伝えるその名声を耳にして、

「なに。——劉玄徳が徐州を領したと。あの玄徳が、徐州の太守に坐ったのか」

いかにも意外らしく、また、軽蔑しきった口ぶりで、こう洩らしたのは、曹操であった。

彼はその新しい事実を知ると意外としたばかりでなく、非常に怒って云った。

「死んだ陶謙は、わが亡父の讐なることは、玄徳も承知のはずだ。その讐はまだ返されていないではないか。——しかるに玄徳が、半箭の功もなき匹夫の分際をもって、徐州の太守に居坐るなどとは、言語道断な沙汰だ」

曹操は、いずれ自分のものと、将来の勘定に入れていた領地に、思わぬ人間が、善政を布いて立ったので、違算を生じたばかりでなく、感情の上でも、はなはだ面白くなかったのであろう。

「予と徐州のいいきさつを承知しながら、徐州の牧に任ずるからには、それに併せて、この曹操にも宿怨を買うことは、彼は覚悟の上で出たのだろう。——このうえはまず劉玄徳を殺し、陶謙の屍をあばいて、亡父の怨みをそそがねばならん！」

曹操は、直ちに、軍備を命じた。

すると、それを諫めたのは、荀彧であった。——召抱えられた時、曹操から、

（そちは我が張子房なり）と、いわれた人物であった。

荀彧がいうには、

「今いるこの地方は、天下の要衝で、あなたにとっては、大事な根拠地です。その兗州

の城は、呂布に奪われているではありませんか。しかも、兗州を囲めば、徐州へ向ける兵は不足です。徐州へ総がかりになれば、兗州の敵の地盤は固まるばかりです。徐州も陥ちず、兗州も奪還できなかったら、あなたはどこへ行かれますか」

「しかし、食糧もない飢饉の土地に、しがみついているのも、良策ではあるまいが」

「さればです。——今日の策としては、東の地方、汝南（河南省・汝南）から潁州の一帯で、兵馬を養っておくことです。あの地方にはなお、黄巾の残党どもが多くいますが、その草賊を討って、賊の糧食を奪い、味方の兵を肥やしてゆけば、朝廷に聞えもよく、百姓も歓迎しましょう。これが一石二鳥というものです」

「よかろう。汝南へ進もう」

曹操は、気のさっぱりした男である。人の善言を聴けば、すぐ用いるところなど彼の特長といえよう。——彼の兵馬はもう東へ東へと移動を開始していた。

四

その年の十二月、曹操の遠征軍は、まず陳の国を攻め、汝南（河南省）潁川地方（河南省・許昌）を席巻して行った。

——曹操来る。

——曹操来る。

彼の名は、冬風の如く、山野に鳴った。

ここに、黄巾の残党で、何儀と黄邵という二頭目は、羊山を中心に、多年百姓の膏血をしぼっていたが、

「なに曹操が寄せて来たと。曹操には兗州という地盤がある。偽ものだろう。叩きつぶしてしまえ」

羊山の麓にくり出して、待ちかまえていた。

曹操は、戦う前に、

「悪来、物見して来い」と、いいつけた。

典韋の悪来は、

「心得て候」とばかり馳けて行ったが、すぐ戻って来て、こう復命した。

「ざっと十万ばかりおりましょう。しかし狐群狗党の類で、紀律も隊伍もなっていません。正面から強弓をならべ、少し箭風を浴びせて下さい。それがしが機を計って右翼から駈け散らします」

戦の結果は、悪来のことば通りになった。賊軍は、無数の死骸をすてて八方へ逃げちるやら、または一団となって、降伏して出る者など、支離滅裂になった。

「いくら鳥なき里の蝙蝠でも、十万もいる中には、一匹ぐらい、手ごたえのある蝙蝠がいそうなものだな」

曹操をめぐる猛将たちは、羊山の上に立って笑った。

すると、次の日、一隊の豹卒を率いて、陣頭へやって来た巨漢がある。

この漢、馬にも乗らず、七尺以上もある身の丈を持ち、鉄棒をかい込んで双の眼をつりあげ、漆黒の髯を山風に顔から逆しまに吹かせながら、

「やあやあ、俺を誰と思う。この地方に隠れもない、截天夜叉何曼というのはおれのことだ。曹操はどこにいるか。真の曹操ならこれへ出て、われと一戦を交えろ」

と、どなった。

曹操は、おかしくなって、

「誰か、行ってやれ」と、笑いながら下知した。

「よし、拙者が」と、旗本の李典が行こうとすると、いやこのほうに譲れと、曹洪が進み出て、わざと馬を降り、刀を引っ提げて、何曼に近づき、

「真の曹将軍は、貴様ごとき野猪の化け物と勝負はなさらない。覚悟しろ」

斬りつけると、何曼は怒って、大剣をふりかぶって来た。

この漢、なかなか勇猛で、曹洪も危うく見えたが、逃げると見せて、急に膝をつき後ろへ薙ぎつけて見事、胴斬りにしてようやく屠った。

李典は、その間に、駒をとばして、賊の大将黄邵を、馬上で生擒りにした。――もう一名の賊将、何儀のほうは、二、三百の手下をつれて、葛陂の堤を、一目散に逃げて行った。

すると、突然――

一方の山間から旗印も何も持たない変な軍隊がわっと出て来た。その真っ先に立った

一名の壮士は、やにわに路を塞いで、何儀を馬から蹴落した。もんどり打って馬から落ちた何儀は、

「うぬ何者だ」

と、槍を持ち直したが、壮士はいちはやくのしかかって、何儀を縛りあげてしまった。

何儀についていた賊兵は、怖れおののいて皆、壮士の前に降参を誓った。壮士は、自分の手勢と降人を合わせて、意気揚々、もとの山間へひきあげて行こうとした。

こんなこととは知らず、何儀を追いかけて来た悪来典章は、それと見て、

「待て待て。賊将の何儀をどこへ持って行くか。こっちへ渡せ」

と、壮士へ呼びかけたが、壮士は肯かないので、たちまち、両雄のあいだに、*龍攘虎搏の一騎討が起った。

五

この壮士は一体何者だろう。

悪来典章は、闘いながらふと考えた。

賊将を生擒って、どこかへ拉して行こうとする様子から見れば、賊ではない。

といって、自分に刃向って来るからには、決して味方ではなおさらない。

「待て壮士」

悪来は、戟をひいて叫んだ。

「無益な闘いは止めようじゃないか。貴様は黄巾賊の残党でもないようだ。賊将の何儀を、われらの大将、曹操様へ献じてしまえ。さすれば一命は助けてやる」

すると壮士は、哄笑して、

「曹操とは何者だ。汝らには大将か知らぬが、おれ達には、なんの恩顧もない人間ではないか。せっかく、自分の手に生擒った何儀を、縁もゆかりもない曹操へ献じる理由はない」

「おのれ一体、どこの何者か」

「おれは譙県の許褚だ」

「賊か。浪人か」

「天下の農民だ」

「うぬ、土民の分際で」

「それほど俺の生擒った何儀が欲しければ俺の手にあるこの宝刀を奪ってみろ。そうしたら何儀を渡してやる」

悪来典韋はかえって、許褚のために愚弄されたので烈火の如く憤った。

悪来は、双手に二振の戟を持って、りゅうりゅうと使い分けながら再び斬ってかかった。しかし、許褚の一剣はよくそれを防いで、なお、反対に悪来をしてたじろがせるほどな余裕と鋭さがあった。

でも、悪来はまだかつて自分を恐れさせたほどな強い敵に出会ったことはないとしていたので、「この男、味をやるな」ぐらいに、初めは見くびってかかっていた。

ところが、刻々形勢は悪来のほうが悪くなった。悪来が疲れだしたなと思われると、俄然、許褚の勢いは増してきた。

「これは！」

と、悪来も本気になって、生涯初めての脂汗をしぼって闘った。しかし許褚は毫も乱れないのである。いよいよ、勇猛な喚きを発して、一電、また一閃、その剣光は、幾たびか悪来の鬢髪をかすめた。

こうして、両雄の闘いは、辰の刻から午の刻にまで及んだが、まだ勝負がつかなかったのみか、馬のほうが疲れてしまったので、日没とともに、勝負なしで引分けとなった。

曹操は、後から来て、この勝負を高地から眺めていたが、そこへ悪来がもどってくると、

「明日は偽って、負けた振りして逃げることにしろ」と、云いふくめた。

翌日の闘いでは、曹操にいわれた通り、悪来は三十合も戟を合わせると、にわかに、許褚にうしろを見せて逃げ出した。

曹操も、わざと、軍を五里ほど退いた。そしていよいよ相手に気を驕らせておいて、また次の日、悪来を陣頭へ押し出した。

許褚は彼のすがたを見ると、

「逃げ上手の卑怯者め。また性懲りもなく出てきたか」と、駒をとばして来た。

悪来は、あわてふためくと見せかけて、味方へは、懸れ懸れと下知しながら、自分のみ真ッ先に逃げ走った。

「おのれ、きょうは遁さん」

許褚は、まんまと、曹操の術中へ躍り込んでしまった。およそ一里も追いかけて行くかと見えたが、そのうちに、かねて曹操が掘らせておいた大きな陥し坑へ、馬もろとも、どうっと、転げ込んでしまった。

それとばかり、四方から馳け現れた伏兵は、坑の周りに立ち争って、許褚の体を目がけて、熊手や鈎棒などを滅茶苦茶に突っこんだ。

罠にかかった許褚は、たちまち、曹操の前へひきずられて来た。

六

まるで材木か猪でも引っぱるように、熊手や鈎棒でわいわいと兵たちが許褚の体を大地に摺って連れて来たので、

「ばかっ。縄目にかけた人ひとりを捕えて来るに、なんたる騒ぎだ」と、曹操は叱りつけた。

そしてまた、部将や兵に、

「貴様たちには、およそ人間を観る目がないな。士を遇する情けもない奴だ。——はやくその縄を解いてやれ」と、案外な言葉であった。

それもその筈。曹操はこの許褚と悪来とが、火華をちらして夕方に迫るまで闘っていた一昨日の有様を、とくと実見していたので、心のうちに（これはよい壮士を見出した）と早くも、自分の幕下へ加えようと、目算を立てていたからであった。

曹操から、俺の敵と睨まれたら助からないが、反対に彼が、この男はと見込むと、その寵遇は、どこの将軍にも劣らなかった。

彼は、士を愛することも知っていたが、憎むとなると、憎悪も人一倍強かった。——許褚の場合は、一目見た時から、愉快なやつと惚れこんで、（殺すのは惜しい。何とかして、臣下に加えたいが）と、考えていたものだった。

「彼に席を与えろ」

と、曹操は、引っ立てて来た部下に命じ、自ら寄って、許褚の縄目を解いてやった。

思わぬ恩情に、許褚は意外な感に打たれながら、曹操の面を見まもった。曹操は、改めて彼の素姓をたずねた。

「譙県の生れで、許褚といい、字は仲康という者です。これといって今日まで、人に語るほどの経歴は何もありません。——なぜ山寨に住んでいたかといえば、この地方の賊害に災いされて、わたくしどもは安らかに耕農に従事していられないのみか、食は奪われ、生命も常に危険にさらされています。——でついに一村の老幼や一族をひきつれ山に砦を構えて賊に反抗していたわけです」

許褚は、そう告げてから、その間にはこんなこともあったと苦心を話した。

賊軍の襲来をうけても自分の抱えている部下は善良な土民なので彼らのように武器もない。そこで常に砦のうちに礫を蓄えておき、賊が襲せて来ると礫を投げて防ぐ。――自慢ではないが、私の投げる礫は百発百中なので賊も近ごろは怖れをなし、あまり襲って来なくなりました。

また、或る時は――

砦の内に米がなくなってしまい何とかして米を手に入れたいがと思うと、幸い、二頭の牛があったので、賊へ交易を申しこみました。すると賊のほうでは、すぐ承知して米を送って来ましたから、即座に牛を渡しましたが、賊の手下が牛をひいて帰ろうとしても牛はなかなか進まず、中途まで行くと暴れて私たちの砦へ帰って来てしまいます。

そこで私は、二頭の巨牛の尻尾を両手につかまえ、暴れる牛を後ろ歩きにさせて賊の屯の近所まで持って行ってやりました。――すると賊はひどく魂消て、その牛を受取りもせず、翌日は麓の屯まで引払ってどこかへ立ち退いてしまいました。

「あはははは、すこし自慢ばなしでしたが、まアそんなわけで、今日まで、一村の者の生命を、どうやら無事に守ってきました。――けれど貴軍の力で、賊を掃蕩してくれれば、もはや私という番人を失っても、村の老幼は、田畠へ帰って鍬を持てましょう。思いのこすことはありません、将軍、どうか首を刎ねて下さい」

許褚は、悪びれもせず、始終、笑顔で語っていた。曹操は、死を与える代りに、恩を与えた。もちろん許褚はよろこんで、その日から彼の臣下になった。

愚兄と賢弟

一

出稼ぎの遠征軍は、風のままにうごく。蝗のように移動してゆく。

近頃、風のたよりに聞くと、曹操の古巣の兗州には、呂布の配下の薛蘭と李封という二将がたて籠っているが、軍紀はすこぶるみだれ兵隊は城下で掠奪や悪事ばかり働いているし、城中の将は、苛税をしぼって、自己の享楽にばかり驕り耽っているという。

「今なら討てる」

曹操は、直感して、軍の方向を一転するや、剣をもって、兗州を指した。

「われわれの郷土へ帰れ！」

飈兵は、またたくまに、目的の兗州へ押寄せた。

李封、薛蘭の二将は、「よもや？」と、疑っていた曹軍を、その目に見て、驚きあわてながら、駒を揃えて、討って出た。

新参の許褚は、曹操のまえに出て、

「お目見得の初陣に、あの二将を手捕りにして、君前へ献じましょう」といって、駆け出した。

見ているまに、許褚は、薛蘭、李封の両人へ闘いを挑んで行った。面倒と思ったか、許褚は、李封を一気に斬ってしまった。それにひるんで、薛蘭が逃げ出してゆくと、曹操の陣後から、呂虔がひょうッと一箭を放った。――箭は彼の首すじを射ぬいたので、許褚の手を待つまでもなく、薛蘭も馬から転げ落ちた。

兗州の城は、そうして、曹操の手に還った。が、曹操は、

「この勢いで濮陽も収めろ」と、呂布の根城へ逼った。

呂布の謀臣陳宮は、

「出ては不利です」と、籠城をすすめたが、

「ばかをいえ」と、呂布はきかない。

例の気性である。それに、曹操の手心もわかっている。一気に撃滅して、兗州もすぐ取返さねば百年の計を誤るものだと、全城の兵をくり出して、物々しく対陣した。

呂布の勇猛は、相変らずすこしも老いていない。むしろ年と共にその騎乗奮戦の技は神に入って、文字どおり万夫不当だ。まったく戦争するために、神が造った不死身の人間のようであった。

「おうっ、自分にふさわしい好敵手を見つけたぞ」

許褚は、見事なる敵将の呂布を見かけると、自分までがはなはだしく英雄的な精神を昂められた。

「いで、あの敵を！」と、目がけてかかった。

だが、呂布は、彼如きを近づけもしないのである。許褚は、歯がみをして彼の前へ前へと、しつこくつけ廻った。そして戟を合わせたが、勝負はつかない。

そこへ、悪来典韋が、

「助太刀」と、喚きかかったが、この両雄が、挟撃しても、呂布の戟にはなお余裕があった。

折からまた、夏侯惇その他、曹操幕下の勇将が六人もここへ集まった。――今こそ呂布を遁すなとばかりにである。――呂布は、危険を悟ったか、さっと一角を蹴破るや否や、赤兎馬に鞭をくれて逃げてしまった。

わが城門の下まで引揚げて来た。だが、呂布はあッと駒を締めて立ちすくんだ。これは抑いかに？――と眼をみはった。

城門の吊橋がはね上げてあるではないか。何者が命令したのか。彼は、怒りながら、大声で、濠の向うへどなった。

「門を開けろ。――橋を下ろせ！　ばかっ」

すると、城壁の上に、小兵な男が、ひょッこり現れた。かつては呂布のために、曹操の陣へ、反間の偽書を送って、曹軍に致命的な損害を与えた土地の富豪の田氏であった。

「いけませんよ。呂大将」

田氏は歯をむいて城壁の上から嘲笑を返した。

「きのうの味方もきょうの敵ですからね。わたくしは初めから利のあるほうへ付くと明言していたでしょう。もともと、武士でもなんでもない身ですから、きょうからは曹将軍へ味方することにきめました。どうもあちらの旗色のほうが良さそうですからな。……へへへへ」

二

呂布は牙を嚙んで、

「やいっ、開けろ、城門を開けおらんか。うぬ、憎ッくい賤民め、どうするか見ておれ」

と、口を極めて罵ってみたが、どうすることもできないのみか、城壁の上の田氏は、

「もうこの城は、お前さんの物ではない。曹操様へ献上したのだ。さもしい顔をしていないで、足もとの明るいうちに、どこへでも落ちておいでなさい。――いや、なんともお気の毒なことで」

といいよいよ、嘲弄を浴びせかけた。

利を嗅いで来た味方は、また利を嗅いで敵へ去る。小人を利用して獲た功は、小人に裏切られて、一挙に空しくなってしまった。呂布は、散々に罵り吠えていたが、結局、そこで立ち往生していれば、曹軍に包囲されるのを待っているようなものである。ぜひなく定陶（山東省・定陶）をさしてひとまず落ちて行った。

かくと聞いて、陳宮は、

「田氏を用いて、彼に心をゆるしていたのは、自分の過ちでもあった」

と、自責にかられたか、急遽、城の東門へ迫って、内部の田氏に交渉し、呂布の家族たちの身を貰いうけて、後から呂布を追い慕って行った。

城地を失うと、とたんに、従う兵もきわだって減ってしまう。

（この大将に従いていたところで——）と、見限りをつけて四散してしまうのである。田氏は田氏ひとり在るのみではなかった。無数の田氏が離合集散している世の中であった。

だが、ひとたび敗軍を喫して漂泊の流軍に転落すると、大将や幕僚は、結局そうなってくれたほうが気が安かった。何十万というような大軍は養いかねるからである。いくら掠奪して歩いても、一村に千、二千という軍がなだれこめば、たちまち村の穀倉は、いなごの通った後みたいになってしまう。

呂布は、ひとまず定陶まで落ちてみたが、そこにも止ることができないで、

「この上は、袁紹を頼って、冀州へ行ってみようか」と、陳宮に相談した。

陳宮は、さあどうでしょう？　と首をかしげて、すぐ賛成しなかった。呂布の人気は、各地において、あまり薫しくないことを知ったからである。

で、一応、先に人を派して、それとなく袁紹の心を探らせてみているうちに、袁紹は伝え聞いて謀士の審配へ意見を徴していた。

審配は、率直に答えた。

「およしなさい、呂布は天下の勇ですが、半面、豺狼のような性情を持っています。もし彼が勢力を持ち直して、兗州を奪りかえしたら、次には、この冀州を狙って来ないとは限りません。――むしろ曹操と結んで、呂布のごとき乱賊は殺したほうがご当家の安泰でしょう」

「大きにそうだった」

袁紹は、直ちに、部下の顔良に五万余の兵をさずけ、曹操の軍に協力させ、曹操へ親善の意をこめた書を送った。

呂布はうろたえた。

逆境の流軍はあてなく歩いた。

「そうだ。近頃、新しく徐州の封をうけて、陶謙の跡目をついで立った劉玄徳を頼ってゆこう。……どうだろう陳宮」

「そうですな。徐州の新しい太守は、世間の噂がよいようです。先さえ吾々を容れるものなら、徐州を頼るに越したことはありません」

そこで、呂布は、玄徳のところへ使いを立てた。

劉備は、自分の領地へ、呂布一族が来て、仁を乞うと聞くと、

「あわれ。彼も当世の英雄であるのに」

と、関羽、張飛をつれて、自ら迎えに出ようとした。

「とんでもないことです」

家臣の糜竺は、出先をさえぎって、極力止めた。

三

糜竺はいうのである。

「呂布の人がらは、ご承知のはずです。袁紹ですら、容れなかったではありませんか。徐州は今、太守の鎮守せられて以来、上下一致して、平穏に国力を養っているところです。なにを好んで、餓狼の将を迎え入れる必要がありましょう」

側にいた関羽も張飛も、

「その意見は正しい」と、いわんばかりの顔してうなずいた。

劉玄徳も、うなずきはしたけれど、彼はこういって、肯かなかった。

「なるほど、呂布の人物は、決して好ましいものではない。――けれど先頃、もし彼が曹操のうしろを衝いて、兗州を攻めなかったら、あの時、徐州は完全に曹操のために撃破されていたろう。それは呂布が意識して徐州にほどこした徳ではないが、わしは天佑

に感謝する。――今日、呂布が窮鳥となって、予に仁愛を乞うのも、天の配剤かと思える。この窮鳥を拒むことは自分の気持としてはできない」

「……は。そう仰っしゃられれば、それまでですが」

麋竺も口をつぐんだ。

張飛は、関羽をかえりみて、

「どうも困ったものだよ。われわれの兄貴は人が好すぎるね。狡い奴は、その弱点へつけ込むだろう。……まして、呂布などを出迎えに出るなんて」と、不承不承従った。

玄徳は車に乗って、城外三十里の彼方まで、わざわざ呂布を迎えに行った。

流亡の将士に対して、実に鄭重な礼であったから、呂布もさすがに恐縮して、玄徳が車から出るのを見ると、あわてて駒をおり、

「なんでそれがし如きを、かように篤く迎えられるか、ご好意に応えようがない」

と、いうと、劉備は、

「いや私は、将軍の武勇を尊敬するものです。志むなしく、流亡のお身の上と伺って、ご同情にたえません」

呂布は、彼の謙譲を前に、たちまち気をよくして、胸を張った。

「いや、察して下さい。天下の何人も、どうすることもできなかった朝廟の大奸董卓を亡ぼしてから、ふたたび李傕一派の乱に遭い、それがしが漢朝に致した忠誠も水泡に帰して、むなしく地方に脱し、諸州に軍を養わんとしてきましたが、気宇の小さい諸侯

の容れるところとならず、未だにかくの如く、男児の為すある天地をたずね歩いておる始末です」と、自嘲しながら、手をさしのべて、玄徳の手を握り、「どうですか。将来、貴下のお力ともなり、また、それがしの力ともなっていただいて、共々大いにやって行きたい考えですが……」

と、親しみを示すと、劉備は、それには答えないで、袂の中から、かねて先太守陶謙から譲られた「徐州の牌印」を取出し、彼のまえに差しだした。

「将軍。これをお譲りしましょう。陶太守の逝去の後、この地を管領する人がないため、やむなく私が代理していましたが、閣下がお継ぎ下さればこれに越したことはありません」

「えっ、それがしに、この牌印を」

呂布は、意外な顔と同時に、無意識に大きな手を出して、次にはすぐ、（しからば遠慮なく）と、受取ってしまいそうな容子だったが、ふと、玄徳のうしろに立っている人間を見ると、自分の顔いろを、くわッと二人して睨みつけているので、

「はははは」と、さり気なく笑って、その手を横に振った。

「何かと思えば、徐州の地をお譲り下さるなどと、あまりに望外過ぎて、ご返辞にうろたえます。――それがしは元来、武弁一徹、州の吏務をつかさどるなどということは、本来の才ではありません。まあ、まあ」

と、云いまぎらわすと、側にいた彼の謀臣陳宮も、口をあわせて辞退した。

四

そこから劉玄徳は先に立って、呂布の一行を国賓として城内に迎え、夜は盛宴をひらいて、あくまで篤くもてなした。

呂布は、翌る日、

「その答礼に」と、披露して、自分の客舎に、玄徳を招待したいと、使いをよこした。

関羽、張飛のふたりは、こもごも、玄徳に云った。

「お出でになるつもりですか」

「行こうと思う、折角の好意を無にしては悪いから」

「なにが好意なものか。呂布の肚の底には、この徐州を奪おうとする下心(したごころ)が見える、断ってしまったほうがいいでしょう」

「いや、わしはどこまでも、誠実をもって人に接してゆきたい」

「その誠実の通じる相手ならいいでしょうが」

「通じる通じないは人さまざまで是非もない。わたしはただわしの真心(まごころ)に奉じるのみだ」

玄徳は、車の用意を命じた。

関羽、張飛も、ぜひなく供について、呂布の客舎へのぞんだ。——もちろん、呂布は非常な歓びで、下へもおかない歓待ぶりである。

「何ぶん、旅先の身とて、充分な支度もできませんが」と、断って、直ちに、後堂の宴席へ移ったが、日ごろ質素な玄徳の眼には、豪奢驚くばかりだった。

宴がすすむと、呂布は、自分の夫人だという女性を呼んで、

「おちかづきをねがえ」

と、玄徳に紹介わせた。

夫人は、嬋妍たる美女であった。客を再拝して、楚々と、良人のかたわらに戻った。

呂布はまた、機嫌に乗じてこういった。

「不幸、山東を流寓して、それがし逆境の身に、世間の軽薄さを、こんどはよく味わったが、昨日今日は、実に愉快でたまらない。尊公の情誼にふかく感じましたよ。——これというのも、かつて、この徐州が、曹操の大軍に囲まれて危殆に瀕した折、それがしが、彼の背後の地たる兗州を衝いたので、一時に徐州は敵の囲みから救われましたな。——あの折、この呂布がもし兗州を襲わなかったら、徐州の今日はなかったわけだ。——自分の口からいっては恩着せがましくなるが、そこをあなたが忘れずにいてくれたのは実によろこばしい。いい事はしておくものだ」

玄徳は、微笑をふくんで、ただうなずいていたが、今度は、彼の手を握って、

「はからずも、その徐州に身を寄せて、賢弟の世話になろうとは。——これも、なにかの縁というものだろうな」

と酔うに従って、呂布はだんだんなれなれしく云った。

始終、気に入らない顔つきをして、黙って飲んでいた張飛は、突然、酒杯を床へ投げ捨てたかと思うと、

「何、なんだと、もういちどいってみろ」と、剣を握って突っ立った。

なにを張飛が怒りだしたのか、ちょっと見当もつかなかったが、彼の権まくに驚いて、呂夫人などは悲鳴をあげて、良人のうしろへ隠れた。

「こらっ呂布。汝は今、われわれの長兄たり主君たるお方に対して、賢弟などとなれなれしく称んだが、こちらはいやしくも漢の天子の流れをくむ金枝玉葉だ、汝は一匹夫、人家の奴に過ぎない男ではないか。無礼者め！　戸外へ出ろっ、戸外へ」

酔った張飛が、これくらいなことを云いだすのは、歌を唄うようなものだが、彼の手は、同時に剣を抜き払ったので、馴れない者は仰天して色を失った。

五

「これっ。何をするっ」

劉備は、一喝に、張飛を叱りつけた。関羽も、あわてて、

「止さないか、場所がらもわきまえずに」と張飛を抱きとめて、壁ぎわへ押しもどした。

が、張飛は、やめない。

「ばかをいえっ。場所がらだから承知できないのだ。どこの馬の骨か分りもしない奴に、われわれの主君たり義兄たるお方を、手軽に賢弟などと、弟呼ばわりされてたまる

か」

「わかったよ、分った」

「それはかりでない。さっきから黙って聞いていれば、呂布のやつめ、自分の野望で兗州を攻めたことまで、恩着せがましくいってやがる。こっちが、謙遜して下手に出れは、ツケ上がって！」

「止せといったら。それだから貴様は、真情ですることも、常に、酒の上だと人にいわれるのだ」

「酒の上などではない」

「では、黙れ」

「ウウム。いまいましいな」

張飛は、憤然たるまま、ようやく席にもどったが、よほど腹が癒えないとみえて、ひとり手酌で大杯をあおりつづけていた。

劉備は、当惑顔に、

「どうも、折角のお招きに、醜態をお目にかけて、おゆるしください。舎弟の張飛は、竹を割ったような気性の漢ですが、飲むと元気になり過ぎましてな。……ははは」

笑いにまぎらしながら詫びた。

呂布は、蒼白になっていたが、劉備の笑顔に救われて、強いて快活を装いながら、

「いやいや、なんとも思っておりはしません。酒のする業でしょうから」

それを聞くと、張飛はまた、

（何ッ？）

と云いたげな眼光を呂布へ向けたが、劉備の顔を見ると、舌うちして、黙ってしまった。

宴は白けたまま、浮いてこない。呂夫人も、恐がって、いつの間にか姿を消してしまった。

「夜も更けますから」と、劉備はほどよく礼をのべて門を辞した。

客を見送るべく呂布も門の外までついて出た。すると、一足先に門外へ出ていた張飛が馬上に槍を横たえて突然呂布の前へ立ち現れ、

「さあ、星の下で俺と三百合まで勝負しろっ。三百合まで戟を合わせてもなお勝負がつかなかったら、生命は助けておいてやる！」と、どなった。

劉備は驚いて彼の乱暴を叱りつけ、関羽もまた劉備と共に躍り狂う駒の口輪をつかんで、

「いい加減にしろっ」と、必死に喰い止めながら、遮二無二帰り道へひいて行った。

その翌る日、呂布は少し銷沈して劉備を城へ訪ねて来た。

そして、いうには、

「あなたのご厚情は、充分にうけ取れるが、どうもご舎弟たちは、それがしを妙に見ておられるらしい。所詮、ご縁がないのであろう――ついては、他国へ行こうと思うの

で、今日は、お暇乞いに来たわけです」

「それでは私が心苦しい。……どうもこのままお別れではいさぎよくありません。家弟の無礼は、私から謝します。まあ、しばらくお駐りあって、ゆるゆる兵馬をお養い下さい。狭い土地ですが、小沛は水もよし、糧食も蓄えてありますから」

強って、玄徳はひき止めた。それもあくまで慇懃な勧めである。そして自分が前にいた小沛の宅地を彼のために提供した。

呂布もどうせにわかに的もない身空なので、一族兵馬をひきつれて、彼の好意にまかせて小沛へ住むことになった。

毒と毒

一

一銭を盗めば賊といわれるが、一国を奪れば、英雄と称せられる。

当時、長安の中央政府もいいかげんなものに違いなかったが、世の中の毀誉褒貶もまたおかしなものである。

曹操は、自分の根城だった兗州を失地し、その上、いいなご飢饉の厄にも遭いなどして、ぜひなく汝南、潁川方面まで遠征して地方の草賊を相手に、いわゆる伐り奪り横行をやって苦境をしのいでいたが、その由、長安の都へ聞えると、朝廷から、

（乱賊を鎮定して、地方の平穏につくした功によって、建徳将軍費亭侯に封じ給う）

と、嘉賞の沙汰を賜わった。

で、曹操は、またも地方に勢威をもりかえして、その名、いよいよ中外に聞えていたが、そうした中央の政廟には、相かわらず、その日暮しな政策しか行われていなかった。

長安の大都は、先年革命の兵火に、その大半を焼き払われ、当年の暴宰相董卓は殺され、まったく面目を一新するかと思われたが、その後には李傕、郭汜などという人物が立って、依然政事を私し、私慾を肥やし、悪政ばかり濫発して、すこしも自粛するところがなかったため、民衆は怨嗟を放って、「一人の董卓が死んだと思ったら、いつのまにか、二人の董卓が朝廷にできてしまった」と、いった。

けれど誰も、それを大声でいう者はない。司馬李傕、大将軍郭汜の権力というものは、百官を圧伏せしめて、絶対的なものとなっている。

ここに太尉楊彪という者があった。或る時朱儁と共に、そっと献帝に近づいて奏上した。

「このままでは、国家の将来は実に思いやられます。聞説、曹操は今、地方にあって二十余万の兵を擁し、その幕下には、星のごとく、良い武将と謀臣をかかえているそうで

す。ひとつ、彼を用いて、社稷に巣くう奸党を剿滅なされたら如何なものでしょう。……われわれ憂いを抱く朝臣はもとより、万民みな、現状の悪政を嘆いておりますが」

暗に、二奸の誅戮を帝にすすめたのであった。

献帝は落涙され、

「おまえたちがいうまでもない。朕が、彼ら二賊のために、苦しめられていることは、実に久しいものだ。日々、朕は、我慢と忍辱の日を送っている。……もし、あの二賊を討つことができるものなら、天下の人民と共に朕の胸中もどんなに晴々するかと思う。けれど悲しいかな、そんな策はあり得まい」

「いや、ないことはありません。帝の御心さえ決するなれば」

「どうして討つか」

「かねて、臣の胸に、ひとつの策が蓄えてあります。郭汜と李傕とは、互に並び立っていますから計略をもって、二賊を咬み合わせ、相叛くようにして、しかる後、曹操に密詔を下して、誅滅させるのです」

「そう行くかの」

「自信があります。その策というのは、郭汜の妻は、有名な嫉妬やきですから、その心理を用いて、彼の家庭からまず、反間の計を施すつもりです。おそらく失敗はあるまいと思います」

帝の内意をたしかめると、楊彪は秘策を胸にねりながら、わが邸へ帰って行った。帰

るとすぐ、彼は妻の室へはいって、

「どうだな。この頃は、郭汜（かくし）の令夫人とも、時々お目にかかるかね。……おまえたち奥さん連ばかりで、よく色々な会があるとのことだが」

と、両手を妻の肩にのせながら、いつになく優しい良人になって云った。

二

楊彪の妻は怪しんで、良人を揶揄（やゆ）した。

「あなた。どうしたんですか、いったい今日は」

「なにが？」

「だって、常には、私に対して、こんなに機嫌をとるあなたではありませんもの」

「あははは」

「かえって、気味が悪い」

「そうかい」

「なにかわたしに、お頼みごとでもあるんでしょ、きっと」

「さすがは、おれの妻だ。実はその通り、おまえの力を借りたいことがあるのだが」

「どんなことですか」

「郭汜の夫人は、おまえに負けない嫉妬やきだというはなしだが」

「あら、いつ私が、嫉妬なんぞやきましたか」

「だからさ、おまえのことじゃないよ。郭汜夫人が——といっているじゃないか」

「あんな嫉妬（しっと）深い奥さんと一緒にされてはたまりませんからね」

「おまえは良妻だ。わしは常に感謝している」

「嘘ばかり仰っしゃい」

「冗談は止めて。——時に、郭汜の夫人を訪問して、ひとつ、おまえの口先であの人の嫉妬をうんと焚きつけてくれないか」

「それがなんの為になるんですか。他家の奥さんを悋気（りんき）させることが」

「国家のためになるのだ」

「また、ご冗談を」

「ほんとにだ。——ひいては漢室のお為となり、小さくは、おまえの良人楊彪の為にもなることなのだから」

「分りません。どうしてそんなつまらないことが、朝廷や良人の為になりますか」

「……耳をお貸し」

楊彪は、声をひそめて、君前の密議と、意中の秘策を妻に打明けた。

楊彪の妻は、眼をまろくして、初めのうちは、ためらっていたが良人の眼を仰ぐと、くわっと、恐ろしい決意を示しているので、

「ええ。やってみます」と、答えた。

楊彪は、圧（お）しかぶせて、

「やってみるなんて、生ぬるい肚ではだめだ。やり損じたら、わが一族の破滅にもなること。毒婦になったつもりで、巧くやり終せてこい」と、云い含めた。

翌る日。

彼の妻は、盛装をこらし、美々しい輿に乗って、大将軍郭汜夫人を訪問に出かけた。

「まあ、いつもお珍しい贈り物をいただいて」と、郭汜夫人は、まず珍貴な音物の礼をいって、

「よいお召服ですこと」と、客の着物や、化粧ぶりを褒めた。

「いいえ、わたくしの主人なんかちっとも衣裳などには構ってくれませんの。それよりも、令夫人のお髪は、お手入れがよいとみえて、ほんとにお綺麗ですこと。いつお目にかかっても、心からお美しいと思うお方は、世辞ではございませんが、そうたんとはございません。……それなのに、男というものは」

「オヤ、あなたは、わたくしの顔を見ながらなんで涙ぐむのですか」

「いいえ、べつに……」

「でも、おかしいではございませんか、なにか理があるのでしょう。隠さないで、はなして下さい」

「……つい、涙などこぼして、夫人様おゆるし下さいませ」

「どうしたんです、一体」

「では、おはなし申しますが、ほんとに、誰にも秘密にして下さらないと」

「ええ、誰にも洩らしはしません」

「実はあの……夫人様のお顔を見ているうちに、なにもご存じないのかと、お可哀そうになって来て」

「え。わたしが、可哀そうになってですって。——可哀そうとは、一体、どういうわけで。……え？　え？」

郭夫人は、もう躍起になって、楊彪の妻に、次のことばをせがみたてた。

三

楊彪の妻は、わざと同情にたえない顔をして見せながら、

「ほんとに夫人様は、なにもご存じないんですか」

と、空おそろしいことでも語るように声をひそめた。

郭汜の夫人は、もう彼女の唇の罠にかかっていた。

「なにも知りません。……なにかあの、宅の主人に関わることではありませんか」

「え、そうなんですの……奥さま、どうか、あなたのお胸にだけたたんでおいて下さいませ。あの、お綺麗なんで有名な李司馬のお若い奥様をご存じでいらっしゃいましょ」

「李傕様と良人とは、刎頸の友ですから、私も、あの夫人とは親しくしておりますが」

「だから夫人様は、ほんとにお人が好すぎるって、世間でも口惜しがるんでございましょうね。あの李夫人と、お宅の郭将軍とは、もう疾うからあの……とても……何なん

ですって」

「えっ。主人と、李夫人が？」

郭汜の妻は、さっと、顔いろを変えて、

「ほ、ほんとですか」と、わななないた。

楊彪の妻は、「奥さま。男って、みんなそうなんですから、決して、ご主人をお怨みなさらないがようございますよ。ただ私は、李夫人が、憎らしゅうございますわ。あなたという者があるのを知っていながら、何ていうお方だろうと思って――」と、すり寄って、抱かないばかりに慰めると、郭夫人は、

「道理でこの頃、良人の容子が変だと思いました。夜もたびたび遅く帰るし、私には、不機嫌ですし……」と、さめざめと泣いた。

楊彪の妻が、帰ってゆくと、彼女の良人は夜更けてから、微酔をおびて帰って来た。その夜も、折悪しく、彼女は病人のように、室へ籠ってしまった。

「どうしたのかね。おい、真っ蒼な顔しておるじゃないか」

「知りません！　うっちゃッておいて下さい」

「また、持病か。ははは」

「………」

夫人は、背を向けて、しくしく泣いてばかりいた。

四、五日すると、李傕司馬の邸から、招待があった。郭夫人は、良人の出先に立ちふ

さがって、

「およしなさい。あんな所へ行くのは」と、血相を変えて止めた。

「いいじゃないか。親しい友の酒宴に行くのが、なぜ悪いのか」

「李司馬だって、あなたを心で怨んでいるにちがいありません」

「なぜ」

「なぜでも」

「分らんやつじゃな」

「今に分りましょう。古人も訓えております。両雄ならび立たずです。その上、個人的にも、面白くないことが肚にあるんですもの。——もしあなたが、酒宴の席で、毒害でもされたら私たちはどうなりましょう」

「はははは。なにかおまえは、勘ちがいしてるんじゃろ」

「なんでもようございますから、今夜は行かないで下さい。ね、あなた、お願いですから」

果ては、胸にすがって、泣かれたりしたので、郭汜も、振りもぎっても行かれず、遂に、その夜の招宴には、欠席してしまった。

——と、次の日李傕の邸からわざわざ料理や引出物を、使いに持たせて贈って来た。厨房を通して受け取った郭汜の妻は、わざとその一品の中に、毒を入れて良人の前へ持って来た。

郭汜は何気なく、

「美味そうだな」と、箸を取りかけると、夫人はその手を振りのけて、

「大事なお体なのに、他家から来た喰べ物を、毒味もせずに召上がるなんて、飛んでもない」

と、その箸をもって、料理の一品をはさんで、庭面へ投げやると、そこにいた飼犬が、とびついて喰べてしまった。

「……やっ？」

郭汜は驚いた。見ているまに、犬は独楽のごとく廻って、一声絶叫すると、血を吐いて死んでしまった。

四

「おお！　怖ろしい」

郭夫人は、良人にしがみつきながら、大仰に、身をふるわせて云った。

「ごらんなさい。妾がいわないことではないでしょう。この通り、李司馬から届けてよこした料理には毒が入っているではありませんか。人の心だって、これと同じようなものです」

「ウムむ……」と、郭汜もうめいたきり、目前の事実に、ただ茫然としていた。

こんなこともあってから、郭汜の心には、ようやく李傕に対しての疑いが、芽を伸ば

していた。

「はてな、あの漢（おとこ）?」と、視る眼を、前とちがって、事ごとに歪（ゆが）んで視るようになった。

それから一ヵ月ほど後、朝廷から退出して帰ろうとする折を、李傕に強（た）って誘われて、郭汜はぜひなく彼の邸へ立ち寄った。

「きょうは、少し心祝いのある日だから、充分に飲んでくれ給え」

例によって、李司馬は、豪奢な食卓に、美姫をはべらせて、彼をもてなした。

郭汜はつい帯紐（おびひも）解いて、泥酔して家に帰った。

だが、帰る途中で、彼はすこし酔がさめかけた。——というのは*生酔本性（なまよいほんしょう）にたがわずで、なにかのはずみにふと、神経を起して、

「まさか、今夜の馳走には、毒は入っていなかったろうな?」

と、いつぞや毒にあたって死んだ犬の断末魔（だんまつま）の啼き声を思い出してきたからであった。

「……大丈夫かしら?」

そう神経が手伝いだすと、なんとはなく胸がむかついて来た。急に鳩尾（みぞおち）のあたりへそれが衝（つ）きあげてくる。

「あ。これはいかん」

彼は、額の汗を指で撫でた。そして車の者に、

「急げ、急げ」と、命じた。

邸へ戻るなり、彼は、あわてて妻を呼び、

「なにか、毒を解す薬はないか」

と、牀へ仰向けに仆れながら云った。

夫人は、理を聞くと、この時とばかり、薬の代りに糞汁をのませて、良人の背をなでていた。さらぬだに、神経を起していた郭汜はあわてて異様なものを嘸みくだしたので、とたんに、牀の下へ、腹中のものをみな吐き出してしまった。

「オオ。いい塩梅に、すぐ薬が効きました。これでさっぱりしたでしょう」

「ああ、苦しかった」

「もうお生命は大丈夫です」

「……ひどい目に遭った」

「あなたもあなたです。いくら妾がご注意しても、李司馬を信じきっているから、こんなことになるんです」

「もう分った。われながら、おれはあまり愚直すぎた。よろしい、李司馬がその気なら、おれにも俺の考えがある」

蒼白になった額を、自分の拳で、二つ三つ叩いていたが、やにわに室を躍りだしたと思うと、郭汜は、その夜のうちに、兵を集め、李司馬の邸へ夜討をかけた。

李傕の方にも、いちはやく、そのことを知らせた者があるので、

「さては、此方を除いて、おのれ一人、権を握らんとする所存だな。いざ来い、その儀ならば」

と、すでに彼のほうにも、充分な備えがあったので、両軍、巷を挟んで、翌日もその翌日も、修羅の巷を作って、血みどろな戦闘を繰返すばかりだった。

一日ごとに、両軍の兵は殖え、長安の城下にふたたび大乱状態が起った。――その混乱の中に、李司馬の甥の李暹という男は、

「そうだ。……天子をこっちへ」

と、気づいて、いちはやく龍座へせまって、天子と皇后を無理無態に輦へうつし、謀臣の賈詡、武将左霊のふたりを監視につけ、泣きさけび、追い慕う内侍や宮内官などに眼もくれず、後宰門から乱箭の巷へと、がらがら曳きだして行った。

五

「李司馬の甥が、天子を御輦にのせて、どこかへ誘拐して行きます」

部下の急報を聞いて、郭汜は非常に狼狽した。

「ああ、抜かった。天子を奪われては、一大事だ。それっ、やるな!」

にわかに、後宰門外へ、兵を走らせたが、もう間にあわなかった。

奔馬と狂兵にひかれてゆく龍車は、黄塵をあげて、郿塢街道のほうへ急いでいた。

「あれだあれだ」

郭汜の兵は、騒ぎながら、ワラワラと追矢を射かけた。しかし、敵の殿軍に射返されて、却っておびただしい負傷者を求めてしまった。

「出し抜かれたか。くそいまいましいことではある」

郭汜は、自分の不覚の鬱憤ばらしに兵を率いて、禁闕へ侵入し、日頃気にくわない朝臣を斬り殺したり、また、後宮の美姫や女官を捕虜として、自分の陣地へ引っ立てた。

そればかりか、すでに帝もおわさず、政事もそこにはない宮殿へ無用な火を放って、

「この上は、あくまで戦うぞ」と、その炎を見て、いたずらに快哉をさけんだ。

一方——

帝と皇后の御輦は、李暹のために、李司馬の軍営へと、遮二無二、曳きこまれて来たが、そこへお置きするのはさすがに不安なので李傕、李暹の叔父甥は、相談のうえ、以前、董相国の別荘でありまた、堅城でもある郿塢の城内へ、遷し奉ることとした。

以来、献帝並びに皇后は、郿塢城の幽室に監禁されたまま、十数日を過しておられた。帝のご意志はもとよりのこと、一歩の自由もゆるされなかった。

供御の食物なども、実にひどいもので、膳がくれば、必ず腐臭がともなっていた。

帝は、箸をお取りにならない。侍臣たちは、強いて口へ入れてみたが、みな嘔吐をこらえながら、ただ、涙をうかべあうだけだった。

「侍従どもが、餓鬼のごとく痩せてゆくのは、見ている身が辛い。願わくは、朕へ徳をほどこす心をもて、彼らに愍れみを与えよ」

献帝は、そう仰っしゃって、李司馬の許へ使いを立て、一嚢の米と、一股の牛肉を要求された。すると、李傕がやって来て、

「今は、闕下に大乱の起っている非常時だ。朝夕の供御は、兵卒から上げてあるのに、この上、なにを贅沢なご託をならべるのかっ」

と、帝へ向って、臣下にあるまじき悪口をほざいた。そして、なにか傍らから云った侍従をも撲りつけて立ち去ったが、さすがに後では、少し寝ざめが悪かったものとみえ、その日の夕餉には若干の米と、腐った牛肉の幾片かが皿に盛られてあった。

「ああ。これが彼の良心か」

侍従たちは、その腐った物の臭気に面をそむけた。

帝は、いたく憤られて、

「豎子、かくも朕を、ないがしろに振舞うか」

と、*袞龍の袖をお眼にあてたまい身をふるわせてお嘆きになった。

侍臣のうちに、楊彪もひかえていた。――

彼は、断腸の思いがした。

自分の妻に、反間*の計をふくめて、今日の乱を作った者は、誰でもない楊彪である。計略図にあたって、郭汜と李傕とが互に猜疑しあって、血みどろな角逐を演じ出したのは、まさに、彼の思うつぼであったが、帝と皇后の御身に、こんな辛酸が下ろうとは、夢にも思わなかったところである。

「陛下。おゆるし下さい。そして李傕の残忍を、もうしばらく、お忍び下さい。そのうちに、きっと……」

云いかけた時、幽室の外を、どやどやと兵の馳ける跫音が流れて行った。そして城内一度に、何事か、わあっと鬨の声に揺れかえった。

六

折も折である。

帝は、容色を変えて、左右をかえりみられた。

「何事か？」と、

「見て参りましょう」

侍臣の一人があわてて出て行った。そして、すぐ帰って来ると、

「たいへんです。郭汜の軍勢が城門に押しよせ、帝の玉体を渡せと、喊のこえをあげ、鼓を鳴らして、ひしめいておりまする」と、奉答した。

帝は、喪心せんばかり驚いて、

「前門には虎、後門には狼。両賊は朕の身を賭物として、*爪牙を研ぎあっている。出ずるも修羅、止まるも地獄、朕はそもそも、いずこに身を置いていいのか」と、慟哭された。

侍中郎の楊琦は、共に涙をふきながら、帝を慰め奉った。

「李傕は、元来が辺土の夷そだちで最前のように、礼をわきまえず、言語も粗野な漢ですが、あの後で、心に悔いる色が見えないでもありませんでした。そのうちに、不忠の罪を慚じて、玉座の安泰をはかりましょう。ともあれ、ここは静かに、成行きをご覧あそばしませ」

そのうちに、城門外では、ひと合戦終ったか、矢叫びや喊声がやんだと思うと、寄手の内から一人の大将が、馬を乗出して、大音声にどなっていた。

「逆賊李傕にいう。――天子は天下の天子なり、何故なれば、私に、帝をおびやかし奉り、玉座を勝手にこれへ遷しまいらせたか。――郭汜、万民に代って汝の罪を問う、返答やあるっ！」

すると、城内の陰から李傕、さっさっと駒をすすめて、

「笑うべきたわ言かな。汝ら乱賊の難を避けて帝おん自らこれへ龍駕を奔らせ給うによって、李傕御座を守護してこれにあるのだ。――汝らなお、龍駕をおうて天子に弓をひくかっ」

「だまれっ。守護し奉るに非ず、天子を押しこめ奉る大逆、かくれないことだ。速やかに、帝の御身を渡さぬにおいては、立ちどころに、その素っ首を百尺の宙へ刎ねとばすぞ」

「なにをっ、小ざかしい」

「帝を渡すか、生命を捨てるか」

「問答無用っ」

李傕は、槍を振って、りゅうりゅうと突っかけてきた。

郭汜は、大剣をふりかざし、おのれと、唇をかみ、眦を裂いた。双方の駒は泡を嚙んで、いななき立ち、一上一下、剣閃槍光のはためく下に、駒の八蹄は砂塵を蹴上げ、鞍上の人は雷喝を発し、勝負は容易につきそうもなかった。

「待ち給え。両将、しばらく待ち給え！」

ところへ。

城中から馳せ出して、双方を引分けた者は、つい今し方、帝のお傍から見えなくなっていた太尉楊彪だった。

楊彪は、身を挺してふたりに向って、懸河の弁をふるい、

「ひとまず、ここは戦をやめて、双方、一応陣を退きなさい。帝の御命でござる。御命に背く者こそ、逆賊といわれても申し訳あるまい」と、いった。

その一言に、双方、兵を収めてついに引退いた。

楊彪は、翌日、朝廷の大臣以下、諸官の群臣六十余名を誘って、郭汜の陣中におもむいた。そして一日もはやく李傕と和睦してはどうかとすすめてみた。

誰もまだ気づかないが、もともとこの戦乱の火元は楊彪なのである。ちと薬が効きすぎたと彼もあわてだしたのだろうか。それともわざと仲裁役を買ってことさら、仮面の上に仮面をかむって来たのだろうか。彼もまた複雑な人間の一人ではある。

草莽の巻

巫女

一

「なに、無条件で和睦せよと。ばかをいい給え」

郭汜は、耳もかさない。

それのみか、不意に、兵に令を下して、楊彪について来た大臣以下宮人など、六十余人の者を一からげに縛ってしまった。

「これは乱暴だ。和議の媒介に参った朝臣方を、なにゆえあって捕え給うか」

楊彪が声を荒くしてとがめると、

「だまれっ。李司馬のほうでは、天子をさえ捕えて質としているではないか。それをもって、彼は強味としているゆえ、此方もまた、群臣を質として召捕っておくのだ」

傲然、郭汜は云い放った。

「おお、なんたることぞ！　国府の二柱たる両将軍が、一方は天子を脅かして質とし、一方は群臣を質としてうそぶく。浅ましや、人間の世もこうなるものか」

「おのれ、まだ囈言をほざくかっ」

剣を抜いて、あわや楊彪を斬り捨てようとしたとき、中郎将楊密が、あわてて郭汜の手を抑えた。楊密の諫めで、郭汜は剣を納めたけれども縛りあげた群臣はゆるさなかった。ただ楊彪と朱儁の二人だけ、ほうりだされるように陣外へ追い返された。

朱儁は、もはや老年だけに、きょうの使いには、ひどく精神的な打撃をうけた。

「ああ。……ああ……」

と、何度も空を仰いで、力なく歩いていたが、楊彪をかえりみて、

「お互いに、社稷の臣として、君を扶け奉ることもできず、世を救うこともできず、なんの生き甲斐がある」と歎いた。

果ては、楊彪と抱きあって、路傍に泣きたおれ、朱儁は一時昏絶するほど悲しんだ。

そのせいか、老人は、家に帰るとまもなく、血を吐いて死んでしまった。楊彪が知らせを受けて馳けつけてみると、朱儁老人の額は砕けていた。柱へ自分の頭をぶっつけて憤死したのである。

朱儁でなくとも、世の有様を眺めては、憤死したいものはたくさんあったろう。——それから五十余日というもの、明けても暮れても、李傕、郭汜の両軍は、毎日、巷へ兵を出して戦っていた。

戦いが仕事のように。戦いが生活のように。戦いが楽しみのように。意味なく、大義なく、涙なく、彼らは戦っていた。

双方の死骸は、街路に横たわり、溝をのぞけば溝も腐臭。木陰にはいれば木陰にも腐臭。——そこに淋しき草の花は咲き、虻がうなり、馬蠅が飛んでいた。

馬蠅の世界も、彼らの世界も、なんの変りもなかった。——むしろ馬蠅の世界には、緑陰の涼風があり、豆の花が咲いていた。

「死にたい。しかし死ねない。なぜ、朕は天子に生れたろうか」

帝は、日夜、御涙の乾く時もなく沈んでおられた。

「陛下」

侍中郎の楊琦がそっとお耳へささやいた。

「李傕の謀臣に、賈詡という者がおります。——臣がひそかに見ておりますに、賈詡には、まだ、真実の心がありそうです。帝の尊ぶべきことを知る士らしいと見ました。いちどひそかにお召しになってごらんなさい」

或る時、賈詡は用があって、帝の幽室へはいって来た。帝は人をしりぞけて突然陪臣の賈詡の前に再拝し、

「汝、漢朝の乱状に義をふるって、朕にあわれみを思え」と、宣うた。

賈詡は、驚いて、床にひざまずき、頓首して答えた。

「今の無情は、臣の心ではありません。時をお待ち遊ばしませ」

そこへ、折悪く李傕がはいってきた。長刀を横たえ、鉄の鞭をさげ、帝の顔をじっと睨みつけたので、帝は、お顔を土気色にして恐れおののいた。

「すわ！」

と侍臣達は万一を思って、帝のまわりに総立ちになり、おのおの、われを忘れて剣を握った。

その空気に、かえって李傕のほうが、怖れをなしたらしく、

「あははは。なにを驚いたのかね。……賈詡、なんぞ面白いはなしでもないか」

などと笑いにまぎらして、間もなく外へ立ち去った。

二

李傕の陣中には、巫女がたくさんいた。みな重く用いられ、絶えず帷幕に出入りして、なにか事あるごとに、祭壇に向って、禱りをしたり、調伏の火を焚いたり、神降しなどして、

「神さまのお告げには」と、妖しげなご託宣を、李傕へ授けるのであった。

李傕は、おそろしく信用する。何をやるにもすぐ巫女を呼ぶ。そして神さまのお告げを聴く。

巫女の降す神は邪神とみえ、李傕は天道も人道も怖れない。いよいよ乱を好んで、郭汜といがみあい、兵を殺し、民衆を苦しめてかえりみなかった。

彼と同郷の産、皇甫酈は、或る時、彼を陣中に訪れて、

「無用な乱は、よい加減にやめてはどうです。君も国家の上将として、爵禄を極め、何不足もないはずなのに」と、いった。

李傕は、嘲笑って、

「君は、何しに来たか」

と、反問した。

皇甫酈もニヤリとして、

「どうも、将軍はすこし神懸りにかかっているようだから、将軍に憑いている邪神を掃い落して上げようと思って来た」と、答えた。

彼は、弁舌家なので、滔々と舌をふるい、私闘のために人民を苦しめたり、天子を監禁したりしている彼の罪を鳴らし、今にして悔い改めなければ、ついに、天罰があたるといった。

李傕は、いきなり剣を抜いて、彼の顔に突きつけ、

「帰れっ。――まだ口を開いていると、これを呑ませるぞ」と、どなりつけた。そして、「――さては、天子の密旨をうけて、おれに和睦をすすめに来たな。天子のご都合はよいか知らぬが、おれには都合が悪い。誰かこの諜者をくれてやるから、試し斬りに用いたい者はいないか」

すると、騎都尉の楊奉が、

「それがしにお下げください。内密のお差向けとは申せ、将軍が勅使を虐殺したと聞えたら、天下の諸侯は、敵方の郭汜（かくし）へみな味方しましょう。将軍は世の同情を失います」

「勝手にしろ」

「では」と、楊奉は、皇甫酈を、外へ連れ出して放してやった。

皇甫酈は、まったく、帝のお頼みをうけて、和睦の勧告に来たのだったが、失敗に終ったのでそこから西涼へ落ちてしまった。

だが、途々（みちみち）、「大逆無道の李傕は、今に天子をも殺しかねない人非人だ。あんな天理に反（そむ）いた畜生は、必ずよい死に方はしないだろう」

と、云いふらした。

ひそかに、帝に近づいていた賈詡も、暗に、世間の悪評を裏書きするようなことを、兵の間にささやいて、李傕の兵力を、内部から切りくずしていた。

「謀士賈詡さえ、ああ云うくらいだから、見込みはない」

脱走して、他国や郷土へ落ちてゆく兵がぼつぼつ殖えだした。

そういう兵には、

「おまえたちの忠節は、天子もお知りになっておる。時節を待て。そのうちに、触れが廻るであろうから」と、云いふくめた。

一隊、一隊と、目に見えて、李傕の兵は、夜の明けるたび減って行った。

賈詡は、ほくそ笑んだ。そしてまた、或る時、帝に近づいて献策した。

「この際、李傕の官職を大司馬にのぼせ、恩賞の沙汰をお降し下さい——目をおつぶり遊ばして」

三

李傕は、煩悶していた。夜が明けるたび営中の兵が減って行く。

「なにが原因か？」

考えても、分からなかった。

不機嫌なところへ、反対に、思いがけない恩賞が帝から降った。彼は有頂天になって、例のごとく巫女を集め、

「今日、大司馬の栄爵を賜わった。近いうちに、何か、吉事があると、おまえ達が預言したとおりだった。祈禱の験はまことに顕かなもんだ。おまえ達にも、恩賞をわけてつかわすぞ」

と、それぞれの巫女へ、莫大な褒美を与えて、いよいよ妖邪の祭りを奨励した。

それにひきかえ将士には、なんの恩賞もなかった。むしろこの頃、脱走者が多いので叱られてばかりいた。

「おい楊奉」

「やあ、宋果か。どこへゆく」

「なに……。ちょっと、貴公に内密で話したいと思って」

「なんだ？ ここなら誰もいないが、君らしくもなく、ふさいでいるじゃないか」

「楽しまないのは、この宋果ばかりではない。おれの部下も、営内の兵は皆、あんなに元気がない。これというのも、われわれの大将が将士を愛する道を知らないからだ――悪いことはみな兵のせいにし、よいことがあれば、巫女の霊験と思っている」

「うウム。……まったく、ああいう大将の下にいたら、将士も情けないものだ。われわれは常に、十死に一生をひろい、草を喰い石に臥し修羅の中に生命をさらして働いている者だが……その働きはあの巫女にも及ばないのだから」

「楊奉。――お互いに部下をあずかる将校として部下が可哀そうじゃないか」

「でも仕方があるまい」

「それで実は、君に……」と、同僚の宋果は、一大決心を、楊奉の耳へささやいた。

叛乱を起そうというのだ。楊奉も異存はない。天子を扶けだしてやろうとなった。

その夜の二更に、宋果は、中軍から火の手をあげる合図だった。――楊奉は、外部にあって、兵を伏せていた。

ところが、時刻になっても、火の手はあがらない。物見を出してうかがわせると、事前に発覚して、宋果は、李傕に捕われて、もう首を刎ねられてしまったとある。

「しまった」と、狼狽しているところへ、李傕の討手が、楊奉の陣へ殺到して来た。すべてが喰い違って、楊奉は度を失い、四更の頃まで抗戦したが、さんざんに打負かされて、彼はついに夜明けとともに、何処ともなく落ちのびてしまった。

李傕の方では、凱歌をあげたが、おかしなものである。実はかえって大きな味方の一勢力を失ったのだ。――日をおうに従って、彼の兵力はいちじるしく衰弱を呈してきた。

一方、郭汜軍も、ようやく、戦い疲れていた。そこへ、陝西地方から張済と称する者が、大軍を率いて仲裁に馳け上り、和睦を押しつけた。いやといえば、新手の張済軍に叩きのめされるおそれがあるので、

「爾今、共に協力して政事をたて直そう」と、和解した。

質となっていた百官も解放され、帝もはじめて眉をひらいた。帝は張済の功を嘉し、張済を驃騎将軍に命じた。

「長安は大廃しました。弘農（陝西省・西安附近）へお遷りあってはいかがです」

張済のすすめに、帝も御心をうごかした。

帝には、洛陽の旧都を慕うこと切なるものがあった。春夏秋冬、洛陽の地には忘れがたい魅力があった。

弘農は、旧都に近い。御意はたちまち決った。

折しも、秋の半ば、帝と皇后の輦は長い戟を揃えた御林軍の残兵に守られて、長安の廃墟を後に、曠茫たる山野の空へと行幸せられた。

四

行けども行けども満目の曠野である。時しも秋の半ば、御車の簾は破れ、詩もなく笑い声もなく、あるはただ、惨心のみであった。旅の雨にあせた帝の御衣には虱がわいていた。皇后のお髪には油の艶も絶え、お涙の痩せをかくすお化粧の料もなかった。

「ここは何処か」

吹く風の身に沁みるまま帝は簾のうちから訊かれた。薄暮の野に、白い一水が蜿々と流れていた。

「覇陵橋の畔です」

李傕が答えた。

間もなく、その橋の上へ、御車がかかった。すると、一団の兵馬が、行手をふさぎ、

「車上の人間は何ものだ」と、咎めた。

侍中郎の楊琦が、馬をすすめ、

「これは、漢の天子の弘農へ還幸せらるる御車である。不敬すな！」と、叱咤した。

すると、大将らしい者二人、はっと威に恐れて馬を降り、

「われわれどもは、郭汜の指図によって、この橋を守り、非常を戒めている者でござるが、真の天子と見たならば、お通し申さん。願わくは拝をゆるされたい」

楊琦は、御車の簾をかかげて見せた。帝のお姿をちらと仰ぐと、橋を固めていた兵は、われを忘れて、万歳を唱えた。

御車が通ってしまった後から、郭汜が馳けつけて来た。そして、二人の大将を呼びつけるなり呶鳴りつけた。

「貴様たちは、なにをしていたのだ。なぜ御車を通したか」

「でも、橋を固めておれとのお指図はうけましたが、帝の玉体を奪い取れとはいいつかりませんでした」

「ばかっ。おれが、張済のいうに従って、一時兵を収めたのは、張済を欺くためで、心から李傕と和睦したのじゃない。——それくらいなことが、わが幕下でありながら分らんのかっ」

と、二人の将を、立ちどころに縛めて、その首を刎ねてしまった。

そして、声荒く、

「帝を追えっ」

と、罵って、兵を率いて先へ急いだ。

次の日、御車が華陰県をすぐる頃に、後から喊の声が迫った。

振向けば、郭汜の兵馬が、黄塵をあげて、狂奔してくる。帝は、あなとばかり声を放ち、皇后は怖れわななないて、帝の膝へしがみついてはや、泣き声をおろおろと洩らし給う。

前後を護る御林の兵も、きわめて僅かしかいないし、李傕もすでに、長安で暴れていたほどの面影はない。

「郭汜だ。どうしよう」

「おお！　もうそこへ」

宮人たちは、逃げまどい、車の陰にひそみ、唯うろたえるのみだったが――時しもあれ一彪の軍馬がまた、忽然と、大地から湧きだしたように、彼方の疎林や丘の陰から、鼓を打鳴らして殺到した。

意外。意外。

帝を護る人々にも、帝の御車を追いかけて来た郭汜にも、それはまったく意外な者の出現だった。

見れば――

その勢一千余騎。まっ黒に馳け向って来る軍の上には「大漢楊奉」と書いた旗がひらめいていた。

「あっ。楊奉？」

誰も、その旗には、目をみはったであろう。先頃、李傕に叛いて、長安から姿を消した楊奉を知らぬはない。――彼はその後、終南山にひそんでいたが、天子ここを通ると知って、にわかに手勢一千を率し、急雨の山を降るが如く、野を捲いて、これへ馳けて来たものだった。

緑林の宮

一

楊奉の部下に、徐晃、字を公明と称ぶ勇士がある。

栗色の駿馬に乗り、大斧をふりかぶって、郭汜の人数を蹴ちらして来た。それに当る者は、ほとんど血煙と化して、満足な形骸も止めなかった。

郭汜の手勢を潰滅してしまうと楊奉はまた、その余勢で、

「*鑾輿を擁して逃亡せんとする賊どもを、一人も余さず君側から掃蕩してしまえ」

と、徐晃にいいつけた。

「心得た」とばかり、徐晃は、火焔の如き血の斧をふりかぶって、栗色の駒を向けてきた。

御車を楯に隠れていた李傕とその部下は、戦う勇気もなくみな逃げ奔った。しかし、宮人たちは帝を捨てて逃げもならず、一斉に地上に坐って、楊奉の処置にまかせていた。

　楊奉は、やがて戟をおさめると、兵を整列させて、御車を遥拝させた。そして彼自身は、盔を手に持って、帝の簾下にひざまずいて頓首していた。

　帝は、歓びのあまり御車を降りて、楊奉の手を取られた。

「危うきところを救いくれし汝の働きは、朕の肺腑に銘じ、永く忘れおかぬぞ」

　そして、また、「先に、大斧を揮っていた目ざましき勇士は何者か」と、訊ねられた。

　楊奉は、徐晃をさしまねいて、

「河東楊郡の生れで徐晃、字を公明といい、それがしの部下です」

　と奏して、徐晃にも、光栄を頒った。

　その夜。

「帝の御車は、華陰の寧輯という部落にある楊奉の陣所へ行って、営中にお泊りになった。

　夜明け方、そこを出発なさろうと準備していると、「敵だッ」と、思わぬ声が走った。

　朝討ちを狙って来た昨日の敵の逆襲だった。しかも昨日に数倍する大軍で襲せて来たのである。

　楊奉におわれた李傕と楊奉に粉砕された郭汜とが、お互いに敗軍の将となり下がって、同傷の悲憤を憐れみ合い、

（ここはお互いに団結して、邪魔者の楊奉を除いてしまおうではないか。さもないと、二人とも、憂き目を見るにきまっている）と、にわかに、協力しだして、昨夜からひそ

かに蠢動(しゅんどう)し、近県の無頼漢や山賊の類(たぐい)まで狩りあつめて、さてこそ、わあっと一度に営を取囲んだものだった。

徐晃(じょこう)は、きのうに劣らぬ奮戦ぶりを示したが、味方は小勢だし、それに何といっても、帝の御車や宮人たちが足手まといとなって、刻々、危急にひんして来た。

折から、幸いにも、帝の寵妃(ちょうひ)の父にあたる董承(とうじょう)という老将が、一隊の兵を率いて、帝の御車を慕って来たので、帝は、虎口を脱して、先へ逃げ落ちて行かれた。

「やるな、御車を」

「帝を渡せ」

と、郭汜、李傕の部下は、叱咤されながら、御車を追いかけて来た。

楊奉は、その敵が、雑多な雑軍なのを見て、

「珠玉、財物を、みな道へ捨てなさい」

と、帝や随臣(ずいしん)にすすめた。

皇后には、珠の冠や胸飾りを、帝には座右の符冊典籍(ふさくてんせき)までを、車の上から惜しげなく捨てられた。

宮人や武将たちも、衣をはぎ、金帯をはずし、生命にはかえられないと、持つ物をみな撒き捨てて奔った。

「やあ、珠が落ちてる」

「釵(かんざし)があった」

「金襴の袍があるぞ」

追いかけて来た兵は皆、餓狼のごとく地上の財物に気をとられてそれを拾うに、われ勝ちな態だった。

「ばか者っ、進め！　帝の御車を追うんだっ。そんな物を拾っていてはならん」

と、李傕や郭汜が、馬で蹴ちらして喚いても、金襴や珠にたかっている蛆虫はそこを離れなかった。彼らには、帝王の轍の跡を追うよりは手に抱えた百銭の財の方がはるかに大事だった。

二

陝西の北部といえば、まだ未開の苗族さえ住んでいる。人文に遠い僻地であることはいうまでもない。

目的のために狎れ合った郭と李の聯合勢が、どこまでも執拗に追撃して来るので、帝の御車は道をかえて、遂にそんな地方へ逃げ隠れてしまわれた。

「この上はやむを得ません。白波師の一党へ、聖旨を降して、お招きなさいませ。彼らをもって、郭汜、李傕の徒を追いしりぞけるのが、残されているたった一つの策かと思われます」

と、帝の周囲は、帝にすすめ参らせた。

白波師とは、何者の党か。

帝には、ご存じもない。

いわるるまま詔書を発せられた。

いかに乱世でも、思いがけないことが降って来るもの哉――と、それを受けた白波帥の頭目どもは驚いたにちがいない。

彼らは、太古の山林に住み、旅人や良民の肉を喰らい血にうそぶいて生きている緑林の徒――いわゆる山賊強盗を渡世とした輩だったからである。

「おい。出向いてみようか」

「ほんとかい。天子の詔書が、俺たちを呼びにくるなんて」

「嘘じゃあるめえ。なんでも、長安のどさくさから、逃げ惑っておいでなさるってえ噂はちらほら聞えている」

「一党を率いて、出向いたところを一網に御用ってな陥し穽じゃあるめえな」

「先にそんな軍勢がいるものか。いつまで俺たちも、虎や狼の親分でいても仕方がねえ。一足跳びの立身出世は今この時だ。手下を率き連れて出かけよう」

李楽、韓暹、胡才の三親分は、評議一決して、山林の豺狼千余人を糾合し、

「おれたちは、今日から官軍になるんだ。ちっとばかり、行儀を良くしなくッちゃいけねえぞ」

と、訓令して、馳せつけた。

味方を得て、御車はふたたび、弘農をさして急いだ。途上、たちまち郭と李の聯合勢

とぶつかった。

彼らの軍にも、土匪山賊がまじっている、猛獣と猛獣の咬みあいだ。その惨たることは、太陽も血に黒く霞むばかりだった。

「敵兵はあらかた緑林の仲間だな」

そう気がつくと、郭汜は先ごろ自分の兵が御車の上や扈従の宮人たちの手から、撒き捨てられた財物に気を奪われたことを思い出して、その折、兵から没収して一輛の車に積んでいた財物や金銀を戦場へ向って撒きちらした。

果たして、李楽らの手下は、戦をやめて、それをあばき合った。

ために、せっかくの官軍も、なんの役にも立たなくなったばかりか、胡才親分は討死してしまい、李楽も御車を追って、生命からがら逃げだした。

帝の御車は、ひた急ぎに、黄河の岸まで落ちて来られた。——李楽は断崖を下りて、ようやく一艘の舟を探しだしたが、岸壁は屛風のような嶮しさで、帝は下を覗かれただけで、絶望の声を放たれ、皇后には、よよと哭き惑われるばかりだった。

楊奉、楊彪らの侍臣も、「どうしたものか」と、思案に暮れたが、敵は早くも間近まで追い詰めて来た様子——しかも前後に見える味方はもうきわめて僅かだった。

皇后の兄にあたる伏徳という人が、数十匹の絹を車から下ろして、天子と皇后の御体をつつんでしまい、絶壁の上から縄で吊り下ろした。

ようやく、小舟に乗ったのは、帝と皇后のほかわずか十数人に過ぎなかった。それ以

外の兵や、遅れた宮人たちも、黄河の水に跳びこんで、共に逃げ渡ろうと、水中から舷へ幾人もの手が必死にしがみついたが、

「駄目だ、駄目だ。そう乗っちゃあ、俺たちが助からねえ」

と、李楽は剣を抜いて、その指や手頸をバラバラ斬り離した。ために、舷をうつしぶきも赤かった。

三

ここまで帝にかしずいて来た宮人らも、あらかた舟に乗り遅れて殺されたり、また舷に取りすがった者も、情け容赦なく突き離されて、黄河の藻屑となってしまった。

帝は滂沱の御涙を頰にながして、

「あな、傷まし。朕、ふたたび祖廟に上る日には、必ず汝らの霊をも祭るであろう」

と、叫ばれた。

あまりの酷たらしさに皇后は、顔色もなくお在したが、舟がすすむにつれ、風浪も烈しく、いよいよ生ける心地もなかった。

ようやく、対岸に着いた時は、帝の御衣もびッしょり濡れていた。皇后は舟に暈われたのか、身うごきもなさらない。伏徳が背に負いまいらせてとぼとぼ歩きだした。

秋風は冷々と蘆荻に鳴る。曇天なので、人々の衣は、いとど乾かず、誰の唇も紫色していた。

それに、御車は捨ててもうないので、帝は裸足のままお歩きになるしかなかった。馴れないお徒歩なので、たちまち足の皮膚はやぶれて血をにじませ、見るだに傷々しいお姿である。

「もう少しのご辛抱です。……もうしばらく行けば部落があるかと思われますから」

楊奉は、お手を扶けながら、しきりと帝を励ましていたが、そのうちに後ろにいた李楽が、

「あっ、いけねえ！　対う岸の敵の奴らも漁船を引っぱりだして乗りこんで来るっ。ぐずぐずしていると追いつかれるぞ」と、例によって、野卑なことばで急きたてた。

楊奉は帝の側を去って、

「あれに一軒、土民の家が見えました。しばらく、これにてお待ちください」と、馳けて行った。

間もなく、彼は、彼方の農家から一輛の牛車を引っ張って来た。

もとより耕農に使うひどいガタ車であったが、莚を敷いて帝と皇后の御座をしつらえ、それにお乗せして、

「さあ、急ごう」と、楊奉が手綱をひいた。

李楽は、細竹をひろって、

「馳けろっ、馳けろっ」と、牛の尻を打ちつづけた。

車上の御座は、大浪の上にあるようにグワラグワラ揺れた。——灯ともる頃、ようや

く、大陽という部落までたどりついて、農家の小屋を借り、帝の御駐輦所とした。「貴人がお泊りなさった」と、部落の百姓たちはささやきあったが、まさかそれが、漢朝の天子であろうとは知るわけもなかった。

そのうちに、一人の老媼が、

「貴人にあげて下さい」と、粟飯を炊いて来た。

楊奉の手から、それを献じると帝も皇后も、飢え渇えておられたところなので、すぐお口にされたが、どうしても喉を下らないご容子だった。

夜が明けると、

「やあ、これにおいでになったか」

と、乱軍の中ではぐれた太尉楊彪と太僕韓融の二人が、若干の人数をつれて探し当てて来た。

「では昨日、後から漁船に乗って黄河を渡って来たのは貴公だったのか」

と、楊奉を始め、扈従の人々も歓びあい、わけて帝には、この際一人の味方でも心強く思われるので、

「よくぞ無事で」と、またしても御涙であった。

それにしても、ここはいつまでもおる所ではない。少しも先へと、扈従の人々は、また牛車の上の素莚へ、帝と皇后をお乗せして部落を立った。

すると途中で、太僕韓融は、

「成功するや否やわかりませんが郭汜も李傕も手前を信用しています。この旧縁を力に、これから後へ戻って、彼らに兵を収めるように、一つ生命がけで、勧告してみましょう——彼らとて、肯かないこともないかと思われますから」と、人々へ告げて、一人道を引っ返して行った。

四

流民に等しい帝の漂泊は、なお幾日もつづいた。

後からぼつぼつ追いついて来た味方はあるが、それはほとんど野卑獰猛な李楽の手下ばかりだった。

だから李楽だけは一行の中でも二百余人の手下を持ち、誰よりも一番威張りだした。

太尉楊彪は、

「ひとまず、安邑県（山西省・函谷関の西方）へおいであって、しばし仮の皇居をお構え遊ばし、玉体を保たせられては如何ですか」と、帝へすすめた。

「よいように」

帝はもうすべてを観念なされているかのように見えた。

「さらば——」

と、牛車の龍駕は安邑まで急いだ。しかしこことて仮御所にふさわしいような家などはない。

「一時、ここにでも」と、人々が見つけた所は、土塀らしい址はあるが、門戸もなく、荒草離々と生い茂った中に、朽ち傾いた茅屋があるに過ぎなかった。

「まことに、これは朕がいま住む所にふさわしい。見よ、四方は荊棘のみだ。荊棘の獄よ」

と、帝は皇后にいわれた。

けれど、どんな廃屋でも、御所となれば、ここは即座に禁裏であり禁門である。

緑林の親分李楽も、帝に従ってから、征北将軍といういかめしい肩書を賜わっていたので、長安や洛陽の宮城を知らない彼は、ここにいても、結構いい気持になれた。

その増長がつのって、近頃は、側臣からする上奏を待たずに、ずかずか玉座へやって来て、

「陛下。あっしの子分どもも、ああやって、陛下のために苦労してきた奴らですから、ひとつ官職を与えてやっておくんなさい。――御史とか、校尉とか、なんとか、肩書をひとつ」

と、強請ったりした。

あまりの浅ましさに、侍臣たちがさえぎると、李楽はなおさら地を露わして、

「黙ッてろ、てめえたち！」と、朝官の横顔をはりたおした。

それくらいはまだ優しい方で、ひどく癇癪を起した時は、帝の側臣を蹴とばしたり、耳をつかんで屋外へほうりだしたりした。

帝には、それをご存じなので、李楽のいうままに、何事もうなずいておられた。けれど、官職を下賜されるには、玉璽がなければならない。筆墨や料紙はなんとか備えてあるが玉璽は今、お手許にない。――ゆえに、玉璽というのは、

「しばし待て」と、仰せられると李楽は、そんな故実など認めない。

帝のご印章であろう、それならここでお手ずから彫らばすぐ間に合うではないかと無茶なことをいう。

「荊棘の木を切って来よ」

帝は、求められて、それを印材とし、彫刀もないので、錐をもって、手ずから印をお彫りになった。

李楽は、大得意だった。

子分たちの屯している中へ来て手柄顔に、わけを話し、「さあ、てめえには、御史をくれてやる。汝れは、校尉ってえ官職につかせてやろう。なおなお、おれのために、働けよ。――今夜はひとつ祝え。なに、酒がねえと。どこか村へ行って探して来い。たいがい床下をはがしてみると、一瓶や二瓶は出てくるものだ」

醜態暴状、見てはいられない。

ところへ、河東の太守王邑から、些細な食物と衣服が届けられた。――帝と皇后は、その施しでようやく、飢えと寒さから救われた。

前(さき)に。

五

帝の一行と別れて、ただ一名、李傕(りかく)や郭汜(かくし)に会って兵をやめるよう勧請(かんじよう)してみる――と、途中から去った太僕韓融(たいぼくかんゆう)は、やがて、大勢の宮人や味方の兵をつれてこれへ帰って来た。

すぐ闕下(けっか)に伏して、

「ご安心ください。彼らも、私の勧告に従って、兵戦を休め、沢山な捕虜(とりこ)をみな放してよこしました」と、奏上した。

あの暴将の李と郭が、一片の勧告でよくそんな神妙に心をひるがえしたものだ――と人々は怪しんだが、韓融(かんゆう)からだんだん仔細をきいてみると、

「いや、彼らの良心よりも、飢饉(ききん)の影響が否応(いやおう)なく、戦争をやめさせたのだ」

と、いうことであった。

秋から冬にかかってくると、その年の大飢饉は、深刻に、庶民の生活に現れてきた。

百姓たちは、棗(なつめ)を採って咬(か)んだり、草を煮て、草汁を飲んでしのいだり、もうその草も枯れてくると枯草の根や、土まで喰ってみた。ここ茅屋(あばらや)の宮廷も、にわかに宮人が増して帝のお心は気づよくなったが、さしあたって、朝官たちの食う物に窮してしまった。

「洛陽へ還ろう」

帝は、しきりに、仰せられた。

すると、李楽がいつも、

「洛陽へ行っても、この飢饉は同じことだ」と、反対を唱えた。

しかし、朝臣の総意は、

「かかる狭小な地に、長く聖駕をお駐めするわけにはゆかぬ。洛陽は古から天子建業の地でもあれば――」と皆、還幸を望んでいた。

が、どうも李楽ひとりが、頑張るのでいつも評議はぶっこわしになる。

そこで、一夜、李楽が手下をつれて、また、村へ酒や女を捜しに行った留守の間に、かねて計り合わせていた朝臣や侍側の将たちは、にわかに御車をひき出し、

「洛陽へ還幸」

と、触れだした。

楊奉、楊彪、董承の輩が、御車を守護しつつ、闇を急いだ。――そして、幾日幾夜の難路を急ぎ、やがて箕関（河南省・河南附近）という所の関所にかかると、その夜もすでに四更の頃、四山の闇から点々と松明の光が閃めき迫って来て、それが喊の声に変ると、

「李傕、郭汜、この所にて待ち伏せたり」と、いう声が四方に聞えた。

楊奉は、おどろく帝をなぐさめて、

「いやいや何条、李傕や、郭汜がこんな所に出現しましょう。察するところ、李楽がいつわって、襲うて来たにちがいありません。——徐晃徐晃、徐晃やある」と呼ばわった。

「これにいます」

徐晃は、御車のうしろで答えた。楊奉は、命じて、

「殿軍は、汝にまかせる。きょうこそ、堪忍の緒をきってもよいぞ」と、いった。

「あっ」と、徐晃は歓び勇んで、

「お先へ、お先へ」と、御車を促した。

そして自身は、そこに踏みとどまり、やがて李楽が追いかけて来ると、馬上、大手をひろげて、

「獣っ、待てっ、これから先は洛陽の都門、獣類の通る道でないっ」と、どなった。

「なにッ、俺ッちを、獣だと。この青二才め」

喚きかかって来るのを引っぱずして、徐晃は、雷声一撃。

「よくも今日まで！」

と、日頃こらえにこらえていた怒りを一度に発して、大刀の下に見事李楽を両断してしまった。

改　元

一

幾度か、虎口を遁れ、百難をこえて、帝は、ようやく洛陽の旧都へ還られた。

「――ああ。これが洛陽だったろうか？」

帝は、憮然として、そこに立たれた。

侍衛の百官も、「変れば変るもの」と、涙を催さぬ者はなかった。

洛陽千万戸、紫瑠璃黄玉の城楼宮門の址も、今は何処？

見わたす限り草茫々の野原に過ぎなかった。石あれば楼台の址、水あれば朱欄の橋や水亭の玉池があった蹟である。

官衙も民家も、すべて、焼け石と材木を草の中に余しているだけだった。秋も暮れて、もう冬に近いこの蕭々たる廃都には、鶏犬の声さえしなかった。

でも、帝には、

「ここらが、温徳殿の址ではないか。この辺りか、商金門の蹟……」

と、なつかしげに禁門省垣の面影を偲びながら、半日もさまよい歩かれた。

それにつけても、董卓がこの都を捨てて、長安へ遷都を強いたあの時の乱暴さと、すさまじい兵乱の火が、帝のお胸に、悔恨となってひしと思い起された。

しかし、その董卓も、当時の暴臣どもも、多くは、すでに異郷で白骨になっている。——ただ今なお、董卓の遺臣の郭汜、李傕のふたりがあくまで、漢室の癌となって、帝に禍いしていた。

漢室と董卓とは、思えば、よほどの悪因縁に見える。

「人は住んでいないのであろうか」

帝は、あまりの淋しさに、扈従の人々をかえりみて問われた。

「以前の城門街あたりに、みすぼらしい茅屋が、数百戸あるようです。——それも連年の飢饉や疫病のために、辛くも暮している民ばかりのようです」

侍臣は、そうお答えした。

その後、公卿たちは、戸帳を作り、住民の数を詮議し、同時に年号も、
建安元年
と、改元した。

何にしても、皇居の仮普請が急がれたが、そういう状態なので、土木を起すにも人力はなし、また、朝廷に財もないので、きわめて粗末なただ雨露をしのぎ、政事を執るに足るだけの仮御所がそこに建てられた。

ところが。

仮御所は建っても、供御の穀物もなければ、百官の食糧もない。

尚書郎以下の者は、みな跣足となり、廃園の瓦を起して、畑を耕し、樹の皮をはいで餅とし、草の根を煮て汁としたりして、その日その日の生計に働いた。

また、それ以上の役人でも、どうせ朝廟の政務といっても、さし当って何もないので、暇があれば、山に入って木の実を採り、鳥獣を漁り、薪や柴を伐りあつめて来て、辛くも、帝の供御を調えた。

「あさましい世を見るものであります。けれど、いつまでこうしていても、ひとりでに、忠臣が顕れ、万戸が建ち並んで、昔日の洛陽にかえろうとも思われません。――なんとかご思案なければなりますまい」

或る時、太尉楊彪から、それとなく帝に奏上した。

もとより、帝にも、「よい策だにあれば」という思召しであるから、楊彪に、如何にせばよいかと、ご下問あると、楊彪はここに一策ありと次のような意見をのべた。

「今、山東の曹操は、良将謀士を麾下に集めて、蓄うところの兵数十万といわれています。ただ、彼に今ないものは、その旗幟の上に唱える大義の名分のみです。――今もし、天子、勅を下し給うて、社稷の守りをお命じあれば、曹操は風を望んで参りましょう」

帝は、楊彪の意見を、許容なされた。そこで間もなく、勅使は洛陽を立って、山東へ急ぎ下った。

二

山東の地は遠いが、帝が洛陽へ還幸されたことは、いちはやく聞えていた。黄河の水は一日に千里を下る。夜の明けるたび、舟行の客は新しい噂を諸地方へ撒いてゆく。

「目に見えないが大きく動いている。刻々、動いて休まない天体と地上。……ああ偉大だ、悠久な運行だ。大丈夫たる者、この間に生れて、真に、生き甲斐ある生命をつかまないでどうする！　おれもあの群星の中の一星であるに」

曹操は天を仰いでいた。

山東の気温はまだ晩秋だった。城楼の上、銀河は煙り、星夜の天は美しかった。

彼も今は往年の白面慷慨の一青年ではない。

山東一帯を鎮撫してから、一躍建徳将軍に封ぜられ、費亭侯の爵に叙せられ、養うところの兵二十万、帷幕に持つ謀士勇将の数も、今や彼の大志を行うに不足でなかった。

「これからだ！」

彼は、自分にいう。

「曹操が、曹操の生命を真につかむのは、これからだ。——われこの土に生れたり矣。——見よ、これからだぞ」

彼は、今の小成と栄華と、人爵とをもって、甘んじる男ではなかった。

その兵は、現状の無事を保守する番兵ではない。攻進を目ざしてやまない兵だ。その城は、今の幸福を偸む逸楽の寝床ではない、前進また前進の足場である。彼の抱負ははかり知れないほど大きい。彼の夢はたぶんに、詩人的な幻想をふくんではいる。けれど、詩人の意思のごとく弱くない。

「将軍。……そんな所においでででしたか。宴席からお姿が見えなくなったので、皆どこへ行かれたのかと呟いています」

「やあ、夏侯惇か。いつになく今夜は酔ったので、独り酒を醒ましに出ていた」

「まさに、長夜の御宴にふさわしい晩ですな」

「まだまだ歓楽も、おれはこんなことでは足らない」

「――が、みな満足しております」

「小さい人々だ」

そこへ、曹操の弟曹仁が、なにか、緊張した眼ざしをして登って来た。

「兄上っ」

「なんだ、あわただしく」

「ただ今、県城から早打ちが来ました。洛陽から天子の勅使が下向されるそうです」

「わしへ？」

「もとよりです。黄河を上陸って旅途をつづけ、勅使の一行は、明日あたり領内へ着こうとの知らせでした」

「ついに来たか、ついに来たか」

「え。——兄上には、もう分っていたんですか」

「分るも分らぬもない。来るべきものが当然に来たのだ」

「ははあ……？」

「ちょうど今宵はみな宴席にいるな」

「はい」

「口を嗽ぎ、手を浄め、酒面を洗って、大評議の閣へ集まれと伝えろ。わしも直ぐそれへ臨むであろう」

「はっ」

曹仁は、馳け去った。

楼台を降った曹操は、冷泉に嗽いし、衣服をかえ、帯剣を鏘々と鳴らしながら、石廊を大歩して行った。

閣の大広間には、すでに群臣が集まっていた。たった今まで酒席にはしゃいでいた諸将も、一瞬に、姿勢を正し、炯々と眸をそろえながら、大将曹操の姿を迎えた。

「荀彧」

曹操は、指名して云った。

「きのう、そちが予に向って吐いた意見を、そのまま、この席でのべろ。——勅使はすでに山東に下られている。曹操の肚はもうきまっているが、一応荀彧から大義を明らかにのべさせる。荀彧、立て」

「はっ」

荀彧は起立して、今、天子を扶くる者は、英雄の大徳であり、天下の人心を収める大略であるという意見を、理論立てて滔々と演説した。

三

勅使が、山東へ降ってから、一ヵ月ほど後のことである。

「たいへんです」

洛陽の朝臣は、根をふるわれた落葉のように、仮普請の宮門を出入りして、みな顔色を失っていた。

一騎。

また、一騎。

この日、早馬が引きもきらず、貧しい宮門に着いて、鞍から飛びおりた物見の武士は、転ぶが如く次々に奥へかくれた。

「董承。いかにせばよいであろうか」

帝のお顔には、この夏から秋頃の、恐ろしい思い出がまた、深刻ににじみ出ているのが仰がれた。

李傕と郭汜の二軍が、その後、大軍を整え、捲土重来して、洛陽へ攻め上って来るとの急報が伝えられて来たのである。

「曹操へつかわした使者はまだ帰らず、朕、いずこにか身を隠さん」

と、帝は、諸臣に急を諮りながら、呪われたご運命を、眸のうちに哭いておられた。

「ぜひもありません」

董承は、頭をたれて、

「――この上は、再び、仮宮をお捨てあって、曹操が方へ、お落ちになられるが、上策かと思われますが」

すると、楊奉、韓暹の二人がいった。

「曹操をお頼りあるも、曹操の心の程はわかりません。彼にも如何なる野心があるか、知れたものではないでしょう。――それよりは、臣らがある限りの兵をひっさげて、賊を防いでみます」

「お言葉は勇ましいが、門郭城壁の構えもなく、兵も少ないのに、どうして防ぎきれようか」

「侮り給うな。われらも武人だ」

「いや、万一、敗れてからでは、間に合わぬ。天子を何処へお移し申すか。暴賊の手にまかすような破滅となったら、それこそおのおのの武勇も……」

と、争っているところへ、室の外で、誰か二、三の人々が呶鳴った。

「何を長々しいご詮議だて、そんな場合ではありませんぞ、もはや敵の先鋒が、あれあのとおり、馬煙をあげ、鼓を鳴らして、近づいて来るではありませんかっ」

帝は、驚愕して、座を起たれ、皇后の御手を取って、皇居の裏から御車にかくれた。侍衛の人々、文武の諸官、追うもあり、残るもあり、一時に混雑に陥ちてしまった。

御車は、南へ向って、あわただしく落ちて行かれた。

街道の道の辺には、飢民が幾人もたおれていた。

飢えた百姓の子や老爺は、枯れ草の根を掘りちらしていた。餓鬼のごとく、冬の虫を見つけて、むしゃむしゃ喰っている。腹膨れの幼児があるかと思うと、土を舐めながら、どんよりした眼で、

――なぜ生れたのか。

と云いたげに、この世の空をぼんやり見ている女がある。

奔馬や、帝の御車や、裸足のままの公卿たちや、戟をかかえた兵や将や、激流のような一陣の砂けむりが、うろたえた喚き声をつつんで、その前を通って行った。

土を舐め、草の根を喰っている、無数の飢えたる眼の前を後から後から通って行くのであった。

「アレ。なにけ？　……」

「なんじゃろ？」

無智な飢民の眼には、悲しむべきこの実相も、なんの異変とも映らぬもののようだっ

た。

戟の光を見ても、悍馬のいななきを聞いても、その眼や耳は、おどろきを失っていた。恐怖する知覚さえ喪失している飢民の群れだった。

――が、やがて。

李傕、郭汜の大軍が、帝の御車を追って、後方から真っ黒に地をおおって来ると、どこへくぐってしまったものか、もう飢民の影も、鳥一羽も、野には見えなかった。

四

砂塵と悲鳴につつまれながら、帝の御車は辛くも十数里を奔って来られたが、ふと行く手の曠野に横たわる丘の一端から、たちまち、漠々たる馬煙が立昇って来るのが見えたので、

「や、や？」

「あの大軍は？」

「敵ではないか？」

「早……前にも敵か？」

と、扈従の宮人たちは、みなさわぎ立て、帝にも、愕然と眉をひそめられた。

進退ここにきわまるかと、御車に従う者たちが度を失って喚くので、皇后も泣き声を洩らさせ給い、帝も、御簾のうちから幾度となく、

「道を変えよ」と叫ばれた。

しかし、今さら道を変えて奔ってもどうなろう。後ろも敵軍、前も敵軍。

そう考えたか、扈従の武臣朝官たちは、早くもここを最期と叫んだり、或る者は、逃げる工夫に血眼をさまよわせていた。

ところへ！

彼方から唯二、三騎。それは武者とも見えない扮装（いでたち）の者が、何か懸命に大声をあげながら、こなたへ馳けて来るのが見えた。

「あっ。見たような」

「朝臣らしいぞ」

「そうだ、前に、勅使として、山東へ下った者たちだ」

意外。その人々は、やがて息せきながら駒を飛び降りるや、御車の前へひれ伏して、

「陛下。ただ今帰りました」

と、奏上した。

帝には、なお、怪訝（いぶか）りのとけぬご容子で、

「あれに見ゆる大軍は、そも、何ものの軍勢か」

「さればにて候、――山東の曹将軍には、われらを迎え、詔勅を拝するや、即日、お味方を号令し給い、その第一陣として、夏侯惇（かこうじゅん）、そのほか十余将の御幕下に、五万の兵を授けられ、はやこれまで参ったものでござりまする」

「えっ……ではお味方に馳せ上った山東の兵よな」

御車の周囲にひしめいていた人々は、使者のことばを聞くと、一度に生色を取りもどし躍り上がらんばかりに狂喜した。

そこへ、鏘々たる鎧光をあつめた一隊の駿馬は早、近づいて来た。

夏侯惇、許褚、典韋などを先にして、山東の猛将十数名であった。

御車を見ると、

「礼！」

と、戒め合って、さすがに規律正しく一斉にザザッと、鞍から飛びおりた。

そして、列を正しながら、約十歩ほど出て、夏侯惇が一同を代表していった。

「ご覧の如く、臣ら、長途を急ぎ参って、甲冑を帯し、剣を横たえておりますれば、謹んで、闕下にご謁を賜う身仕度もいたしかねます。――願わくは、軍旗をもって、直奏おゆるしあらんことを」

さすがに聞えた山東の勇将、言語明晰、態度も立派だった。

帝は、一時のお歓びばかりでなく、いとど頼母しく思し召されて、

「鞍馬長途の馳駆、なんで服装を問おう。今日、朕が危急に馳せ参った労と忠節に対しては、他日、必ず重き恩賞をもって酬ゆるであろうぞ」

と、宣うた。

夏侯惇以下、謹んで再拝した。

その後で夏侯惇はふたたび、

「主人曹操は、大軍を調うため、数日の暇を要しますが、臣ら、先鋒として、これに参りましたからには、何とぞ、御心安らかに、何事もおまかせおき給わりますように」

と、奏した。

帝は、御眉を開いてうなずかれた。

御車をかこむ武臣も宮人たちも、異口同音、万歳万歳を歓呼した。

――ところへ、

「東の方より敵が見える」と、告げる者があった。

五

「いや、敵ではあるまい。お鎮まりあれ」と、夏侯惇はすぐ馬を駆って、鞍の上からはるかへ手をかざしていたが、やがて戻って来ると、一同へ告げた。

「案のごとく、ただ今、東方から続々と影を見せて来た軍勢は、敵にはあらで、曹将軍の御弟曹洪を大将とし、李典、楽進を副将として、先陣の後ろ備えとして参った歩兵勢三万にござります」

帝は、いやが上にも、歓ばれて、

「またも、味方の勢か」

と、一度に御心を安んじて、かえって、がっかりなされたほどだった。

間もなく、曹洪の歩兵勢も、着陣の鐘を鳴らし、万歳の声のうちに、大将曹洪は、聖駕の前へ進んで礼を施した。

帝は、曹洪を見て、「御身の兄曹操こそ、真に、朕が社稷の臣である」といわれた。

都落ちのはかない轍を地に描いて来た御車は、いちやく、八万の精兵に擁せられて、その轍の跡をすぐ洛陽へ引っ返して行った。

——とは知らず、洛陽を突破して、殺到した郭汜、李傕の聯合勢は、その前方に、思わぬ大軍が上って来るのを見て、

「はてな?」と、眼をこすった。

「いぶかしいことではある。朝臣のうちに、何者か、妖邪の法を行う者があるのではないか。たった今、わずかの近臣をつれて逃げのびた帝のまわりに、あのような軍馬が一時に現れるわけはない。妖術をもって、われらの目をくらましている幻の兵だ。恐るることはない。突き破れ」

と、当って来た。

幻の兵は、強かった。現実に、山東軍の新しい兵備と、勃興的な闘志を示した。

何かは堪るべき。

雑軍に等しい——しかも旧態依然たる李傕や郭汜の兵は存分に打ちのめされて、十方へ散乱した。

「血祭の第一戦だ。——斬って斬って斬りまくれ」

夏侯惇は、荒ぶる兵へ、なおさら気負いかけた。

血、血、血――曠野から洛陽の中まで、道は血しおでつながった。

その日、半日だけで、馘った敵屍体の数は、一万余と称せられた。

黄昏ごろ。

帝は玉体につつがもなく、洛陽の故宮へ入御され、兵馬は城外に陣を取って、旺なる篝火を焚いた。

幾年ぶりかで、洛陽の地上に、約八、九万の軍馬が屯したのである。篝火に仄赤く空が染められただけでも、その夜、帝のお眠りは久々ぶりに深かったに違いない。

程なく。

曹操もまた、大軍を率いて、洛陽へ上って来た。その勢威だけでも、敵は雲散霧消してしまった。

「曹操が上洛した」

「曹将軍が上られた」

人心は日輪を仰ぐごとく彼の姿を待った。彼の名は、彼が作ったわけでもない大きな人気につつまれて洛陽の紫雲に浮かび上がってきた。

彼が、都に入る日、その旗本はすべて、朱い盔、朱地金襴の戦袍、朱柄の槍、朱い幟旗を揃えて、八卦の吉瑞にかたどって陣列を立て、その中央に、大将曹操をかこんで、一鼓六足、大地を踏み鳴らして入城した。

迎える者、仰ぐ者、

「この人こそ、兵馬の長者」と懼れぬはなかった。

が、曹操は、さして驕らず、すぐ帝にまみえて、しかも、帝のおゆるしのないうちは、階下に低く屈して、貧弱な仮宮とはいえ、いたずらに殿上を踏まなかった。

火星と金星

一

曹操は、さらにこう奏上して、帝に誓った。

「生を国土にうけ、生を国恩に報ぜんとは、臣が日頃から抱いていた志です。今日、選ばれて、殿階の下に召され、大命を拝受するとは、本望これに越したことはありません。——不肖、旗下の精兵二十万、みな臣の志を体している忠良でありますから、なにとぞ、聖慮を安んぜられ、期して万代泰平の昭日をお待ちくださいますように」

彼の退出は、万歳万歳の声につつまれ、皇居宮院も、久ぶりに明朗になった。

——けれど一方、大きな違算に行き当って、進退に迷っていたのは、今は明らかに賊軍と呼ばれている李傕、郭汜の陣営だった。

「なに、曹操とて、大したことはあるまい。それに遠路を急ぎに急いで来たので、人馬は疲れているにちがいない」

二人とも、意見はこう一致して、ひどく戦に焦心っていたが、謀将の賈詡がひとり諫めて承知しないのである。

「いや、彼を甘く見てはいけません。なんといっても曹操は当代では異色ある驍将です。ことに以前とちがって、彼の下には近ごろ有数な文官や武将が集まっています。――如かず、逆を捨て、順に従って、ここは盔を脱いで降人に出るしかありますまい。もし彼に当って戦いなどしたら、あまりにも己を知らな過ぎる者と、後世まで笑いをのこしましょう」

正言は苦い。

李傕も、郭汜も、

「降服をすすめるのか。戦の前に、不吉なことば。あまつさえ、己を知らんなどとは、慮外な奴」

斬ってしまえと陣外へ突きだしたが、賈詡の同僚が憐れんで懸命に命乞いをしたので、

「命だけは助けておくが、以後、無礼な口を開くとゆるさんぞ」

と、幕中に投げこんで謹慎を命じた。――が、賈詡はその夜、幕を嚙み破って、どこ

かへ逃亡してそのまま行方をくらましてしまった。

翌朝。——賊軍は両将の意思どおり前進を開始して、曹操の軍勢へひた押しに当って行った。

李傕の甥に、李暹、李別という者がある。剛腕をもって常に誇っている男だ。この二人が駒をならべて、曹操の前衛をまず蹴ちらした。

「許褚、許褚っ」

曹操は中軍にあって、

「行け、見えるか、あの敵だぞ」と、指さした。

「はっ」と、許褚は、飼い主の拳を離れた鷹のように馬煙をたてて翔け向った。そして目ざした敵へ寄るかと見るまに、李暹を一刀のもとに斬り落し、李別が驚いて逃げ奔るのを、

「待てっ」

と、うしろから追いつかみ、その首をふッつとねじ切って静々と駒を返して来るのだった。

その剛胆と沈着な姿に、眼のあたりにいた敵も彼を追わなかった。許褚は、曹操の前に二つの首を並べ
「これでしたか」と、庭前の落柿でも拾って来たような顔をして云った。

曹操は、許褚の背を叩いて、

「これだこれだ。そちはまさに当世の樊噲だ。樊噲の化身を見るようだ」

と、賞めたたえた。

許褚は、元来、田夫から身を起して間もない人物なので、あまりの晴れがましさに、

「そ、そんなでも、ありません」と、顔を赧くしながら諸将の間へかくれこんだ。

その容子がおかしかったか、曹操は、今たけなわの戦もよそに、

「あははは、可愛い奴じゃ。ははは」と、哄笑していた。

そういう光景を見ていると、諸将は皆、自分も生涯に一度は、曹操の手で背中を叩かれてみたいという気持を起した。

二

戦の結果は、当然、曹操軍の大勝に帰した。

李傕、郭汜の徒は、到底、彼の敵ではなかった。乱れに乱れ、討たれに討たれ、網をもれた魚か、家を失った犬のごとく、茫々と追われて西の方へ逃げ去った。

曹操の英名は、同時に、四方へ鳴りひびいた。

彼は、賊軍退治を終ると、討ち取った首を辻々に梟けさせ、令を発して民を安め、軍は規律を厳にして、城外に屯割した。

「――何のことはない。これじゃあ彼の為にわれわれは踏み台となったようなものではないか」

楊奉は、日に増して曹操の勢いが旺になって来たのを見て、或る折、韓暹に胸の不平をもらした。

韓暹は、今こそ禁門に仕えているが、元来、李楽などと共に、緑林に党を結んでいた賊将の上がりなので、たちまち性根を現して、

「貴公も、そう思うか」と、曹操に対して、同じ嫉視の思いを、口汚く云いだした。

「今日まで、帝をご守護して来たおれたちの莫大な忠勤と苦労も、こうして曹操が羽振りをきかしだすと、どうなるか知れたものじゃない。——曹操は必ず、自分たち一族の勲功を第一にして、おれたちの存在などは認めないかも知れぬ」

「いや、認めまいよ」

楊奉は、韓暹に、なにやら耳打ちして、顔色をうかがった。

「ウム……ムム。……やろう！」

韓暹は眼をかがやかした。それから四、五日ほど、何か二人で密々策動していたようだったが、一夜忽然と、宮門の兵をあらかた誘い出して、どこかへ移動してしまった。

宮廷では驚いて、その所在をさがすと、前に逃散した賊兵を追いかけて行くと称しながら、楊奉、韓暹の二人が引率して大梁（河南省）の方面へさして行ったということがやっと分った。

「曹操に諮った上で」

帝は朝官たちの評議に先だって、ひとりの侍臣を勅使として、彼の陣へつかわされ

た。

勅使は、聖旨を体して、曹操の営所へおもむいた。

曹操は、勅使と聞いて、うやうやしく出迎え、礼を終って、ふとその人を見ると、何ともいえない気に打たれた。

「…………」

人品の床しさ。

人格の気高い光――にである。

「これは？」と、彼はその人間を熟視して、恍惚、われを忘れてしまった。

世相の悪いせいか、近年は実に人間の品が下落している。連年の飢饉、人心の荒廃など、自然人々の顔にも反映して、どの顔を見ても、眼はとがり、耳は薄く、唇は腐色を呈し、皮膚は艶やかでない。

或る者は、豺の如く、或る者は魚の骨に人皮を着せた如く、また或る者は鴉に似ている。それが今の人間の顔だった。

「――しかるに、この人は」と、曹操は見とれたのである。

眉目は清秀で、唇は丹く、皮膚は白皙でありながら萎びた日陰の美しさではない。どこやらに清雅縹渺として、心根のすずやかなものが香うのである。

「これこそ、佳い人品というものであろう。久しぶりに人らしい人を見た」

曹操は、心のうちに呟きながら、いとも小憎く思った。

いや、怖ろしく思った。

彼のすずやかな眼光は、自分の胸の底まで見透している気がしたからである。――こういう人間が、自分の味方以外にいることは、たとえ敵でなくとも、妨げとなるような気がしてならなかった。

「……時に。ご辺は一体、どういうわけで、今日の勅使に選ばれてお越しあったか。ご生国は、何処でおわすか」

やがて席をかえてから、曹操はそれとなく訊ねてみた。

三

「お尋ねにあずかって恥じ入ります」と、勅使董昭は、言葉少なに、曹操へ答えた。

「三十年があいだ、いたずらに恩禄をいただくのみで、なんの功もない人間です」

「今の官職は」

「正議郎を勤めております」

「お故郷は」

「済陰定陶（山東省）の生れで董昭 字 は公仁と申します」

「ホ、やはり山東の産か」

「以前は、袁紹の従事として仕えていましたが、天子のご還幸を聞いて、洛陽へ馳せのぼり、菲才をもって、朝に出仕いたしております」

「いや、不躾なことを、つい根掘り葉掘り。おゆるしあれ」

曹操は、酒宴をもうけ、その席へ、荀彧を呼んで、ともに時局を談じていた。ところへ。――昨夜来、朝廷の親衛軍と称する兵が関外から地方へさして、続々と南下して行くという報告が入った。

曹操は聞くと、

「何者が勝手に禁門の兵をほかへ移動させたか。すぐその指揮者を生擒って来い」

と、兵をやろうとした。

董昭は、止めて、

「それは不平組の楊奉と、白波帥の山賊あがりの韓暹と、二人がしめし合わせて、大梁へ落ちて行ったものです。――将軍の威望をそねむ鼠輩の盲動。何ほどのことをしでかしましょうや。お心を労やすまでのことはありますまい」と、いった。

「しかし、李傕や郭汜の徒も、地方に落ちておるが」

曹操が、重ねていうと、董昭はほほ笑んで、

「それも憂えるには足りません。一幹の梢を振い落された片々の枯葉、機をみて掃き寄せ、一炬の火として焚いてしまえばよろしいかと思います。――それよりも、将軍のなすべき急務はほかにありましょう」

「ヤヤ、それこそ、予が訊きたいと希うことだ。乞う、忠言を聞かせ給え」

「将軍の大功は天子もみそなわし、庶民もよく知るところですが、朝廟の旧殻には、依

然、伝統や閥や官僚の小心なる者が、おのおの異った眼、異った心で将軍を注視しています。それに、洛陽の地も、政をあらためるに適しません。よろしく天子の府を許昌(河南省・許州)へお遷しあって、すべての部門に溌剌たる革新を断行なさるべきではないかと考えられます」

耳を傾けていた曹操は、

「近頃含蓄のある教えを承った。この後も、何かと指示を与えられよ。曹操も業を遂げたあかつきには必ず厚くお酬いするであろう」と、その日は別れた。

その夜また、客があって、曹操にこういう言をなす者があると告げた。

「このほど、侍中太史令の王立という者が、天文を観るに、昨年から太白星が天の河をつらぬき、熒星の運行もそれへ向って、両星が出合おうとしている。かくの如きは千年に一度か二度の現象で、金火の両星が交会すれば、きっと新しい天子が出現するといわれている。――思うに大漢の帝系もまさに終らんとする気運ではあるまいか。そして新しい天子が晋魏の地方に興る兆しではあるまいか。――と王立は、そんな予言をしておりました」

曹操は黙って、客のことばを聞いていたが、客が帰ると、荀彧をつれて、楼へ上って行った。

「荀彧。こう天を眺めていても、わしに天文は分らんが、さっきの客のはなしは、どういうものだろう」

「天の声かも知れません。漢室は元来、火性の家です。あなたは土命です。許昌の方位は、まさに土性の地ですから、許昌を都としたら、曹家は隆々と栄えるにちがいありません」

「む、そうか。……荀彧。王立という者へ早速使いをやって、天文の説は、人にいうなと、口止めしておけ。よろしいか」

四

迷信とは思わない。

哲学であり、また、人生科学の追求なのである。すくなくも、その時代の知識層から庶民に至るまでが、天文の*暦数や*易経の*五行説に対しては、そう信じていたものである。

——崇高な運命学の定説として彼らの運命観のなかには、星の運行があり、月蝕があり、天変地異があり、易経の暗示があり、またそれを普遍する予言者の声にも自ら多大な関心をはらう習性があった。

この渺々とした黄土の大陸にあっては、漢室の天子といい、曹操といい、袁紹といい、董卓といい、呂布といい、劉玄徳といい、また孫堅その他の英傑といい、一面みな弱いはかない「我れ」なることを知っていた。——広茫無限な大自然の偉力に対して、さしもの英傑豪雄の徒も人間の小ささを、父祖代々生れながらに、知りぬいていた。

例えば。

黄河や大江の氾濫にも。

いいなごの飢饉にも。

蒙古からふく黄色い風にも。

大雨、大雪、暴風、そのほかあらゆる自然の力に対しては、どうする術も知らない文化の中の英雄たり豪傑だった。

だから、その恐れを除いては、彼らは黄土の大陸の上に、人智人力の及ぶかぎりな建設もしたり、またたちまち破壊し去ったり情痴と飽慾をし尽したり、自解して腐敗を曝したり、戦ったり、和したり、歓楽に驕ったり、惨たる憂き目にただよったり――一律の秩序あるごとくまた、まったく無秩序な自由の野民の如く――実に古い歴史のながれの中に治乱興亡の人間生態図を描いてきているのであるが、そういう長い経験の下に、自然、根づよく恐れ信じられてきたものは、ただ――人間は運命の下にあるということだった。

運命は、人智では分らないが、天は知っている。自然は予言する。

天文や易理は、それが為に、最高な学問だった。いやすべての学問――たとえば政治、兵法、倫理までが、陰陽の二元と、天文地象の学理を基本としていた。

曹操は、謹んで、天子へ奏した。

「――臣、ふかく思いますに、洛陽の地は、かくの如く廃墟と化し、その復興とて容易ではありません。それに将来、文化の興隆という上から観ても、交通運輸に不便で、地象悪く、民心もまた、この土を去って再びこの土を想い慕っておりません」

曹操はなお、ことばを続け、

「それに較べると、河南の許昌は、地味豊饒です。物資は豊富です。民情も荒んでいません。もっといいことには、かの地には城郭も宮殿も備わっています。――ゆえに、都をかの地へお遷しあるように望みます。――すでに、遷都の儀仗、御車も万端、準備はととのっておりますから」

「……………」

帝はうなずかれたのみである。

群臣は、唖然としたが、誰も異議は云いたてない。曹操が恐いのである。また、曹操の奏請も、手際がいい。

ふたたび遷都が決行された。

警固、儀仗の大列が、天子を護って、洛陽を発し、数十里ほど先の丘にかかった時であった。

漠々の人馬一陣、

「待てッ。曹操っ」

「天子を盗んで何処へ行く……」

と、呼ばわり、呼ばわり、猛襲して来た。

楊奉、韓暹の兵だった。中にも楊奉の臣、徐晃は、

「木ッぱ武者に、用はない。曹操に見参……」

と、大斧をひっさげて、馬に泡をかませて向って来た。

「やあ、許褚許褚。――あの餌は汝にくれる。討ち取って来い」

曹操が、身をかわして命じると許褚は、その側から鷲のごとく立って、徐晃の馬へ自分の馬をぶつけて行った。

五

徐晃も絶倫の勇。

許褚もまた「当代の樊噲」とゆるされた万夫不当である。

「好敵手。いで！」と、槍を舞わして、許褚が挑めば徐晃も、大斧をふるって、

「願うところの敵、中途にて背後を見せるな」と、豪語を放った。

両雄は、人まぜもせず、五十余合まで戦った。馬は馬体を濡れ紙のように汗でしとどにしても、ふたりは戦い疲れた風もなかった。

「――いずれが勝つか？」

しばしが程は、両軍ともにひそまり返って見てしまった。すばらしい生命力と生命力の相搏つ相は魔王と獣王の咆哮し合うにも似ていた。またそれはこの世のどんな生物の美しさも語るに足りない壮絶なる「美」でもあった。

はるかに、見まもっていた曹操は、なに思ったか突然、

「鼓手っ、銅鑼を打て」と、命じた。

口せわしくまた、「退き銅鑼だぞ」と、追い足した。

「はっ」と、鼓手は揃って、退け――！　の銅鑼を打ち鳴らした。

何事が降って湧いたかと、全軍は陣を返し、もちろん、許褚も敵を捨てて帰って来た。

曹操は、許褚を始め、幕僚を集めて云った。

「諸君は不審に思ったろうが、にわかに銅鑼を鳴らしたのは、実は、徐晃という人間を殺すにしのびなくなったからだ。――われ今日、徐晃を見るに、真に稀世の勇士だ、大方の大将としても立派なものだ。敵とはいえ、可惜、ああいう英材をこんな無用の合戦に死なせるのは悲しむべきことだ。――わが願うところは、彼を招いて、味方にしたいのだが、誰か徐晃を説いて、降参させる者はないか」

すると、一名、

「私に仰せつけ下さい」

と、進んでその任に当ろうという者が現れた。山陽の人、満寵　字を伯寧という者だ。

「満寵か。――よかろう。そちに命じる」

曹操はゆるした。

満寵はその夜、ひとり敵地へまぎれ入り、徐晃の陣をそっとうかがった。

木の間洩る月光の下に、徐晃は甲もとかず、帳を展べて坐っていた。

「……誰だっ。それへ来て、うかがっている者は」

「はっ……。お久しぶりでした。徐晃どの、おつつがもなく」

「オオ。満寵ではないか。——どうしてこれへ来たか」

「旧交を思い出して、そぞろお懐かしさの余りに」

「この陣中、敵味方と分れた以上は、旧友とて」

「あいや。それ故にこそ、特に私が選ばれて、大将曹操から密々にお旨をうけて忍んで来たわけです」

「えっ、曹操から？」

「きょうの合戦に、曹操第一の許褚を向うに廻して、あなたの目ざましい働きぶりを見られ、曹将軍には、心からあなたを惜しんで、にわかに、退け銅鑼を打たせたものです」

「ああ……そうだったか」

「なぜ、御身ほどな勇士が楊奉の如き、暗愚な人物を、主と仰いでおられるのか、人生は百年に足らず、汚名は千載を待つも取返しはつきませんぞ。良禽は木を選んで棲むというのに」

「いやいや、自分とても、楊奉の無能は知っているが、主従の宿縁今さらどうしようもない」

「ないことはありません」

満寵はすり寄って、彼の耳に何かささやいた。徐晃は、嘆息して、

「――曹将軍の英邁はかねて知っているが、さりとて、一日でも主とたのんだ人を首として、降服して出る気にはなれん」

と、顔を横に振った。

両虎競食の計

一

楊奉の部下が、

「徐晃が今、自分の幕舎へ、敵方の者をひき入れて何か密談しています」

と、彼の耳へ密告した。

楊奉は、たちまち疑って、

「引っ捕えて糺せ」と、数十騎を向けて、徐晃の幕舎をつつみかけた。すると、曹操の伏勢が起って、それを追い退け、満寵は徐晃を救いだして、共に、曹操の陣へ逃げて来

た。

曹操は、望みどおり徐晃を味方に得て、

「近来、第一の歓びだ」と、いった。

士を愛すること、女を愛する以上であった曹操が、いかに徐晃を優遇したかいうまでもなかろう。

楊奉、韓暹のふたりは、奇襲を試みたが、徐晃は敵方へ走ってしまったし、所詮、勝ち目はないと見たので、南陽（河南省）へと落ちのび、そこの袁術を頼って行った。

――かくて、帝の御車と、曹操の軍は、やがて許昌の都門へ着いた。

ここには、旧い宮門殿閣があるし、城下の町々も備わっている。曹操はまず、宮中を定め、宗廟を造営し、司院官衙を建て増して、許都の面目を一新した。

同時に、

旧臣十三人を列侯に封じ、自身は、

大将軍武平侯

という重職に坐った。

また董昭は――前に、帝の勅使として来て曹操にその人品を認められていたかの董昭公仁は――この際いちやく、洛陽の令に登用された。

許都の令には、功に依って、満寵が抜擢された。

荀彧は、侍中尚書令。

荀攸は軍師に。
郭嘉は、司馬祭酒に。
劉曄は、司空曹掾に。
催督は、銭料使に。
夏侯惇、夏侯淵、曹仁、曹洪など直臣中の直臣は、それぞれ将軍にのぼり、楽進、李典、徐晃などの勇将はみな校尉に叙せられ、許褚、典韋は都尉に挙げられた。

多士済々、曹操の権威は、自ら八荒*にふるった。

彼の出入には、常に、鉄甲の精兵三百が、弓箭戟光をきらめかせて流れた。――それにひきかえて、故老の朝臣は名のみ、大臣とか元老とかいわれても、日ましに影は薄れて行った。

また、それらの人々も、今はまったく曹操の羽振りに慴伏して、いかなる政事も、まず曹操に告げてから、後に、天子へ奏するという風に慣わされて来た。

「ああ。――一人除けばまた一人が興る。漢家のご運もはや西に入る陽か」

嘆く者も、それを声には出さないのである。――ただ無力なにぶい瞳のうちに哭いて、木像のごとく帝の側に佇立しているだけだった。

×　　×　　×

軍師、謀士。

そのほか、錚々たる幕僚の将たちが、痛烈に会飲していた。

真ン中に、曹操がいた。面上、虹のごとき気宇を立って、大いに天下を談じていたが、たまたま劉備玄徳のうわさが出た。

「あれも、いつのまにか、徐州の太守となりすましているが、聞くところによると、呂布を小沛に置いて扶持しているそうだ。――呂布の勇と、玄徳の器量が、結びついているのは、ちと将来の憂いかと思う。もし両人が一致して、力を此方へ集中して来ると、今でもちとうるさいことになる。――なにか、未然にそれを防止する策はないか」

曹操がいうと、

「いと易いこと。それがしに精兵五万をおさずけ下さい。呂布の首と、玄徳の首を、鞍の両側に吊るし帰って来ます」と、許褚がいった。

すると、誰か笑った。

「はははは。酒瓶ではあるまいし……」

荀彧である。

二

笑った唇へ、酒を運びながら、謀士らしい細い眼の隅から、許褚をながめて云ったのである。

荀彧に嗤われて、許褚は口をつぐんでしまった。彼は自分がまだ、智者の間に伍しては、一野人にすぎないことを知っていた。

「だめでしょうか、私の策は」

「君のいうことは、策でもなんでもない。ただ、勇気を口にあらわしただけのものだ。玄徳、呂布などという敵へ、そういう浅慮(あさはか)な観察で当るのは危険至極というものだ」

　曹操は、面(おもて)を向けかえて、

「荀彧。——ではそちの考えを聞こうじゃないか。なにか名案があるか」

「ないこともありません」

　荀彧は、胸を正した。

「今のところ——ここしばらくは、私は不戦論者です。なぜなら、遷都のあと、宮門そのほか、容(かたち)はやっと整えましたが、莫大な建築、兵備施設などに、多くを費やしたばかりのところですから」

「む、む……して」

「ですから、玄徳、呂布に対しては、どこまでも外交的な手腕をもって、彼らを自滅に導くをもって上策とします」

「それは同感だ。——偽って彼らと交友を結べというか」

「そんな常套(じょうとう)手段では、むしろ玄徳に利せられるおそれがあります。それがしの考えているのは、二虎競食(こきょうしょく)の計という策略です」

「二虎競食の計とは」

「たとえば、ここに二匹の猛虎が、おのおの、山月にうそぶいて風雲を待っていると仮定しましょう。二虎、ともに飢えています。よって、これにほかから香ばしい餌を投げ与えてごらんなさい。二虎は猛然、本性をあらわして咬みあいましょう。必ず一虎は仆れ、一虎は勝てりといえども満身痍だらけになります。——かくて二虎の皮を獲ることはきわめて容易となるではございませんか」

「むむ。いかにも」

「——で、劉玄徳は、今徐州を領しているものの、まだ正式に、詔勅をもってゆるされてはおりません、それを餌として、この際、彼に勅を下し、あわせて、密旨を添えて、呂布を殺せと命じるのです」

「あ。なるほど」

「それが、玄徳の手によって完全になされれば、彼は自分の手で、自分の片腕を断ち切ることになり——万一、失敗して、手を焼けば、呂布は怒って、必ずあの暴勇をふるい、玄徳を生かしてはおかないでしょう」

「うむ！」

曹操は、大きくうなずいたのみで、後の談話はもうそのことに触れなかった。

が、彼の肚はきまっていたのである。それから数日の後には、帝の詔勅を乞うて、勅使が、徐州へ向って立った。同時に、その使者が曹操の密書をもあわせて携えて行ったことは想像に難くない。

徐州城に、勅使を迎えた劉玄徳は、勅拝の式がすむと、使者を別室にねぎらって、自身は静かに、平常の閣へもどってきた。

「なんであろうか」

玄徳は、使者からそっと渡された曹操の私書を、早速、そこでひらいて見た。

「……呂布を？」

彼は眼をみはった。

何度も、繰返し繰返し読み直していると、後ろに立っていた張飛、関羽のふたりが、

「何事を曹操からいってよこしたのですか」と、訊ねた。

「まあ、これを見るがいい」

「呂布を殺せという密命ですな」

「そうじゃ」

「呂布は、兇勇のみで、もともと義も欠けている人間ですから、曹操のさしずをよい機として、この際、殺してしまうがよいでしょう」

「いや、彼はたのむ所がなくて、わが懐に投じてきた窮鳥だ。それを殺すは、飼禽を縊るようなもの。玄徳こそ、義のない人間といわれよう」

「――が、不義の漢を生かしておけば、ろくなことはしませんぞ。国に及ぼす害は、誰が責めを負いますか」

「次第に、義に富む人間となるように、温情をもって導いてゆく」

「そうやすやす、善人になれるものですか」

張飛は、あくまでも、呂布討つべしと主張したが、玄徳は、従う色もなかった。

すると翌日、その呂布が、小沛から出てきて登城した。

三

呂布は、なにも知らない様子であった。

彼はただその日、劉備玄徳に勅使が下って、正式に徐州の牧の印綬を拝したと聞いたので、その祝辞をのべるために、玄徳に会いに来たのである。

で——しばらく玄徳とはなしていたが、やがて辞して、長い廊を悠然と退がって来ると、

「待てっ。呂布」と、物陰で待ちかまえていた張飛が、その前へ躍り立って、

「一命は貰ったッ」

と、いうや否、大剣を抜き払って、呂布の長軀をも、真二つの勢いで斬りつけて来た。

「あっ」

呂布の沓は、敷き詰めてある廊の瓦床を、ぱっと蹴った。さすがに油断はなかった。七尺近い大きな体軀も、軽々と、後ろに跳びかわしていた。

「貴様は張飛だなっ」

「見たら分ろう」

「なんで俺を殺そうとするか」

「世の中の害物を除くのだ」

「どうして、俺が世のなかの、害物か」

「義なく、節なく、離反常なく、そのくせ、生半可な武力のある奴。——ゆく末、国家のためにならぬから、殺してくれと、家兄玄徳のところへ、曹操から依頼がきている。それでなくても平常から汝はこの張飛から見ると、傲慢不遜で気にくわぬところだ。覚悟をしちまえ」

「ふざけるなっ。貴様ごときに俺が、この首を授けてたまるか」

「あきらめの悪いやつが」

「待てっ、張飛」

「待たん！」

戛然と、二度目の剣が、空間に鳴った。

斬り損ねたのである。

誰か、うしろから張飛の肱を抑えて、抱きとめた者があったからである。

「ええいッ、誰だっ。邪魔するな」

「これっ、鎮まらぬかっ。愚者めが」

「あっ。家兄か」

玄徳は、声を励まして、

「誰が、いつ、そちに向って、呂布どのを殺せといいつけたか。呂兄はこの玄徳にとっては、大切な客分である。わが家の客に対して、剣を用いるのは、玄徳に対して戟を向けるも同じであるぞ」と、叱りつけた。

「ちぇっ。こんな性根の悪い食客を、兄貴は一体、なんの弱味があってそうまで大事がるのか料簡がわからない」

「だまれ、無礼な」

「誰にですか」

「呂布どのに対して」

「なにをっ……ばかな」

張飛は横へ唾を吐いた。しかし玄徳に対しては、絶対に弟であり目下であるということを忘れない彼である。――じっと家兄に睨みつけられると、不平満々ながら、やがて沓音を鳴らして立去ってしまった。

「おゆるし下さい。……あの通りな駄々ッ児です。まるで子どものように単純な漢ですから」

張飛の乱暴を詫び入りながら、玄徳はもう一度、自分の室へ呂布を迎え直して、

「今、張飛が申したことばの中、曹操から貴君を刺せと密命があったということだけはほんとです。――が、私にはそんな意志がないし、また、要らざることを、貴君の耳へ入れてもと考えて、黙殺していたわけですが、お耳に入ったからには、明らかにしておきましょう」

と、曹操から来た密書を、呂布に見せて、疑いを解いた。

呂布も、彼の誠意に感じたと見えて、

「いやよく分った。察するところ、曹操は、あなたと自分との仲を裂こうと謀ったのでしょう」

「その通りです」

「呂布を信じて下さい。誓って呂布は、不義をしません」

呂布は却って感激して退がった。――その様子を、ひそかにうかがっていた曹操の使者は、

「失敗だ。これでは、二虎競食の計もなんの意味もない」

と、苦々しげに呟いていた。

禁酒砕杯の約

一

張飛は、不平でたまらなかった。――呂布が帰るに際して、玄徳が自身、城門外まで

送りに出た姿を見かけたので、なおさらのこと、

「ごていねいにも程がある」と、業腹が煮えてきたのであった。

「家兄。お人よしも、度が過ぎると、馬鹿の代名詞になりますぞ」

その戻るところをつかまえて、張飛は、さっき貰った叱言へ熨斗をつけて云い返した。

「ほう、張飛か。なにをいつまで怒っているのか」

「なにをッて、あまりといえば、歯がゆくて、馬鹿馬鹿しくて、腹を立てる張りあいもない」

「ならば、そちのいう通り、呂布を殺したらなんの益がある」

「後の患いを断つ」

「それは、目先の考えというものだ。——曹操の欲するところは、呂布と我とが血みどろの争いをするにある。両雄並び立たず——という陳腐な計りごとを仕掛けてきたのじゃ。それくらいなことがわからぬか」

側にいた関羽が、

「ああ。ご明察……」

と、手を打って賞めてしまったので、張飛はまたも云い返すことばに窮してしまった。

玄徳はまた、その翌る日、勅使の泊っている駅館へ答礼に出向いて、

「呂布についてのご内命は、事にわかには参りかねます。いずれ機を図って命を果たす日もありましょうが、今しばらくは」と、仔細は書面にしたためて、謝恩の表と共に、使者へ託した。

使者は、許都へ帰った。そしてありのまま復命した。

曹操は荀彧をよんで、

「どうしたものだろう。さすがは劉玄徳、うまくかわして、そちの策には懸からぬが」

「では、第二段の計を巡らしてごらんなさい」

「どうするのか」

「袁術へ、使いを馳せて、こういわせます。――玄徳、近ごろ天子に奏請して、南陽を攻め取らんと願い出ていると」

「むム」

「また、一方、玄徳が方へも、再度の勅使を立て――袁術、朝廷に対して、違勅の科あり、早々、兵を向けて南陽を討つべしと、詔を以て、命じます。正直真っ法の玄徳、天子の命とあっては、違背することはできますまい」

「そして？」

「豹へ向って、虎をけしかけ、虎の穴を留守とさせます。――留守の餌をねらう狼が何者か、すぐお察しがつきましょう」

「呂布か！　なるほど、あの漢には狼性がある」

「駆虎呑狼の計です」

「この計ははずれまい」

「十中八九までは大丈夫です。——なぜならば、玄徳の性質の弱点をついておりますからな」

「うム。……天子の御命をもってすれば、身うごきのつかない漢だ。さっそく運ぶがいい」

南陽へ、急使が飛んだ。

一方、それよりも急速に、二度目の勅使が、徐州城へ勅命をもたらした。玄徳は、城を出て迎え、詔を拝して、後に、諸臣に諮った。

「また、曹操の策略です。決してその手に乗ってはいけません」

糜竺は、諫めた。

玄徳は沈湎と考えこんでいたが、やがて面を上げると、

「いや、たとえ計りごとであっても、勅命とあっては、違背はならぬ。すぐ南陽へ進軍しよう」

弱点か、美点か。

果たして彼は、敵にも見抜かれていた通り、勅の一語に、身うごきがつかなかった。

二

玄徳の決意は固い。

糜竺をはじめ諸臣は、皆それを知ったので口をつぐんだ。

孫乾が云い出した。

「どうしても、勅を奉じて、南陽へご出陣あるならば、第一に、後の用心が肝要でありましょう。誰に徐州の留守をおあずけなさいますか」

「それがだ」と玄徳も熟考して、

「関羽か張飛のうちのいずれか一名を残して行かねばなるまい」

関羽は、進み出て、

「願わくは、それがしに仰せつけ下さい。後顧の憂いなきよう必ず留守しておりまする」

と、自薦して出た。

「いやいや、其方なら安心だが、其方は、朝夕事を議すにも、また何かにつけても、玄徳の側になくてはならぬ者。……はて、誰に命じたものか？」

と、玄徳が沈思していると、つと、張飛は一歩進み出して、例のように快然と云った。

「家兄。この徐州城に人もなきように、なにをご思案あるか。不肖、張飛もこれに在る。それがしここに留まって死守いたそう。安んじてご出馬ねがいたい」

「いや、其方にはたのみがたい」

「なぜでござるか」

「そちの性は、進んで破るにはよいが、守るには適しない」

「そんな筈はござらん。張飛のどこが悪いと仰せあるか」

「生来、酒を好み、酔えば、みだりに士卒を打擲し、すべてに軽率である。もっとも悪いのは、そうなると、人の諫めも聞かぬことだ。――其方を留めておいては、玄徳もかえって、心がかりでならん。この役は、ほかの者に申しつけよう」

「あいや、家兄。そのご意見は胆に銘じ、自分も平素から反省しているところでござる。……そうだ、こういう折こそいい時ではある。今度のご出馬を機会として、張飛は断じて酒をやめます。――杯を砕いて禁酒する！」

彼は常に所持している白玉の杯を、一同の見ている前で、床に投げつけて打ち砕いた。

その杯は、どこかの戦場で、張飛が分捕った物である。敵の大将でも落して行ったものか、夜光の名玉を磨いたような馬上杯で、（これ、天より張飛に賜うところの、一城にも優る恩賞なり）といって、常に肌身はなさず持って、酒席とあれば、それを取出して、愛用していた。

酒を解さない者には、一箇の器物でしかないが、張飛にとっては、わが子にも等しい愛着であろう。その上に、禁酒の約を誓言したのである。その熾烈な心情に打たれ、玄徳はついにこういって彼を許した。

「よくぞ申した。そちが自己の非を知って改めるからには、なんで玄徳も患をいだこう。留守の役は、そちに頼む」

「ありがたく存じます。以後はきっと、酒を断ち、士卒を憐み、よく人の諫めに従って、粗暴なきようにいたしまする」

情に感じ易い張飛は、玄徳の恩を謝して、心からそう答えた。すると糜竺が、

「そうはいうが、張飛の酒狂いは、二つの耳の如く、生れた時から持っている性質、すこし危ないものだな」と、冷やかした。

張飛は怒って、

「何をいう。いつ俺が、俺の家兄に、信を裏切ったことがあるか」と、もう喧嘩腰になりかけた。

玄徳はなだめて、留守中は何事も堪忍を旨とせよと訓え、また、陳登を軍師として、

「万事、よく陳登と談合して事を処するように」

と云いのこし、やがて自身は、三万余騎を率いて、南陽へ攻めて行った。

三

今、河南の地、南陽にあって、勢い日増しに盛大な袁術は、かつて、この地方に黄巾賊の大乱が蜂起した折の軍司令官、袁紹の弟にあたり、名門袁一族中では、最も豪放粗剛なので、閥族のうちでも恐れられていた。

「許都の曹操から急使が参りました」

「書面か」

「はっ」

「使者をねぎらってやれ」

「はっ」

「書面をこれへ」

袁術は、ひらいて見ていたが、

「近習の者」

「はい」

「即時、城中の紫水閣へ、諸将に集まれと伝えろ」

袁術は気色を変えていた。

城内の武臣文官は、

「何事やらん？」と、ばかりに、蒼惶として、閣に詰め合った。

袁術は、曹操からきた書面を、一名の近習に読み上げさせた。

　劉玄徳、天子に奏し

　年来の野望を遂げんと

　南陽侵略の許しを朝に請う

　君と予とは

また、年来の心友
何ぞ黙視し得ん
ひそかに、急を告ぐ
乞う
油断あるなかれ

「聴かれたか。一同」と、次に袁術は声を大にし、面に朱をそそいで罵った。

「玄徳とは何者だっ。つい数年前まで、履を編み蓆を売っていた匹夫ではないか。先頃、みだりに徐州を領して、ひそかに太守と名のり、諸侯と列を同じゅうするさえ奇怪至極と思うていたに、今また、身のほどもわきまえず、この南陽を攻めんと企てておるとか。――天下の見せしめに、すぐ兵を向けて踏みつぶしてしまえ」

令が下ると、

「行けや、徐州へ」と、十万余騎は、その日に南陽の地を立った。

大将は、紀霊将軍だった。

一方、南下して来た玄徳の軍も、道を急いで来たので、両軍は臨淮郡の盱眙（安徽省・鳳陽県東方）というところで、果然、衝突した。

紀霊は、山東の人で、力衆にすぐれ、三尖の大刀をよく使うので勇名がある。

「匹夫玄徳、なにとて、わが大国を侵すか。身のほどをわきまえよ」

と、陣頭へ出て呼ばわると、

「勅命、わが上にあり。汝ら好んで逆賊の名を求めるか」

と、玄徳も云い返した。

紀霊の配下に荀正という部将がある。馬を駆って、躍り出し、

「玄徳が首、わが手にあり」

と、喚きかかった。

横合から、関羽が、

「うぬっ、わが君へ近づいたら眼がくらむぞ」と、八十二斤の青龍刀を舞わしてさえぎった。

「下郎っ、退けっ」

「汝ごときを、相手になされるわが君ではない。いざ来い」

「何を」

荀正は、関羽につりこまれて、つい玄徳を逃がしてしまったばかりでなく、勇奮猛闘、汗みどろにかかっても、遂に、関羽へかすり傷一つ負わせることができなかった。

戦い戦い浅い河の中ほどまで二騎はもつれ合って来た。関羽は、面倒くさくなったように、

「うおうーッ」

と獅子吼一番して、青龍刀を高く振りかぶると、ざぶんと、水しぶき血しぶき一つの中に、荀正を真二つに斬り捨てていた。

荀正が討たれ、紀霊も追われて、南陽の全軍は潰走しだした。淮陰のあたりまで退いて、陣容を立て直したが、玄徳あなどり難しと思ったか、それから矢戦にのみ日を送って、にわかに、押してくる様子も見えない。

四

さてまた。

留守城の徐州では、

「者ども、警備を怠るな」と、張飛は張切って、日夜、望楼に立ち、家兄玄徳の軍旅の苦労をしのんで、自分も軍衣を解いて牀に長々と寝るということもなかった。

「さすがは張将軍である」と、留守の将士も服していた。彼の一手一足に軍律は守られていた。

きょうも彼は、城内の防塁を見廻った。皆、よくやっている。城中でありながら士卒も部将も、野営同様に、土に臥し、粗食に甘んじている。

「感心感心」

彼は、士卒の中を、賞め歩いていた。——が、その感賞を、張飛は、言葉だけで、世辞のように振りまいて歩いているのは、なんだか気がすまなかった。

「弓も弦を懸けたままにしておいては、ゆるんでしまう。たまには、弦をはずして、暢びるのもよいことだ。——その代り、いざとなったら直ぐピンと張れよ」

こういって、彼は、封印しておいた酒蔵から、大きな酒瓶(さかがめ)を一箇、士卒に担わせて来て、大勢の真ん中へ置いた。

「さあ飲め、毎日、ご苦労であるぞ。——これは其方どもの忠勤に対する褒美だ。仲よく汲みわけて、今日は一献ずつ飲め」

「将軍、よろしいのですか」

部将は、怪しみ、かつ、おそれた。

「よいよい、おれが許すのだ。さあ卒ども、ここへ来て飲め」

もとより士卒たちは、雀躍(こおどり)してみなそこに集まった。——だが、それを眺めて、少しぼんやりしている張飛の顔を見ると、何か悪い気がして、

「将軍は、お飲(あが)りにならないのですか」と、訊ねた。

張飛は、首を振って、

「おれは飲まん、おれは杯を砕いておる」と、立ち去った。

しかし、他の屯(たむろ)へ行くと、そこにも不眠不休の士卒が、大勢、城壁を守っているので、

「ここへも一瓶持ってこい」

また、酒蔵から運ばせた。

彼方の兵へも、此方の兵へも、張飛は、平等に飲ませてやりたくなった。酒蔵の番をしている役人は、

「もう十七瓶も出したから、これ以上はおひかえ下さい」と、扉に封をしてしまった。

城中は、酒のにおいと、士卒たちの歓声に賑わった。どこへ行ってもぷんぷんと匂う。張飛は、身の置き所がなくなった。

「お一杯くらいはよいでしょう」

士卒のすすめたのを、つい手にして舌へ流しこむと、もうたまらなくなったものか、

「こらこらっ。その柄杓で、それがしにも一杯よこせ」

と、渇いている喉へ水でも流しこむように、がぶがぶ、立て続けに二、三杯飲んでしまった。

「なに、酒蔵役人がもう渡さんと。――ふ、ふ、不埒なことを申すやつだ。張飛の命令であるといって持ってこい。もし、嫌の応のといったら、一小隊で押しよせて、酒蔵を占領してしまえ。……あはははは」

幾つかの酒瓶を転がして、自分の肚も酒瓶のようになると、彼はしきりと、

「わははは。いや愉快愉快、誰か勇壮な歌でも唄え。其方どもがやったら俺もやるぞ」

酒蔵役人の注進で、曹豹が、びっくりして駆けつけて来た。見ればこの態たらくである。――唖然として呆れ顔していると、

「やあ、曹豹か。どうだ、君も一杯やらんか」

張飛が酒柄杓をつきつけた。

曹豹は、振り払って、

「これ！　貴公はもう忘れていたのか。あれほど広言した誓約を」

「なにをぶつぶついう。まあ一杯やり給え」

「馬鹿なっ」

「なに。馬鹿なとはなんだっ。この芋虫めッ」

いきなり酒柄杓で、曹豹の顔を撲りつけ、あッと驚くまに、足を上げて蹴倒した。

五

曹豹は、勃然と怒って、

「おのれ、なにとて我れを辱めるか。よくも衆の前で蹴ったな」

起き直って、つめ寄った。

張飛は、その顔へ、虹のような酒の息を吐きかけて、

「蹴倒したが悪いか。汝は文官だろう。文官のくせに、大将たる俺に向って、猪口才なことを申すからこらしめたまでだ」

「友の忠言を」

「貴様のような奴はわが友ではない。酒も飲めぬくせに」

とまた、鉄拳をふり上げて、曹豹の顔をはりとばした。

見るに見かねて、兵卒たちが、張飛の腕につかまったり腰にたかったりして止めようとしたが、

「ええい、うるさい」と、ひとゆすり体を振ると、みな振り飛ばされてしまった。

「わはははは、逃げやがった。見ろ、見ろ、曹豹のやつが、俺に撲られた顔を抱えて逃げてゆく態を。ああ愉快、あいつの顔はきっと、樽のようにふくれあがって、今夜一晩じゅうなって寝るにちがいない」

張飛は、手をたたいた。

そして兵隊を相手に、角力を取ろうと云いだしたが、誰も寄りつかないので、

「こいつら、俺を嫌うのか」と、大手をひろげて、逃げ廻る兵を追いかけまわした。まるで、鬼と子供の遊戯の図でも見るように。

一方の曹豹は、熱をもった顔を抱えて、どこやらへ姿を隠してしまったが、「……ウウム、無念だ」と、顔のずきずき痛むたびに、張飛に対する恨みが骨髄にまで沁みてきた。

「どうしてやろう？」

ふと、彼は怖ろしい一策を思いついた。早速、密書をしたためて、それを自分の小臣に持たせて、ひそかに、小沛の県城へ走らせた。

小沛までは、幾らの道のりもない。徒歩で走れば二刻、馬で飛ばせば一刻ともかからない。およそ四十五里（支那里）の距離であった。

ちょうど、呂布は眠りについたばかりのところだった。

そこへ腹心の陳宮が曹豹の小臣から事情を聞きとって、密書を手に、入って来た。

「将軍、お起きなさい。——将軍将軍、天来の吉報ですぞ」

「誰だ。……眠い。そうゆり起すな」

「寝ている場合ではありません。蹶起すべき時です」

「なんだ……陳宮か」

「まあ、この書面をご一読なさい」

「どれ……」と、ようやく身を起して、曹豹の密書を見ると、いま徐州の城は張飛一人が守っているが、その張飛も今日はしたたかに酒に酔い、城兵もことごとく酔い乱れている。明日を待たず兵を催して、この授け物を受けに参られよ。曹豹、城内より門を開いて呼応仕らん——とある。

「天の与えとはこのことです。将軍、すぐお支度なさい」

「待て待て。いぶかしいな。張飛はこの呂布を目の敵にしている漢だ。俺に対して油断するわけはないが」

陳宮がせきたてると、

「何を迷うておられるのです。こんな機会を逸したら、二度と、風雲に乗ずる時はありません」

「大丈夫かな?」

「常のあなたにも似合わぬことだ。張飛の勇は恐るべきものだが、彼の持ち前の酒狂は、以て此方の乗ずべき間隙です。こんな機会をつかめぬ大将なら、私は涙をふるってあなたの側から去るでしょう」

呂布もついに意を決した。

赤兎馬は、久しぶりに、鎧甲大剣の主人を乗せて、月下の四十五里を、尾をひいて奔った。

呂布につづいて、呂布が手飼いの兵およそ、八、九百人、馬やら徒歩やら、押っとる得物も思い思いに我れおくれじと徐州城へ向って馳けた。

六

「開門！　開門っ」

呂布は、城門の下に立つと、大声でどなった。

「戦場の劉使君より火急の事あって、それがしへ使いを馳せ給う。その儀について、張将軍に計ることあり。ここを開けられよ」と、打ち叩いた。

城門の兵は、楼からのぞいたが、なにやら様子がおかしいので、

「一応、張大将に伺ってみた上でお開け申す、しばらくそれにてお控えあれ」

と、答えておいて、五、六人の兵が、奥へ告げに行ったが、張飛の姿が見あたらない。

その間に、城中の一部から、思いもよらぬ喊の声が起った。曹豹が、裏切りをはじめたのである。

城門は、内部から開かれた。

「――それっ」とばかり呂布の勢は、潮のごとく入って来た。

張飛は、あれからもだいぶ飲んだとみえて、城郭の西園へ行って酔いつぶれ、折ふし夕方から宵月もすばらしく冴えていたので、

――ああいい月だ！

と、一言、独り語を空へ吐いたまま前後不覚に眠っていたのであった。

だから幾ら望楼の上だの、彼の牀のある閣などを兵が探しまわっても、姿が見えないはずだった。

そのうちに、

「……やっ？」

喊の声に、眼がさめた。――剣の音、戟のひびきに、愕然と突っ立ち上がった。

「しまッた！」

猛然と、彼は、城内の方へ馳けだして行った。

が、時すでに遅し――

城内は、上を下への混乱に陥っている。足につまずく死骸を見れば、みな城中の兵だった。

「うぬ、呂布だなっ」

気がついて、駒にとび乗り、丈八の大矛をひッさげて広場へ出てみると、そこには曹

豹に従う裏切者が呂布の軍勢と協力して、魔風の如く働いていた。

「目にもの見せん」と、張飛は、血しおをかぶって、薙ぎまわったが、いかんせん、まだ酒が醒めきっていない。大地の兵が、天空に見えたり、天空の月が、三ツにも四ツにも見えたりする。

いわんや、総軍のまとまりはつかない。城兵は支離滅裂となった。討たれる者より、討たれぬ前に手をあげて敵へ降服してしまう者のほうが多かった。

「逃げ給え」

「ともあれ一時ここを遁れて——」と、張飛を取り囲んだ味方の部将十八騎が、無理やりに彼を混乱の中から退かせ、東門の一ヵ所をぶち破って、城外へ逃げ走って来た。

「どこへ行くのだっ。——どこへ連れて行くのだ」

張飛は、喚いていた。

まだ酒の気が残っていて、夢でも見ているような心地がしているものとみえる。

すると、後ろから、

「やあ、卑怯だぞ張飛、返せ返せっ」と、百余騎ばかりを従えて、追いかけて来る将があった。

前の恨みをそそがんと、腕ききの兵ばかりを選りすぐって、追いつつみに来た曹豹であった。

「何を」

張飛は、引っ返すや否、その百余騎を枯葉のごとく蹴ちらして、逃げる曹豹を、真二つに斬りさげてしまった。

血は七尺も噴騰して月を黒い霧にかすめた。満身の汗となって、一斗の酒も発散してしまったであろう張飛は、ほっとわが姿を見まわして、

「ああ！」

急に泣きだしたいような顔をした。

母と妻と友

一

呂布は、呂布らしい爪牙をあらわした。猛獣はついに飼主の手を咬んだのである。

けれど彼は元来、深慮遠謀な計画のもとにそれをやり得るような悪人型ではない。猛獣の発作のごとく至って単純なのである。欲望を達した後は、ひそかに気の小さい良心にさえ咎められているふうさえ見える。

それかあらぬか、彼は、徐州城を占領すると、即日城門の往来や町の辻に、次のよう

な高札など建てて、自身の心に言い訳をしていた。

われ久しく玄徳が恩遇を享く。今、かくのごとしといえども、忘恩無情の挙にあらず、城中の私闘を鎮め、利敵の徒を追い、征後の禍根を除きたるまでなり。それ軍民ともに速やかに平日の務めに帰し、予が治下に安んぜよ。

公　布

呂布はまた、自身、城の後閣へ臨んで、

「婦女子の捕虜を手荒にいたすな」と、兵士たちを戒めた。

後閣には、玄徳の家族たちが住んでいた。しかし、落城と共に、召使いの婦女子を除いて、その余の主なる人々はみな逃げ落ちたことであろうと思っていたところ、意外にも、奥まったほの暗い一室に、どこか気品のある老母と若い美婦人と幼な児たちが、一かたまりになって、じっと、たたずんでいるのを見出した。

「お……おん身らは、劉玄徳の家族たちか」

呂布は、すぐ察した。

ひとりは玄徳の母。

その傍らにあるのは夫人。

手をひいている幼な児たちは玄徳の子であろう。

「………」

老母は、なにもいわない。

夫人もうつろな眼をしている。

ただ、白い涙のすじが、その頬をながれていた。そして、——どうなることか？と、恐怖しているものの如く、無言のうちに、微かなおののきを、その青白い顔、髪の毛、唇などに見せていた。

「ははは、あははは」

呂布は突然笑った。

わざと、笑いを見せるために笑ったのであった。

「夫人。ご母堂。——安心するがよい。わしは御身らのごとき婦女子を殺すような無慈悲な者ではない。……それにしても、主君の家族らを捨てて、逃げ落ちた不忠な奴輩は、どの面さげて、玄徳にまみえるつもりか、いかに狼狽したとはいえ、見さげ果てた者どもではある」

呂布は、傲然と、そう呟きながら、部将を呼んで、いいつけた。

「玄徳の老母や妻子を、士卒百人で守らせておけ、みだりにこの室へ人を入れたりなどしてはならんぞ。また、護衛の者どもも、無慈悲なことのないようにいたせよ」

呂布はまた、そう云いわたしてから、夫人と老母の姿を見直した。こんどは安心しているかと思ったからである。

——が、玄徳の母も、夫人の面も、石か珠のように、血の気もなく、また、何の表情も示さなかった。

涙のすじは、止めどなく、二つの面にながれている。そして物をいうことを忘れたように、唇をむすんでいた。

「安心せい。これで、安心したであろう」

呂布は恩を押売りするようにいったけれど、夫人も老母もその頭を下げもしなかった。歓びや感謝の念とは似ても似つかない恨みのこもった眼の光が、涙の底から針のように、呂布の面を、じっと射ていた。

「そうだ。これから俺はいそがしい身だ。――こらっ番士、きっと、護衛を申しつけたぞ」

呂布は、自分を誤魔化すように、そう云いちらして立ち去った。

二

さて、玄徳のほうでは、留守の徐州にそんな異変が起ったとは知るはずもなく、敵の紀霊(きれい)を追って、その日、淮陰(わいいん)の河畔へ陣をすすめていた。

黄昏(たそがれ)ごろ――

関羽は部下を従えて、一巡り前線の陣地を見廻って戻ってきた。

すると、歩哨の兵が、

「敵か」

「敵らしいぞ」と、野末(のずえ)のほうへ、小手をかざしてさわぎ合っている。

見ると、なるほど、舂きかけた曠野の果てから、夕陽を負ってとぼとぼとこっちへ向って来る一群れの人馬がある。

関羽も、いぶかしげに見まもっていたが、そのうちに、こちらからたしかめるべく馳けて行った兵が、

「張大将だ。張飛どのと、ほか十八騎の味方がやって来られるのだ」と、大声で伝えてきた。

「何。……張飛が来た？」

関羽はいよいよ怪しんだ。ここへ来るわけのない彼が来たとすればこれは、——吉事でないに決っている。

「何事が起ったのか？」

顔を曇らして待っていた。

程なく、張飛と、十七、八騎の者は、落武者の姿もみじめに、それへ来て駒を下りた。

関羽は、彼の姿を見たとたんに、胸へずきと不吉な直感をうけた。いつもの張飛とは別人のようだからである。元気もない。ニコともしない。——あの豪放磊落な男がしおれ返って、自分の前に頭を下げているではないか。

「おい、どうしたんだ」

肩を打つと、張飛は、

「面目ない、生きてお身や家兄に合わせる顔もないんだが、……ともかく罪を謝すために、恥をしのんでこれまでやって来た。どうか、家兄に取次いでくれい」と、力なく云った。

兎も角と、関羽は張飛をともなって玄徳の幕舎へ来た。玄徳も、

「え。張飛が見えたと？」

驚きの目で彼を迎えた。

「申しわけございません」

張飛は平蜘蛛（ひらぐも）のようにそれへ平伏して、徐州城を奪われた不始末を報告した。――あれほど誓った禁酒の約を破って、大酔したことも、正直に申し立てて面も上げず詫び入った。

「……………」

玄徳は黙然としていたが、やがて訊ねた。

「ぜひもない。だが母上はどうしたか。わが妻子は無事か。母や妻子さえ無事ならば、一城を失うも時、国を奪わるるも時、武運だにあらばまたわれにかえる時節もあろう」

「……………」

「張飛。なぜ答えぬか」

「……はい」

張飛らしくもない蚊の啼くような声だ。彼は鼻をすすって泣きながら云った。

「愧死しても足りません。大酔していたため、ついその……後閣へ馳って、城外へお扶けするいとまもなく」

聞くや否、関羽は急きこんで、

「では、ご母堂も、ご夫人も、お子様たちも、呂布の手にゆだねたまま、汝れひとり落ちてきたのかっ」

と赫となった。

「ああっ、この俺はどうしてこんな愚物に生れてきたか、家兄おゆるし下さい。——関羽、嘲ってくれい」

張飛は、泣きながら、そう叫んで、二つ三つ自分の頭を自分の拳で撲りつけたが、それでもまだ「愚鈍なる我」に対して腹が癒えないとみえて、やにわに剣を抜いて、自ら自分の首を刎ね落そうとした。

三

突然、剣を抜いて、張飛が自刃しようとする様子に、玄徳は、びっくりして、

「関羽。止めよっ」と、叫んだ。

あっと、関羽は、張飛の剣を奪り上げて、

「何をするっ。莫迦なっ」と、叱りつけた。

張飛は、身もだえして、

「武士の情けに、その剣で、この頭を刎ね落してくれ。なんの面目あって生きていられようか」

と、慟哭した。

玄徳は、張飛のそばへ歩み寄って、病人をいたわるような言葉でいった。

「張飛よ。落着くがいい。いつまで返らぬ繰り言をいうのではない」

優しくいわれて、張飛はなおさら苦しげだった。むしろ笞で打ッて打ッて打ちすえてほしかった。

玄徳は膝を折って彼の手を握り取り、しかと、手に力をこめて、

「古人のいった言葉に——兄弟ハ手足ノ如ク、妻子ハ衣服ノ如シ——とある。衣服はほころぶもこれを縫えばまだまとうに足る。けれど、手足はもしこれを断って五体から離したならいつの時かふたたび満足に一体となることができよう。——忘れたか張飛。われら三人は、桃園に義を結んで、兄弟の杯をかため、同年同日に生るるを求めず、同年同日に死なんと——誓い合った仲ではなかったか」

「……はっ。……はあ」

張飛は大きく嗚咽しながらうなずいた。

「われら兄弟三名は、各〻がみな至らない所のある人間だ。その欠点や不足をお互いに補い合ってこそ始めて真の手足であり一体の兄弟といえるのではないか。そちも神ではない。玄徳も凡夫である。凡夫のわしが、何を以て、そちに神の如き万全を求めよう

か。——呂布のために、城を奪われたのも是非のないことだ。またいかに呂布でも、なんの力もない我が母や妻子まで殺すような酷いこともまさか致しはすまい。そう嘆かずと、玄徳と共に、この後とも計をめぐらして、我が力になってくれよ。……張飛、得心が参ったか」

「……はい。……はい。……はい」

張飛は、鼻柱から、ぽとぽとと涙を垂らして、いつまでも、大地に両手をついていた。

玄徳のことばに、関羽も涙をながし、そのほかの将も、感に打たれぬはなかった。

その夜、張飛はただ一人、淮陰の河べりへ出て、なお、哭き足らないように月を仰いでいた。

「愚哉！　愚哉！　……おれはどこまでも愚物だろう。死のうとしたのも愚だ。死んだら詫びがすむと考えたのも、実に愚だ。——よしっ、誓って生きよう。そして家兄玄徳のために、粉骨砕身する。それこそ今日の罪を詫び、今日の辱をそそぐものだ」

大きな声で、独り言を洩らしていた。その顔を、ほとりにいた馬が、不思議そうにながめていた。

馬は月に遊んでいた。河の水に戯れ、草を喰んで、明日の英気を養っているかに見える。

——その夜、合戦はなかった。

次の日も、これというほどな戦いもない。前線の兵は、敵もうごかず味方も動かずであった。時おり、矢と矢が交わされる程度で、なお、幾日かを対陣していた。

ところが。

その間に、早くも、袁術のほうでは、手をまわし徐州の呂布へ、外交的に働きかけていた。

「もし足下が、玄徳の後ろを攻めて、わが南陽軍に利を示すならば、予は戦後君に対して、糧米五万石、駿馬五百匹、金銀一万両、緞子千匹を贈るであろう」

という好餌をもって、呂布を抱きこみにかかったのである。

四

勿論、呂布はよろこんで袁術から申し出た密盟に応じた。

すぐ、部下の高順に、三万の兵をさずけて、

「玄徳の後ろを襲え」と、盱眙へ急がせた。

盱眙の陣にあった玄徳は、早くもその情報を耳にして、

「如何にしたものか」を、幕僚に諮った。

張飛、関羽は口をそろえて、

「たとえ前後に敵をうけて、不利な地に立つとも、紀霊、高順の徒、何ほどのことかあらん」

と、悲壮な臍をかためて、乾坤一擲の決戦をうながしたが、玄徳は、

「いや、いや。ここは熟慮すべき大事なところだろう。どうもこの度の出陣は、何かと物事が順調でなかった。運命の波長が逆に逆にとぶつかってくる。思うに今、玄徳の運命は順風にたすけられず、逆浪にもてあそばれる象である。——天命に従順になろう。強いて破船を風浪へ向けて自滅を急ぐは愚である」と、説いて、自重することを主張した。

「わが君に戦意がないものを、どうしようもあるまい」

と、ほかの幕将たちは、張飛や関羽をなだめて、評議は、逃げ落ちることに一決した。

大雨の夜だった。

淮陰の河口は大水があふれて、紀霊軍も追撃することはできなかった。その暴風雨の闇にまぎれて、玄徳は、盱眙の陣をひきはらい、広陵の地方へ落ちて行った。

高順の三万騎が、ここへ着いたのは翌る日だった。みれば、草はみな風雨に伏し、木は折れ、河はあふれて、人馬の影はおろか、陣地の跡に一塊の馬糞もなかった。

「敵は、高順の名を聞いただけで逃げ落ちてしまったぞ、なんと笑止なことではないか」

高順は早速、紀霊の陣へ出向いて、紀霊と会見の後で、

「約束のごとく、玄徳の軍を追い落したから、ついては、条件の金銀粮米、馬匹、絹布

などの品々を頂戴したい」と、申し出た。

すると紀霊は、

「やあ、それは主人袁術（えんじゅつ）と、ご辺の主君呂布との間で結ばれた条件であろうが、このほうはまだ聞いていない。また聞いていたところで、そんな多額な財貨をそれがし一存でどうしようもない。いずれ帰国の上、主人袁術へ申しあげておくから、尊公もひとまずお帰りあって、何ぶんの返答をお待ちあるがよかろう」と、答えた。

無理もない話なので、高順は、徐州へ立ち帰って、そのとおりに呂布へ復命しておいた。

ところが、その後、袁術から来た書簡をひらいて見ると、

玄徳、今、広陵にひそむ
速やかに彼が首を挙げ、
先に約せる財宝を購（あがな）え。
価（あたい）を払わずして、
何ぞ、求むるのみを知るや。

「なんたる無礼な奴だろう。おれを臣下とでも思っているのか、自分のほうから提示した条件なのに、欲しければ、玄徳の首を値に持ってこいと、人を釣るようなこの文言は何事か」

呂布は、忿怒（ふんど）した。

われを欺いた罪を鳴らし、兵を向けて、袁術を打ち破らんとまで云いだした。

例によって、彼の怒りをなだめる役は、いつも陳宮であった。

「袁一門には、袁紹という大物がいることを忘れてはいけません。袁術とても、あの寿春城に拠って、今河南第一の勢いです。——それよりは、落ちた玄徳を招いて、巧みに用い、玄徳を小沛の県城に住まわせて、時節をうかがうことです。——時到らば兵を起し、玄徳を先手とし、袁術を破り、次いで、袁閥の長者たる袁紹をも亡ぼしてしまうのです。さもあれば天下の事、もう半ばは、あなたの掌にあるではありませんか」

五

翌日。呂布の使いは、広陵（江蘇省・楊州）へ立った。

玄徳は、その後、わずかな腹心と共に、広陵の山寺にかくれていた。

乱世の慣いとはいえ、一歩踏みはずすと、その顚落は実に早い。三日大名、一夜乞食ということは当時の興亡浮沈にただよわされていた無数の英雄門閥の諸侯にそのまま当てはまっている言葉だった。

玄徳といえども、その風雲の外にはいられなかった。あれから袁一門の部族からこごも奇襲をうけて、敗亡また敗亡の非運をつづけていた。——食糧と財がなければ、兵はみな馬や武器を盗んで、

「今が見限り時」とばかり、陣を脱して逃亡してしまうのも、当り前のようにしている

彼らの乱世生活であった。

山深く、廃寺の奥にひそんで、玄徳が身辺を見まわした時は、関羽、張飛、そのほか十数名の直臣と、数十騎の兵しか残っていなかった。

そこへ、呂布の使いが来た。

「また、何か詐わりを構えて来たのだな」

関羽は、その内容の如何を問わず反対した。張飛もまた、

「家兄、行ってはなりませんぞ」と、止めた。

「否とよ」

が、玄徳は、彼らをなだめて、呂布の招きに応じようとした。その理由は、

「すでに、彼も善心を起して、自分へ情けを寄せてきたのだ。人の美徳を辱めるのは、人間の良心へ唾することになろう。この暗澹たる濁世にも、なお、人間の社会が獣にまで堕落しないのは、天性いかなる人間にも、一片の良心は持って生れてきているからである。――だから人の良心と美徳は尊ばねばならぬ」と、いうのであった。

張飛は、蔭で舌打ちした。

「すこし兄貴は孔子にかぶれておる。武将と孔子とは、天職がちがう。――関羽、貴様もよくないぜ」

「なぜ俺が悪い？」

「閑があると、おぬしは自分の趣味で、兄貴へ学問のはなしをしたり、書物をすすめた

りするからいけないんだ。――なにしろおぬしも根は童学草舎の先生だからな」

「ばかをいえ、じゃあ、武ばかりで文がなかったら、どんな人物ができると思う。ここにいる漢みたいな人間ができはせんか」

と関羽は指で張飛の鼻をそっと突いた。張飛は、ぐっと詰って、鼻をへこましてしまった。

日を改めて、玄徳は、徐州の境までおもむいた。

呂布は、玄徳の疑いを解くために、まず途中まで彼の母堂、夫人などの家族を送って対面させた。

玄徳は、母と妻とを、両の手に迎え入れ、わが子にまつわられながら、

「オオ、有難いことよ」と、皆の無事を、天に謝した。

夫人の甘氏と糜氏は、

「呂布は、わたし達の門を守らせて、時おり、物を贈って、よく見舞ってくれました」

と、告げた。

やがてまた、呂布自身、玄徳を城門に出迎えて、

「自分は決して、この国を奪うたのではない。城内に私闘が起って、自壊の兆しがみえたから、未然に防いで、暫時守備の任に当っていたまでである」と、言い訳した。

「いや、私は初めから、この徐州は、将軍に譲ろうと思っていたくらいですから、むしろ適当な城主を得たとよろこんでいる程です。どうか、国を隆盛にし、民を愛して下さ

い」

呂布は、心とは反対に、再三辞退したが、玄徳は、彼の野望を満足さすべく、身を退いて、小沛の田舎城にひき籠ってしまった。そしてしきりと憤慨する左右の者をなだめて、こういった。

「身を屈して、分を守り、天の時を待つ。――蛟龍の淵にひそむは昇らんがためである」

大江の魚

一

大河は大陸の動脈である。

支那大陸を生かしている二つの大動脈は、いうまでもなく、北方の黄河と、南方の揚子江とである。

呉は、大江の流れに沿うて、「江東の地」と称われている。

ここに、呉の長沙の太守孫堅の遺子孫策も、いつか成人して、当年二十一歳の好青年となっていた。

「彼は、親まさりである。江東の麒麟児とは、彼であろう」

世間でも、父の遺臣の中でも、彼の成長に期する者は多かったが、如何せん、父孫堅の屍を曲阿の原に葬って、惨たる敗軍をひいて帰ったその年は、まだ年歯わずか十七歳で――。以来、賢をあつめ、兵を練り、ひそかに家名の再興を計っていたが、逆境のつづく時はどうしようもなく、遂にその後長沙の地を守りきれない悲運に会してしまった。

「時節が来たらお迎えに来ますから、しばらく、田舎に隠れていて下さい」

彼は、老母と一族を、曲阿の身寄りへあずけておいて、十七歳の頃から諸国を漂泊した。

ひそかに誓う大志を若い胸に秘めて、国々の人情、地理、兵備などを見て歩いた。いわゆる武者修行の辛酸をつぶさになめて遍歴したのである。

そして、二年ほど前から、淮南に足をとめて、寿春城の袁術の門に、食客として養われていた。

袁術と、亡父孫堅とは、交わりのあった仲であるのみならず、孫堅が劉表と戦って、曲阿の地で討死したのも――まったく袁術の使嗾があの合戦の動機でもあったから、――袁術も同情して、

「わが手許におるがよい」と、特にひきとめて、子の如く愛していたのであった。

その間、涇県の戦に出て、大功をあらわし、盧江の陸康を討伐に行って、比類なき戦績をあげた。

平常は書をよみ、挙止物静かで、よく人に愛賢を持っていたので、ここでも、

「彼は、大江の鱖魚*だ」と、人々に嘱目されていた。

その孫策は、ことし二十一。――暇あれば、武技を練り、山野に狩猟して、心身を鍛えていたが、その日も、わずかな従者をつれて、伏牛山に一日を狩り暮し、

「ああ、くたびれた」と、中腹の岩に腰かけて、荘厳なる落日の紅雲をながめていた。

袁術の州府寿春城から淮南一帯の町々や部落は、目の下に指される。

――うねうねとそこを流れている一水は淮河の流れである。

淮河は狭い。

大江の流域からくらべれば比較にならないほどである。しかし、孫策は、

「ああ、いつの日か、大江の水にのせて、わが志を展べる時が来ることか」

と、すぐ江東の天に思いを馳せずにはおられなかった。

「曲阿の母は」と憶いに沈み、

「いつ、恥なき子として、父の墳墓の草を掃くことができるだろうか」と独り嘆じていた。

すると、物蔭に休んでいた従者のひとりがさがさと、歩み寄ってきて、

「御曹司、なにを無益に嘆き給うか。――あなたは、前途ある青年ではないか。この落

日は明日のない落日ではありませんぞ」と、いった。

誰かと驚いてみると、朱治字は君理、その以前、父孫堅の家臣のひとりだったという者である。

「おお、君理か。きょうも一日暮れてしまった。山野を狩りして何になろう……。わしは毎日空しくこういう日を過しているのが、天地にすまない気がするのだ。一日として、それを心に詫びない日はない、いたずらに、慕郷の情にとらわれて、女々しく哭いているわけではないよ」

孫策は、真面目にいった。

二

君理は、孫策の意中を聞くと、共に嘆じた。

「ああ、やはりそうしたお心でしたか。少年日月早し。——鬱勃たるお嘆きはけだし当然です」

「わかるだろう、君理。……わしの悶々たる胸のうちが」

「日頃から拝察しています。わたくしも、呉に生れた一人ですから」

「祖先の地を失って、他国の客となり、青春二十一、なお空しく山野に鳥獣をおう。……ああ、わしは考えると、今の境遇に耐えられなくなる」

「御曹司……孫策様……。それほどまでに思し召すなら、なぜ大丈夫たるもの、思いきって、亡き父上の業を継ごうとしないのです」

「でも、わしは一介の食客だ。いかに袁術が可愛がってくれても、わしに獣をおう狩猟弓は持たせても、大事を興す兵馬の弓箭は持たせてくれない」

「ですから、その温床に甘えてはいけません。——あなたを甘やかすもの、愛撫するもの、美衣美食、贅沢な生活。すべてあなたの青春を弱める敵です」

「でも、袁術の情けにも、裏切れない」

「そんな優柔不断は、ご自身で蹴ってしまわなければ、生涯、碌々と終るしかありますまい。——澎湃たる世上の風雲をごらんなさい、こういう時代に生れ会いながら、綿々たる愚痴にとらわれていてどうなりましょう」

「そうだ。真実、わしもそれを痛感しているのだ。——君理、どうしたらわしは、何不自由もない今の温床を脱して、生きがいのある苦難と闘う時代の子となれるだろうか」

「あなたの叔父様に、不運な方があるでしょう。——え、丹陽の太守であった」

「ウむ。母方の叔父、呉景のことかね」

「そうです。呉景どのは今、丹陽の地も失って、落ちぶれているとか伺いましたが……その逆境の叔父御を救うためと称して、袁術に暇を乞い、同時に兵をお借りなさい」

「なるほど！」

孫策は、大きな眼をして、夕空を渡る鳥の群れを見あげながらじっと考えこんでいた。

すると、さっきから木陰にたたずんで、二人の話を熱心に立ち聞きしていたものがある。

二人の声が途切れると、ずかずかとそれへ出てきて、

「やよ、江東の麒麟児、なにをためらうことがあろう。父業を継いで起ち給え。不肖ながらまず第一にわが部下の兵百余人をつれて、真っ先に力をそえ申そう」と、唐突にいった。

驚いて、二人が、

「何者？」

と、その人を見れば、これは袁術の配下で、この辺の郡吏を勤めている呂範字を子衡という男であった。

（子衡はひとかどの謀士である）と家中でもその才能は一部から認められていた。孫策は、この知己を得て、非常な歓びを覚えながら、

「そちもまた、わが心根をひそかに憐れむ者か」と、いった。

子衡は、誓言を立てて、

「君、大江を渡るなれば」と、孫策を見つめた。

孫策は、火の如き眸に答えながら、

「渡らん、渡らん、大江の水、溯らん、溯らん、千里の江水。——青春何ぞ、客園の小池に飼われて蛙魚泥貝の徒と共に、惰眠をむさぼらんや」

と叫ぶと、忽然と起って、片手の拳を天に振った。

子衡は、その意気をおさえて、

「しかし、孫策様。てまえが推量いたすに、袁術は、決して兵を貸しませんぞ。なんと頼んでも、兵だけは貸しません。——その儀はどうなさいますか」

「心配するな。覚悟さえ決めたからには、この孫策に考えがある」

弱冠、早くも孫策は、この一語のうちに、未来の大器たるの片鱗を示していた。

三

「どうして袁術から兵をお借りになりますか」

子衡、君理のふたりは、孫策の胸をはかりかねて、そう質した。すると孫策は、

「袁術が日頃から欲しがっている物を、抵当として渡せば、必ず兵を借りうけられよう」

と、自信ありげに微笑した。

——袁術の欲しがっている物？

二人は小首をかしげたが分らなかった。さらに、それはなにかと訊くと、孫策は自分の肌を抱きしめるようにして、

「伝国の玉璽！」

と、強くいった。

「えっ？　……玉璽ですって」

二人は疑わしげな顔をした。

玉璽といえば、天子の印章である。国土を伝え、大統を継ぐにはなくてはならない朝廷の宝器である。ところがその玉璽は、洛陽の大乱のみぎりに、紛失したという沙汰がもっぱらであった。

「ああ。では……伝国の玉璽は、今ではあなたのお手にあったのですか」

子衡はうなるように訊ねた。――洛陽大乱の折、孫策の父孫堅が、禁門の古井戸から発見して、それを持って国元へ逃げたという噂は当時隠れもないことであった。子衡はふと、その頃の風説を思い起したのであった。

孫策は、あたりを見廻して、

「ウム。これに」と、ふたたび自分の胸をしかと抱いて見せながら云いだした。

「亡父孫堅から譲られて、常に肌身に護持しておるが、いつか袁術はそれを知って、この玉璽に垂涎を禁じ得ないふうが見える。――元々、彼は身の程も知らず、帝位に即こうとする野心があるので、それには、玉璽をわが物にしなければと考えておるものらしい」

「なるほど、それで読めました。袁術があなたを我が子のように愛しているわけが」

「彼の野心を知りながら、知らぬような顔をしていたればこそ、自分も無事にきょうまで袁術の庇護をうけてこられたのだ。いわばこの身を守り育ててくれたのは、玉璽のお蔭といってよい」

「しかし、その大切な玉璽を、袁術の手へ、お渡しになるご決心ですか」

「いかに大事な品であろうと、この孫策は、一箇の小筐の中になど大志は寄せぬ。わが大望は天地に持つ」

孫策の気概を見て、二人はことごとく心服した。その日、三名のあいだに、約束はすっかりできていた。

日を経て、孫策は、寿春城の奥まった所で、袁術にこう訴えた。

「いつか三年のご恩になりました。そのご恩にも酬いず、こういうお願いをするのは心苦しいきわみですが、先ごろ、故郷から来た友達の話を聞くと、叔父の呉景が、楊州の劉繇に攻めたてられ、身の置き所もない逆境だということです。曲阿にのこしてある私の母や叔母や幼い者たちも、一家一族、非運の底におののいていると聞きます……」

孫策はさしうつ向いて、涙声になりながら云いつづけた。

「――お蔭で私も、はや二十一となりましたが、未だ父の墓も掃かず、日々安閑としているのは、もったいなくもあり、また、腑がいない心地もします。どうか一軍の雑兵を私にお貸し下げください。江を渡って、叔父を救け、いささか亡父の霊をやすめ、せめて母や妹たちの安穏を見て再び帰って参りますから」

彼は、そう云い終ると、黙然と考えこんでいる袁術の眸の前へ――伝国の玉璽の入っている小筐をうやうやしくささげて出した。

眼は心の窓という。一目それを見ると、袁術の顔はぱっと赭くなった。つつみきれない歓びと野望の火が、眸の底に赫々とうごいた。

四

「この玉璽を質としてお手にあずけておきますから、願いの儀を、どうかお聞き届けくださいまし」

孫策がいうと袁術は、

「何。玉璽をわしの手に預けたいと？」

待っていたといわぬばかりな口ぶりで快諾した。

「よいとも、よいとも、兵三千に、馬五百匹を貸し与えよう。……それに、官爵の職権もなくては、兵を下知するに、威が届くまい」

袁術は、多年の野望がかなったので、孫策に、校尉の職を与え、また殄寇将軍の称をゆるした上、武器馬具など、すべて整えてくれた。

孫策は、勇躍して、即日、勢を揃えて出立した。

従う面々には、先の君理、子衡をはじめとして、父の代から仕えて、流浪中も彼のそばを離れずにきた程普、黄蓋、韓当などの頼もしい者もいた。

暦陽（江西省）のあたりまで来ると、彼方から一面の若武者が来て、

「おっ、孫君」と、馬を下りて呼んだ。

見れば、姿風秀麗、面は美玉のごとく、年頃も孫策と同じくらいな青年だった。

「やあ、周君か。どうしてここへ来たか」

なつかし気に孫策も馬を下りて、手を握り合った。

彼は廬江（安徽省）の生れで、周瑜字を公瑾といい、孫策とは少年時代からの竹馬の友だったが、その快挙を聞いて、共に助けんと、ここまで急いで来たのだと語った。

「持つべきものは友だ。よく来てくれた。どうか＊一臂の力をかしてくれ給え」

「もとより君のためなら犬馬の労もいとわないよ」

ふたりは駒を並べて進みながら睦まじそうに語らった。

「時に君は、江東の二賢を知っているか」

周瑜のことばに、

「江東の二賢とは？」

「野に隠れている二人の賢人さ。ひとりは張昭といい、ひとりは張紘という。だから江東の二張とも称ばれている」

「そんな人物がいるのか」

「ぜひ二賢を招いて、幕僚に加え給え。張昭は、よく群書をみて、天文地理の学問に明らかなんだし、また張紘のほうは、才智縦横、諸経に通じ、説を吐けば、江東江南の百家といえど彼の右に出る者はない」

「どうしたらそんな賢人を招けるだろうか」

「権力をもってのぞんでもだめだし、財物を山と運んでも動くまい、人生意気に感ず──ということがあるから、君自身が行って、礼をつくし、深く敬って、君の抱懐している真実を告げるんだね。……そしたら事によると、起つかも知れない」

孫策は、よろこんで、やがてその地方に至ると、自身、張昭の住んでいる田舎を訪れ、その隠棲の閑居をたずねた。

彼の熱心は、遂に張昭をうごかした。

「どうか、若年の私を叱って、父の讐を報じさせて下さい」

その言葉が、容易に出ない隠士張昭を起たせたのである。

また。

その張昭と周瑜を使いとして、もう一名の張紘をも説かせた。

彼の陣中には、望みどおりの二賢人が、左右の翼となって加わった。

張昭を、長史中郎将と敬い、張紘を参謀正義校尉と称えて、いよいよ一軍の偉容はととのった。

さて、そこで。

孫策が、第一の敵として、狙いをつけたのは叔父呉を苦しめた楊州の刺史劉繇である。

劉繇は、揚子江岸の豪族であり、名家である。

血は漢室のながれを汲み、兗州の刺史劉岱は、彼の兄にあたる者だし、太尉劉寵は、伯父である。

そして今、大江の流れに臨む寿春（江西省・九江）にあって、その部下には、雄将が多かった。——それを正面の敵とする孫策の業もまた難い哉といわなければならない。

神亭廟

一

牛渚（安徽省）は揚子江に接して後ろには山岳を負い、長江の鉄門といわれる要害の地だった。

「——孫堅の子孫策が、南下して攻めて来る！」

と、聞え渡ると、劉繇は評議をひらいて、さっそく牛渚の砦へ、兵糧何十万石を送りつけ、同時に、張英という大将に大軍を授けて防備に当らせようとした。

その折、評議の末席にいた太史慈は、進んで、

「どうか、自分を先鋒にやって下さい。不肖ながら必ず敵を撃破して見せます」

と、希望したが、劉繇はじろりと、一眄したのみで、「そちにはまだ資格はない」と、

一言のもとに退けた。

太史慈は顔を赧らめて沈黙した。彼はまだ三十歳になったばかりの若年だし、劉繇に仕えてから年月も浅い新参でもあったりするので、

「さし出がましい者」という眼で大勢に見られたのを恥じたような態であった。

張英は、牛渚の要塞にたてこもると、邸閣とよぶ所に兵糧を蓄えて、悠々と、孫策の軍勢を待ちかまえていた。

それより前に、孫策は、兵船数十艘をととのえて、長江に泛かみ出て、舳艫をつらねて溯江して来た。

「オオ、牛渚だ」

「物々しい敵の備え」

「矢風にひるむな。――あの岸へ一せいに襲せろ」

孫策を始め、子衡、周瑜などの将は、各〻、わが船楼のうえに上って、指揮しはじめた。

陸地から飛んで来る矢は、まるで陽も晦くなるくらいだった。

舷を搏つ白浪。

岸へせまる鬨の声。

「つづけや、我に」

とばかり早くも孫策は、舳から陸地へ跳び降りて、むらがる敵のうちへ斬って入る。

「御曹司を討たすな」と、他の船からも、続々と、将兵が降りた。また、馬匹が上げられた。

味方の死骸をこえて、一尺を占め、また死骸をふみこえて、十間の地を占め——そうして次第に全軍は上陸した。

中でも、その日、目ざましい働きをしたのは孫策軍のうちの黄蓋だった。

彼は、敵将張英を見つけて、

「ござんなれ」と、奔馬をよせて斬りかけた。

張英も豪の者、

「なにを」と、喚きあって、力戦したが、黄蓋にはかなわなかった。馬をめぐらして急に味方の中へ逃げこむと、総軍堤の切れたように敗走しだした。

ところが。

牛渚の要塞へと逃げて来ると、城門の内部や兵糧庫のあたりから、いちめんの黒煙があがっていた。

「や、や、何事だ」

張英が、うろたえていると、要塞の内から、味方の兵が、

「裏切者だっ」

「裏切者が火を放った」と、口々にさけびながら煙と共に吐き出されてきた。

火焔はもう城壁の高さを越えていた。

張英は、逃げまどう兵をひいて、ぜひなく山岳のほうへ走った。——振りかえれば、勢いに乗った孫策の軍は、おそろしい迅さで追撃して来る。

「いったい何者が裏切りしたのか。いつの間に、孫策の手が味方の内へまわっていたのだろうか？」

山深く逃げこんだ張英は、兵をまとめて一息つくと共に、何か、魔に襲われたような疑いにつつまれて、敗戦の原因を考えこんでいた。

二

孫策の軍は、大勝を博したが、その日の大勝は、孫策にとっても、思いがけない奇捷であった。

「いったい城中よりの火の手をあげて、われに内応したのは何者か」と、いぶかっていると、搦手の山道からおよそ三百人ほどの手下を従えて、鉦鼓をうち鳴らし、旗をかかげ、

「おーい。箭を放つな。おれ達は孫将軍のお味方だ。敵の劉繇の手下と間違えられては困る」

呶鳴りながら降りてくる一群の兵があった。

やがてその中から、大将らしい者が二人。

「孫将軍に会わせてくれ」と、先へ進んできた。

孫策は、近づけて、その二人を見るに、ひとりは、漆を塗ったような黒面に、太くして偉なる鼻ばしらを備え、髯は黄にして、鋭い犬歯一本、大きな唇をかんでいるという——見るからに猛気にみなぎっている漢だった。

また、もうひとりのほうは、眼朗らかに、眉濃く、背丈すぐれ、四肢暢びやかな大丈夫で、両名とも、孫策の前につくねんと立ち、

「やあ、お初に」

「あなたが孫将軍で」

と、礼儀もよくわきまえない野人むきだしな挨拶の仕振りである。

「君たちは、一体、誰かね」

孫策が、訊ねると、大鼻の黒面漢が、先に答えた。

「おれたち二人は、九江の潯陽湖に住んでいる湖賊の頭で、自分は公奕といい、ここにいるのは弟分の幼平という奴です」

「ホ、湖賊？」

「湖に船をうかべて住み、出ては揚子江を往来する旅泊の船を襲い、河と湖水を股にかけて稼いできたんでさ」

「わしは良民の味方で、良民を苦しめる賊はすなわち我が敵だ。白昼公然と、わが前に現れたは何の意か」

「いや、実あ今度お前さんがこの地方へ来ると聞いて、弟分の幼平と相談したんでさ。

——いつまで俺たちも湖賊でもあるまいとね。それと、孫堅将軍の子ならきっと一かど（ひと）の者だろう。征伐されちゃあたまらない。それよりいッそ足を洗って、真人間に返ろうじゃねえかというわけで」

「ふム」

孫策は、苦笑した。そしてその正直さを愛した。

「——それにしても、手ぶらで兵隊の中へ加えておくんなせえといってでるのも智慧がなさ過ぎる。何か一手柄（ひとてがら）たててそれを土産に家臣に加えてくれといえば待遇もいいだろう。——よかろう。やろうというわけで、一昨日（おととい）の晩から、牛渚（ぎゅうしょ）の砦（とりで）の裏山へ嶮岨（けんそ）をよじて潜（もぐ）りこみ、きょうの戦で、城内の兵があらかた出たお留守へ飛びこみ、中から火をつけて、残っている奴らをみなごろしに片づけてきたという次第なんで……。へい。どんなもんでしょうか御大将。ひとつ、あっしどもを、旗下に加えて使っておくんなさいませんか」

「はっははは」

孫策は、手をたたいて、傍らにいる周瑜（しゅうゆ）や謀士の二張をかえりみながら、

「どうだ、愉快な奴どもではないか。——しかし、あまり愉快すぎるところもあるから、貴公らの仲間に入れて、すこし武士らしく仕込んでやるがいい」と、いった。

随身を許されて、二人は、喜色をたたえながら、いかめしい顔を並べている諸将へ向って、

「へい、どうかまあ、これからひとつ、ご昵懇におねがい申します」

と、仁義を切るようなお辞儀をした。

一同もふき出した。けれど、当人は大真面目である。のみならず敵の兵糧倉からは兵糧を奪い取ってくるし、附近の小賊や、無頼漢などを呼び集めてきたので、孫策の軍は、たちまち四千以上の兵力になった。

三

鉄壁と信じていた防禦線の一の砦が、わずか半日のまに破られたと聞いて、劉繇は、

「一体味方の勢はいたのか、いないのか」と愕然、色を失った。

そこへ張英が、敗走の兵と共に、霊陵城へ逃げこんで来たから、彼の憤怒はなおさらであった。

「なんの顔容あって、おめおめ生き返ってきたか。手討ちにして、衆人の見せしめにせん」

とまで息まいたが、諸臣のなだめに、張英はようやく一命を助けられた。

動揺は甚だしい。

そこでにわかに霊陵城の守りをかため直し、劉繇みずから陣中に加わって、神亭山の南に司令部をすすめた。

孫策の兵四千余も、その前日、神亭の山の北がわへ移動していた。

そこに駐軍してから数日後のこと、孫策は土地の百姓の長をよんで訊ねていた。

「この山には、後漢の光武帝の御霊廟があるとか、かねて聞いていたが、今でもその廟はあるのかね」

「へい、御霊廟は残っておりますが、誰も祭る者はございませぬので、いやもうひどく荒れておりまする」

「嶺の上か。そこは」

「頂上よりは下った中腹で、そこへ登りまするると、鄱陽湖から揚子江のながれは目の下で、江南江北も一目に見わたされまする」

「明日、われをそこへ案内せい。自身参って、廟を掃い、いささか心ばかりの祭をいたすであろう」

「かしこまりました」

里長が帰って行った後で、張昭は、彼に諫めた。

「廟の祭をなさるのも結構ですが、戦終った後でなされてもいいでしょう」

「いや、急になにか、詣でたくなった。行かないと気がすまない」

「それはまた、なぜですか」

「ゆうべ夢を見た」

「夢を？」

「光武帝がわが枕元に立たれて、招くかと思えば、松籟颯々と、神亭の嶺に、虹のごとき光を曳いて見えなくなった」

「……でも今、山の南には、劉繇が本陣をすすめております。途中もし伏勢にでもお遇い遊ばしたら」

「いやいや、われには神明の加護がある。神の招きによって、神の祭に詣ずるのだ。なんの怖れやあろう」

次の日。――約束の里長を案内者として、彼は騎馬で山道へ向った。

随従の輩には、程普、黄蓋、韓当、蔣欽、周泰などの十三将がつづいた。おのおの槍をさげ戟を横たえ、追々と登りつめて行くほどに、十方の視野はひらけ、雲から雲まで、続く大陸を、長江千里の水は、初めもなく果てもなく、ただ蜿蜒と悠久な姿を見せている。

それはまた、沿岸いたる所にある無数の湖や沼とどこかでつながっていた。黄土の大陸の十分の一は巨大な水溜りばかりだった。――そのまた土壌の何億分の一ぐらいな割合に、鳥の糞をこぼしたような部落があった。それの少し多く集まっているのが町である。城内である。

「オオ、此処か」

廟を仰ぐと、人々は馬を降り、辺りの落葉を掃って、供え物を捧げた。

孫策は香を焚いて、廟前にぬかずくと、祠をもって、こう祈念した。

「尊神よ。願わくは、わたくしに亡父の遺業を継がせて下さい。不日、江東の地を平定いたしましたら、かならず御廟を再興して、四時怠らず祭をしましょう」

そして、そこを去ると、彼は、嶺の道を、もとのほうへは戻らずに、南へ向って降りて行こうとするので諸将は驚きあわてて、

「ちがいます。道がちがう。そう参っては、敵地へ降りてしまいますぞ」と、注意した。

好敵手（こうてきしゅ）

一

「違わぬ違わぬ」

孫策は、振向きもしない。

供の諸将は、怪しんで、

「味方の陣地は、北の道を降りるのですが」と、重ねていうと、

「だから南へ降りるのだ。ここまで来て、空しく北へ降りるのは遺憾千万ではないか。……事のついでに、この谷を降り、彼方の嶺をこえて、敵の動静を探って帰ろう」

と孫策が始めて意を明かすと、さしも豪胆な武将たちも、びっくりした。

「えっ。この十三騎で？」

「ひそかに近づくには、むしろ小勢がよかろう。臆病風にふかれて危ぶむ者は、帰っても苦しゅうないぞ」

そういわれては、帰る者も諫める者もあるわけはなかった。

渓流へ下りて、馬に水飼い、また一つの嶺をめぐって、南方の平野をのぞきかけた。

すると早くも、その附近まで出ていた劉繇（りゅうよう）の斥候（せっこう）が、

「孫策らしい大将が、わずか十騎ばかりで、すぐあの山まで来ています」

と、中軍——即ち司令部へ馳けこんで急報した。

「そんなはずはない」

劉繇は、信じなかった。

次の物見がまた、

「たしかに孫策です」と、告げてくると、

「しからば計略だ。——敵の謀略にのってかろがろしく動くな」と、なおさら疑った。

幕将の中でも下級の組に、年若いひとりの将校がいた。彼はさっきから斥候の頻々たる報告を聞いて、ひとり疼々（うずうず）しているふうだったが、ついに、諸将のうしろから躍りでて叫んだ。

「天の与えというものです。この時をはずしてどうしましょう。どうか、それがしに、

孫策を生け捕ってこいとお命じ下さい」

劉繇は、その将校を見て、

「太史慈。――また、広言を吐くか」と、いった。

「広言ではございません。かかる時をむなしく過して、手をこまねいているくらいなら、戦場へ出ないほうがましです」

「行け。それほど申すなら」

「有難うぞんじます」と一礼して、太史慈は勇躍しながら、

「おゆるしが出た。われと思わん者はつづけ」

と、たった一人、馬に跳び乗るが早いか、駈けだして行った。

すると座中からまた一名の若い武将が立ち上がって、

「孫策は、まことの勇将だ。見捨ててはおけない」と、馬を出して駈け去った。

満座、みな大いに笑う。

一方、孫策は、敵の布陣をあらまし見届けたので、

「帰ろうか」と、馬をかえしかけていた。

ところへ、麓のほうから、

「逃ぐるなかれ！　孫策っ、逃ぐるなかれ！」と、呼ばわる者がある。

「――誰だ？」

屹と振返ってみると、駒を躍らせて、それへ登って来た太史慈は、槍を横たえて、

「その内に、孫策はなきか」と、たずねた。

「孫策はここにおる」

「おッ。そちか孫策は」

「しかり！　汝は？」

「東萊の太史慈とは我がことよ。孫策を手捕りにせんため、これまで参ったり」

「ははは。物ずきな漢」

「後に従う十三騎も、束になって掛るがよい。孫策、用意はいいか」

「何を」

槍と槍、一騎と一騎、火をちらして戦うこと五十余合、見るものみな酔えるが如く、固唾をのんでいたが、そのうちに太史慈は、わざと馬を打って森林へ走りこんだ。孫策は、追いかけながら、その背へ向って、ぶうんと、槍を投げつけた。

二

投げた槍は、太史慈の身をかすめて、ぶすっと、大地へ突き立った。

太史慈はひやりとした。

そしてなおなお、林の奥へと、駒をとばしながら、心のうちでこう思っていた。

「孫策の人となりは、かねて聞いていたが、聞きしに勝る英武の質だ。うっかりすると、これはあぶない——」

同じように。

彼をうしろから追ってくる孫策もまた、心中、

「これは名禽だ。手捕りにしてわが籠に飼わねばならん。どうしてこんないい若武者が、劉繇などに仕えていたのかしら？」

そこで孫策は、

「おオい、待てえっ。——名も惜しまぬ雑兵なら知らぬこと、東萊の太史慈とも名乗った者が、汚い逃げざまを、恥かしくないのか。返せ返せ。返さねばわが生涯、笑いばなしとして、天下に吹聴するぞ」と、わざと辱めた。

太史慈は、耳もないように、走っていたが、やがて嶺をめぐって、裏山の麓まで来ると、

「やあ孫策。やさしくも追ってきたな。その健気に愛でて勝負してやろう。ただし、改めて我れに立ちむかう勇気があるか」と、馬をかえして云った。

馳け寄せながら孫策は、

「汝は、口舌の匹夫で、真の勇士ではあるまい。そういいながらまた逃げだすなよ」

と、大剣を抜きはらった。

「これでも、口舌の徒か」

太史慈は、やにわに槍をくりのばして、孫策の眉間をおびやかした。

「あっ」

孫策は、とっさに馬のたてがみへ顔を沈めたが、槍は、盔（かぶと）の鉢金をカチッとかすめた。

「おのれ！」

騎馬戦のむずかしさは、たえず手綱を上手に操って、敵の背後へ背後へと尾（つ）いてまわりながら馳け寄せる呼吸にある。

ところが、太史慈（たいしじ）は、稀代な騎乗の上手であった。尾側（びそく）へ狙（つ）けいろうとすると、くるりと駒を躍らせて、こっちの後ろへ寄ってくる。あたかも波上の小舟と小舟の上で斬りむすんでいるようなものである。従って、腕の強さばかりでなく、駒の駈引きも、虚々実々をきわめるので、勝負はなかなか果てしもない。無慮百余合も戦ったが、双方とも淋漓（りんり）たる汗と気息にもまれるばかりであった。

「えおうッ」

「うオーッ」

声は、辺りの林に木魂（こだま）して、百獣もために潜むかと思われたが落つるは片々と散る木の葉ばかりで、孫策はいよいよ猛く、太史慈もますます精悍（せいかん）を加えるのである。

どっちも若い体力の持主でもあった。この時孫策二十一歳、太史慈三十歳。——実に巡り会ったような好敵手だった。

「組まねばだめだ」

孫策が、そう考えた時、太史慈も心ひそかに、

「長びく間に、孫策の将士十三騎が追ってくると面倒」

と、勝負を急ぎだした。

だっと、両方の鐙と鐙とがぶつかったのは、両人の意志が、期せずして、合致したものとみえる。

「喝ッ」

と、突出してくる槍を、孫策は交わして柄を抱きこみ、とっさ、真二つになれと相手へ見舞った剣の手元は、これも鮮やかに、太史慈の交わすところとなって、その手頸をにぎり取られ——おうっッ——と引き合い、押し合ううちに、二つの体は、はね躍った馬の背から大地へころげ落ちていた。

空身となった奔馬は、たちまち、何処ともなく馳け去ってしまう。

組んず、ほぐれつ、太史慈と孫策とは、なお揉み合っていたが、そのうち孫策は、よろめきざま太史慈が背に挿していた短剣を抜き取って、突き伏せようとしたが、

「さはさせじ」

と、太史慈はまた、孫策の盔を引ッつかんで、離さなかった。

三

「太史慈が今、ついそこで、敵の孫策と一騎打ちしているが、いつ勝負がつくとも見えません。疾くご加勢あれば、生擒れましょう」

一騎、劉繇の陣へ飛んできて、こう急を告げた。

劉繇は、聞くとすぐ、

「それッ」と、千余騎をそろえて、漠々と馳けはしって行った。

金鼓は地をゆるがし、またたく間に、ふもとの林へ近づいた。

太史慈と孫策とは、その時まだ、ガッキと組み合ったまま、互いに、焔のような息をはずませていた。

「しまった！」

孫策は、近づく敵の馬蹄のひびきに、一気に相手を屠ってしまおうと焦ったが、太史慈の手が、自分のきている盔をつかんだまま離さないので、

「む、むッ！」

獅子の如く首を振った。

そして、相手の肩越しに、太史慈が肩に懸けている短剣の柄を握って孫策も離さなかった。

そのうちに、盔がちぎれたはずみに、二人とも、勢いよくうしろへ仆れた。

孫策の盔は、太史慈の手にあった。

また、太史慈の短剣は、孫策の手にあった。

ところへ――

劉繇の騎兵が殺到した。

同時に、「君の安危やいかに？」と、孫策の部下十三騎の人々もここへ探しあてて来た。

当然、乱軍となった。

しかし衆寡敵せず、孫策以下の十三騎も、次第に攻めたてられて、狭い谷間まで追いつめられたが、たちまち、神亭廟のあたりから喊の声が起って、一隊の精兵が、

「オオ。救えッ」

と、雲のうちから馳け下って来た。

――われには神の加護あり……

と、孫策がいったとおり、光武帝の神霊が、早くも奇瑞をあらわして味方したもうかと思われたが、それは彼の幕将周瑜が、孫策の帰りがおそいので、手兵五百を率いてさがしに来たものだった。

そしてすでに陽も西山に沈もうとする頃、急に、黒雲白雲たちこめて、沛然と大雨がふりそそいできた。

それこそ神雨だったかも知れない。

両軍、相引きに退いて、人馬の喚きも消え去った後、山谷の空には、五彩の夕虹がかかっていた。

明くれば、孫策は、

「きょうこそ、劉繇が首を見、太史慈を生捕って帰ろうぞ」

とばかり暁に早くも山を越えて、敵の陣前へひた押しに攻めよせ、

「やあ、見ずや、太史慈」と、高らかに呼ばわった。

きのうの一騎打ちに、彼の手から奪い取った例の短剣を、旗竿に結びつけて、士卒に高く打振らせていた。

「武人たる者が、大事の剣を取落して、命からがら逃げ出して、恥とは思わぬか。――見よや、敵も味方も。これなん太史慈の短剣なるぞ」

どっと笑って、辱めた。

すると劉繇の兵の中からも、一本の旗竿が高く差し伸べられた。見ればその先には、一着の盔がくくりつけてある。

「やあ、孫策は無事なのか」

陣頭に馬をすすめて、太史慈はほがらかに云い返した。

「君よ、見給え。ここにあるのは君の頭ではないか。武士たる者が、わが頭を敵にわたし、竿頭の曝し物とされては、もはや利いたふうな口はきけない筈だがな。……あははは。わははは」

小覇王

一

曠の陣頭で、晴々と、太史慈に笑いかえされたので、年少な孫策は、

「よしッ今日こそ、きのうの勝負をつけてみせる」と、馬を躍らしかけた。

「待ちたまえ」と、腹心の程普は、あわてて彼の馬前に立ちふさがりながら、

「口賢い敵の舌先に釣りこまれたりなどして、軽々しく打って出てはいけません。あなたの使命はもっと大きい筈でしょう」と、押し戻した。

そしてはやりたつ孫策の馬の轡を、ほかの将に預けて、程普は、自分で太史慈に向って行った。

太史慈は、彼を見ると、相手にもせず云い放った。

「東萊の太史慈は、君の如き小輩を斬る太刀は持たない。わが馬に踏みつぶされぬうちに、疾く逃げ帰って、孫策をこれへ出すがいい」

「やあ、大言なり、青二才」

程普は怒って、まっしぐらに打ってかかった。するとまだ戦が酣ともならないうちに、劉繇はにわかに陣鼓を打ち、引鐘を鳴らして退却を命じた。

「何が起ったのか」と、太史慈も戟をおさめて、急に引退いたが、不平でならなかった。

で、劉繇の顔を見ると、「惜しいことをしました。きょうこそ孫策を誘き寄せてと計っていたのに。——一体、なにが起ったのですか」と、詰らずにいられなかった。

劉繇は、苦々しげに、

「それどころではない。本城を攻め取られてしまったわ。——貴様たちが前の敵にばかり気をとられておるからだ」と、声をふるわせて云った。

「えっ、本城が？」

太史慈も、おどろいた。

——聞けば、いつのまにやら、敵は一部の兵力を分けて、曲阿へ向け、曲阿方面から劉繇の本城——霊陵城のうしろを衝いていた。

その上に。

ここにまた、廬江松滋（安徽省・安慶）の人で、陳武、字を子烈というものがある。陳武と周瑜とは同郷なので、かねて通じていたものか、

（時こそ来れ！）とばかりに江を渡って、孫軍と合流し、共に劉繇の留守城を攻めたの

で、たちまちそこは陥落してしまったのであった。

何にしても、かんじんな根拠地を失ったのであるから、劉繇の狼狽も無理ではない。

「この上は、秣陵（江蘇省・南京の南方鳳凰山）まで引上げ、総軍一手となって防ぐしかあるまい」と、全軍一夜に野を払って、秋風の如く奔り去った。

ところが、奔り疲れて、その夜、露営しているとまた、孫策の兵が、にわかに夜討ちをかけてきて、さらぬだに四分五裂の残兵を、ここでも散々に打ちのめした。

敗走兵の一部は、薛礼城へ逃げこんだ。そこを囲んでいるまに、敵将劉繇が、小癪にも味方の牛渚の手薄を知って攻めてきたと聞いたので、

「よしッ、袋の鼠だ」と、孫策は、直ちに、駒をかえして、彼の側面を衝いた。

すると、敵の猛将干糜が、捨て鉢にかかって来た。孫策は、干糜を手捕りにして、鞍のわきに引っ抱えて悠々と引上げてきた。

それを見て、劉繇の旗下、樊能という豪傑が、

「孫策、待てッ」と、馬で追って来た。

孫策は、振向きざま、

「これが欲しいか！」と、抱えていた干糜の体を、ぎゅッと締めつけると、干糜の眼は飛び出してしまった。そしてその死体を、樊能へ投げつけたので、樊能は馬からころげ落ちた。

「仲よく、冥途へ行け」

と、孫策は、馬上から槍をのばして、樊能を突き殺し、干糜の胸板にも止めを与えて、さッさと味方の陣地へ入ってしまった。

二

最後の一策として試みた奇襲も惨敗に帰したばかりか、たのみとしていた干糜、樊能の二将まで目のまえで孫策のために殺されてしまったので、劉繇は、

「もう駄目だ」と、力を落して、わずかな残兵と共に、荊州へ落ちて行った。

荊州（湖北省・江陵・揚子江流域）には一方の雄たる劉表がなお健在である。

劉繇は始め、秣陵へ退いて、陣容をたて直すつもりだったが、敗戦の上にまた敗北を重ねてしまい、全軍まったく支離滅裂となって、彼自身からして抗戦の気力を失ってしまったので、

「この上は、劉表へすがろう」とばかり、命からがら逃げ落ちてしまったのである。

ここかしこの荒野に捨て去られた屍は一万の余を超えていた。

「劉繇、たのむに足らず」

と見かぎって、孫策の陣門へ降参してゆく兵も一群れまた一群れと、数知れなかった。

しかし、さすが大藩の劉繇の部下のうちには、なお降服を潔しとしないで、秣陵城をさして落ち合い、そこで、

「華々しく一戦せん」と、玉砕を誓った残党たちもあった。

張英、陳横などの輩(ともがら)である。

沿岸の敗残兵を掃蕩しながら、やがて孫策は秣陵(まつりょう)まで迫って行った。

張英は、城中の矢倉から敵の模様をながめていたが、近々と濠ぎわまで寄せてきた敵勢の中に、ひときわ目立つ若い将軍が指揮している雄姿を見つけて、

「あっ、孫策だ」と、あわただしく弓をとって引きしぼった。

狙いたがわず、矢は、若い将軍の左の腿(もも)にあたり、馬よりどうと転げ落ちた。——あッと、辺りの兵は驚きさわいで、将軍のまわりへ馳け寄って行く——。

それこそ、孫策であった。

孫策は、起たなかった。

大勢の兵は、彼の体をかつぎ上げて、味方の中へ隠れこんだ。

その夜。

寄手は急に五里ほど陣をひいてしまった。陣中は寂として、墨の如く夜霧が降りていた。そして、随処(ずいしょ)に弔旗(ちょうき)が垂れていた。

「急所の矢創(やきず)が重らせたもうて、孫将軍には、あえなく息を引取られた」と、士卒の端まで哭(な)き悲しんでいた。まだ、喪(も)はふかく秘せられているが、不日、柩(ひつぎ)を奉じて引揚げるか、埋葬の地をさだめて、戦場の丘に仮の葬儀が営まれるであろうと、ささやき合ったりしていた。

城中から捜りに出ていた細作(おんみつ)は、さっそく、立帰って、

「孫策は死にました」と、張英に知らせた。

張英は膝を打って、

「そうだろう！　おれの矢にあたって、助かった者はない」と、衆に誇った。

しかし、なお念のためにと、陳横の手から、再度、物見を放って見ると、その朝、附近の部落民が、怖ろしくがんじょうな柩(ひつぎ)を、大勢して重そうに陣門へ担(にな)いこんでゆくのを見た。

「間違いはありません。孫策はたしかに落命しました。そして葬儀も近いうち仮に営むらしく、そっと支度しています」

物見の者は、一点の疑いも挟まず、ありのまま復命した。

張英、陳横は、顔見合わせて、

「うまく行ったな」

ニタリと笑いあった。

三

星の静かな夜であった。

一軍の兵馬が、ひっそりと、水の流れるように、野を縫ってゆく。

哀々(あいあい)たる銅角(どうかく)を吹き、*羯鼓(かっこ)を打ち鳴らし、鉦板(しょうばん)をたたいて行く――葬送の音楽が悲し

げに闇を流れた。兵馬みな黙し、野面を蕭々と風も哭く。

一かたまりの松明のひかりの中に新しい柩が守られていた。

ひらめく五色の弔旗も、みな黒く見えた。――柩の前後に従いてゆく諸将も、

「――ああ」

と、時折、空を仰いだ。

これなん死せし孫策の遺骸をひそかに葬るものであると見て、その日、早くも探り知った張英、陳横の二将は、突如のろしを打ちあげて、この葬列を不意討ちした。

それまで――

草かと見えたものも、石か木かと見えたものもすべて喊の声をあわせて襲ってきた。

すでに、大きな支柱を亡った孫軍は、いかに狼狽するかと思いのほか、

「来たぞ」

葬列は、たちまち、五行にわかれて整然たる陣容をつくり、

「張英、陳横を逃がすな」

という号令の声が高く聞えた。

張英は驚いて、

「あッ、敵には備えがあったらしいぞ、立騒がぬところを見ると、何か、計があるやも知れぬ」

味方の軽はずみを戒めて戦っていたが、もとより秣陵の城内をほとんど空にして出て

来た小勢である。たちまち、撃退されて、

「もどれもどれ。城中へひきあげろ」と、争って引っ返した。

すると途中の林の中から、

「孫策これにあり！　秣陵の城はすでに、わが部隊の手に落ちているのに、汝らは、どこへ帰る気かッ」と、呼ばわりながら、騎馬武者ばかりおよそ四、五人、真っ黒に馳けだして来て、張英の行く手をふさいだ。

張英は、わが耳を疑いながら、たかの知れた敵蹴ちらして通れ——と下知しながら、はや血戦となった中を馳けていたが、そのうちに、

「張英とは、汝かっ」

と、正面へ躍ってきた一騎の若武者がある。

見れば、過ぐる日、自分が城の矢倉から狙い撃ちして、見事、射止めたと信じていた孫策であったので、

「やっ、死んだとは、偽りであったか」

仰天して逃げかけると、

「浅慮者（あさはかもの）ッ」と、大喝して、孫策の馬は後ろから彼の馬の尻へ重なった。

とたんに張英の胴は、黒血三丈を噴いて、首はどこかに飛んでいた。

陳横も、討たれた。

もとより孫策は、深く計っていたことなので、そのまま、秣陵の城へ進むと、先に城

中に押入っていた味方が、門を開いて、彼を迎え入れた。

一同、勝鬨の声をあわせて、万歳を三唱した頃、長江の水は白々と明け放れ、鳳凰山、紫金山の嶺々に朝陽は映えていた。

孫策は、即日、法令を布いて、人民を安んじ、秣陵には、味方の一部をのこして、直ちに、涇県（安徽省・蕪湖の南方）へ攻め入った。

この頃から、彼の勇名は、一時に高くなって、彼を呼ぶに、人々はみな、

江東の孫郎、

と、称えたり、また、

小覇王、

と唱えて敬い畏れた。

日時計

一

かくて、小覇王孫郎の名は、旭日のような勢いとなり、江東一帯の地は、その武威に

あらまし慴伏してしまったが、ここになお頑健な歯のように、根ぶかく歯肉たる旧領を守って、容易に抜きとれない一勢力が残っていた。

太史慈、字は子義。

その人だった。

主柱たる劉繇が、どこともなく逃げ落ちてしまってからも、彼は、節を変えず、離散した兵をあつめ、涇県の城にたてこもり、依然として抗戦しつづけていた。

きのうは九江に溯江し、きょうは秣陵に下り、明ければまた、涇県へ兵をすすめて行く孫策は、文字どおり南船北馬*の連戦であった。

「小城だが、北方は一帯の沼地だし、後ろは山を負っている。しかも城中の兵は、わずか二千と聞くが、この最後まで踏み止まっている兵なら、おそらく死を決している者どもにちがいない」

孫策は、涇県に着いたが、決して味方の優勢を慢じなかった。

むしろ戒めて、

「みだりに近づくな」と、寄手の勢を遠巻きに配して、おもむろに城中の気はいを探っていた。

「周瑜」

「はっ」

「君に問うが、君が下知するとしたら、この城をどうしておとすかね」

「至難です。多大な犠牲を払う覚悟でなければ」

「君も至難と思うか」

「ただ、わずかに考えられる一つの策は、死を惜しまぬ将一人に、これも決死の壮丁十人を募り、燃えやすい樹脂や油布を担わせて、風の夜、城中へ忍び入り、諸所から火を放つことです」

「忍び入れるだろうか」

「大勢では見つかりましょう」

「でも、あの高い城壁を」

「よじ登るに、法を以てすれば、登れぬことはありません」

「だが――誰をやるか」

「陳武が適任でしょう」

「陳武は、召抱えたばかりの者だし、将来も使えるいい大将だ。それを死地へやるのは惜しい。――また、もっと惜しいのは、敵ながら太史慈という人物である。あれは生擒りにして、味方に加えたいと望んでおるのだが」

「それでは、こうしては如何です。――中に火光が見え出したら、同時に三方から息もつかず攻めよせ、北門の一方だけ、わざと手薄にしておきます。――太史慈はそこから討って出ましょう。――出たら彼一名を目がけて追いまくり、その行く先に、伏兵をかくしておくとすれば」

「名案！」

孫策は、手を打った。

陳武の下に、十名の決死隊が募られた。もし任務をやりとげて、生きてかえったら、一躍百人の伍長にすすめ、莫大な恩賞もあろうというので、たくさんの志望者が名のりでた。

その中から十名だけの壮丁を選んで、風の夜を待った。

無月黒風の夜はやがて来た。

油布、脂柴（あぶらしば）などを、壮丁の背に負わせて、陳武も身軽にいでたち、地を這い、草を分けて、敵の城壁下まで忍びよった。

城壁は石垣ではない。高度な火で土を焼いた磚（せん）という一種の瓦を、厚さ一丈の余、高さ何十丈に積みかさねたものである。

——が、何百年もの風雨に曝（さら）されているので、磚（かわら）と磚とのあいだには草が生え、土がくずれ、小鳥が巣をつくり、その壁面はかなり荒れている。

「おい一同。まず俺ひとりが先へ登って行って、綱を下ろすから、そこへかがみこんだまま、敵の歩哨を見張っておれ。——いいか、声を出すな、動いて敵に見つかるな」

陳武は、そう戒めてから、ただ一人でよじ登って行った。——磚と磚のあいだに、短剣をさしこんで、それを足がかりとしては、一歩一歩、剣の梯子を作りながら踏み登って行くのであった。

二

「――火だっ」

「火災だっ」

「怪し火だ！」

銭糧倉から、また、矢倉下から、書楼の床下から、同時にまた、馬糧舎からも、諸門の番人が、いちどに喚き出した。

城将の太史慈は、

「さわぐな。敵の計だ。――うろたえずに消せばよい」

と、将軍台から叱咤して、消火の指揮をしていたが、城中はみだれ立った。

――びゅッッ！

――ぴゅるん！

太史慈の体を、矢がかすめた。

台に立っていられないほど風も強い闇夜である。

諸所の火の手は防ぎきれない。一方を消しているまに、また一箇所から火があがる。

その火はたちまち燃えひろがった。

のみならず城の三方から、猛風に乗せて、喊の声、戦鼓のひびき、急激な攻め鉦の音などがいちどに迫ってきたので、城兵は消火どころではなく、*釜中の豆の如く沸いて狼狽しだした。

「北門をひらいて突出しろ」

太史慈は将軍台から馳け下りながら、部将へ命令した。そして真っ先に、

「城外へ出て、一挙に、孫策と雌雄を決しよう！　敵は城を囲むため、三方へ全軍をわけて、幸いにも北方は手薄だぞ」と、猛風をついて、城の外へ馳けだした。

火にはおわれ、太史慈には励まされたので、当然釜中の豆も溢れだした。

ところが、手薄と見えた城北の敵は、なんぞ知らん、案外に大勢だった。

「それっ、太史慈が出たぞ」と合図しあうと、八方の闇から乱箭（らんせん）が注がれてきた。

太史慈の兵は、敵の姿を見ないうちに、おびただしい損害をうけた。

それにも怯（ひる）まず、

「かかれかかれ！　敵の中核を突破せよ！」

と、太史慈はひとり奮戦したが、彼につづく将士は何人もなかった。

その少い将士さえ斃れたか、逃げ散ったか、あたりを見廻せば、いつの間にか、彼は彼ひとりとなっていた。

「――やんぬる哉（かな）、もうこれまでだ」

焰の城をふり向いて、彼は唇を嚙んだ。この上は、故郷の黄県東萊（こうけんとうらい）へひそんで、再び時節を待とう。

そう心に決めたか。

なおやまない疾風と乱箭の闇を馳けて、江岸のほうへ急いだ。

すると後ろから、

「太史慈をにがすな！」

「太史慈、待てっ」

と、闇が吼える。——声ある烈風が追ってくる。十里、二十里、奔っても奔っても追ってくる。

この地方には沼、湖水、小さな水溜りなどが非常に多い。長江のながれが蕪湖に入り、蕪湖の水がまた、曠野の無数の窪にわかれているのだった。

その湖沼や野にはまた、蕭々たる蘆や葭が一面に生い茂っていた。——ために、彼は幾たびか道を見失った。

「——しまった！」

ついに、彼の駒は、沼の泥土へ脚を突っこんで、彼の体は、蘆のなかへほうり出されていた。

すると、四方の蘆のあいだから、たちまち熊手が伸びた。分銅だの鈎のついた鎖だのが、彼の体へからみついた。

「無念っ」

太史慈は、生擒られた。

高手小手に縛められて、孫策の本陣へとひかれてゆく途中も、彼は何度も雲の迅い空

を仰いで、

「残念だっ」と、眦に悲涙をたたえた。

三

やがて彼は、孫策の本陣へ引かれて来た。

「万事休す」と観念した彼は、従容と首の座について、瞑目していた。

すると誰か、「やあ、しばらく」と、帳をあげて現れた者が、友人でも迎えるように、
馴々しくいった。

太史慈が、半眼をみひらいて、その人を見れば余人ならぬ敵の総帥孫策であった。

太史慈は毅然として、

「孫郎か、はやわが首を刎ね落し給え」と、いった。

孫策は、つかつかと寄って、

「死は易く、生は難し、君はなんでそんなに死を急ぐのか」

「死を急ぐのではないが、かくなる上は、一刻も恥をうけていたくない」

「君に恥はないだろう」

「敗軍の将となっては、もうよけいな口はききたくない。足下もいらざる質問をせず、
その剣を抜いて一颯に僕の血けむりを見給え」

「いやいや。予は、君の忠節はよく知っておるが、君の噴血をながめて快笑しようとは

思わぬ。君は自分を敗軍の将と卑下しておらるるが、その敗因は君が招いたものではない。劉繇が暗愚なるためであった」

「…………」

「惜しむらく、君は、英敏な資質をもちながら、良き主にめぐり会わなかったのだ。蛆の中にいては、蚕も繭を作れず糸も吐けまい」

「…………」

太史慈が無言のままうつ向いていると、孫策は、膝を折って、彼の縛めを解いてまた云った。

「どうだ。君はその命を、もっと意義ある戦と、自己の人生のために捧げないか。——云いかえれば、わが幕下となって、仕える気はないか」

太史慈は、潔く、

「参った。降伏しました。願わくはこの鈍材を、旗下において、なんらかの用途に役立ててください」

「君は、真に快男子だ。妙に体面ぶらず、その潔いところも気に入った」

手を取って、彼は、太史慈を自分の帷幕へ迎え入れ、

「ところで君、先頃の神亭の戦場では、お互いに、よく戦ったが、あの際、もっと一騎打ちをつづけていたら、君はこの孫策に勝ったと思うかね」と、笑いばなしにいった。

太史慈も、打笑って、

「さあ、どんなものでしょうか。勝敗のほどはわかりませんな」

「だが、これだけは確実だったろう。――予が負けたら、予は君の縄目をうけていた」

「勿論でしょう」

「そうしたら、君は予の縄目を解いて、予がなした如く、予を助けたであろうか」

「いや、その場合は、恐らくあなたの首はなかったでしょうな。――なぜならば、私にはその気もちがあっても、劉繇が助けておくはずがありませんから」

「ははは、もっともだ」

孫策は、哄笑した。

酒宴をもうけて、二人はなお愉快そうに談じていた。孫策は、彼に向って、

「これから戦いの駈引きについてもいろいろ君の意見を訊くから、良計があったら、教えてもらいたい」といったが、太史慈は、

「*敗軍の将は兵を語らずです」と、謙遜した。

孫策は、追及して、

「それはちがう。昔の韓信を見たまえ。韓信も、降将広武君に謀計をたずねておる」

「では、大した策でもありませんが、あなたの帷幕の一員となった証に愚見を一つのべてみます。……がしかし私の言は、恐らく将軍のお心にはあわないでしょう」

太史慈は、孫策の面を見ながら、微笑をふくんだ。

四

孫策も、微笑した。

「ははあ、では君は、せっかく進言しても、この孫策に用いる度量があるまいといわるるのか」

「そうです」

太史慈は、うなずいて、

「――それをおそれます。しかし一応、申しのべてみましょう」

「うむ。聞こう」

「ほかでもありませんが、劉繇(りゅうよう)に付き従っていた将士は、その後、主とたのむ彼を見失って、四散流迷しております」

「あ。敗残兵のことか」

「ひと口に、敗残軍といえば、すでに弱力化した無能の群れとして、これを無視してしまう傾きがありますが、時利あらずで、その中には、惜しむべき大将や兵卒らも入りまじっています」

「うむ。それをどうせよと、君は進言するか」

「今、この太史慈を、三日間ほど、自由に放して下されば、私が行って、それらの残軍を説き伏せ、粗(そ)を捨て、良を選び、必ず将来、あなたの楯となるような精兵三千をあつめて帰ります。──そしてあなたに忠誠を誓わせてご覧にいれますが」

「よし。行ってくれ給え」

孫策は、度量を見せて、すぐ許したが、

「──だが、きょうから三日目の午(うま)の刻（正午）までには、必ず帰って来なければいかんよ」

と、念を押して、一頭の駿馬を与え、夜のうちに、彼を陣中から放してやった。

翌朝。

帷幕の諸将は、太史慈のすがたが見えないので、怪しんで孫策にたずねると、ゆうべ彼の進言にまかせて、三日の間、放してやったとのことに、

「えっ。太史慈を？」と、諸将はみな、せっかく生捕った檻(おり)の虎を野へ放したように唖然とした。

「おそらく、太史慈の進言は、偽りでしょう。もう帰って来ないでしょう」

そういう人々を笑いながら、孫策は、首を振った。

「なに、帰って来るさ。彼は信義の士だ。そう見たからこそ、予は彼の生命を惜しんだので、もし信義もなく、帰って来ないような人間だったら、再び見ないでも惜しいことはない」

「さあ、どうでしょう」

諸将はなお信じなかった。

三日目になると、孫策は、陣外へ日時計をすえさせて、二人の兵に日影を見守らせていた。

「辰の刻です」

番兵は、一刻ごとに、孫策へ告げにきた。しばらくするとまた、

「巳の刻となりました」

と、報らせてくる。

日時計は、秦の始皇帝が、陣中で用いたのが始めだという。「宋史」には何承天が「表候日影」をつかさどるとある。明代には晷影台というのがある。日時計の進歩したものである。

後漢時代のそれは、もちろん原始的なもので、垂直の棒を砂上に立て、その投影と、陰影の長さをもって、時刻を計算したものだった。

砂地のかわりに、床を用いたり、また、壁へ映る日影を記録したりする方法などもあった。

「午の刻です！」

陣幕のうちへ、刻の番の兵が大声で告げると、孫策は、諸将を呼んで、

「南のほうを見ろ」と、指さした。

果たせるかな、太史慈は、三千の味方を誘って、時も違えず、彼方の野末から、一陣の草ぼこりを空にあげて帰って来た。

孫策の炯眼と、太史慈の信義に感じて、先に疑っていた諸将も、思わず双手を打ちふり、歓呼して彼を迎えた。

名医

一

ひとまず、江東も平定した。

軍勢は日ましに増強するばかりだし、威風は遠近をなびかせて、孫策の統業は、ここにその一段階を上がったといってよい。

「ここが大事だ。ここで自分はなにをなすべきだろうか？」

孫策は自問自答して、

「そうだ、母を呼ぼう」という答えを得た。

彼の老母や一族は、柱とたのむ故孫堅の没後、永らく曲阿の片田舎にひきこもって、あらゆる迫害をうけていた。

珠簾の輿、錦蓋の美車。

加うるに、数多の大将や護衛の兵を送って、彼は曲阿の地から老母とその一族をむかえてきた。

孫策は、久方ぶりに、母の手を取って、宣城に奉じ、

「もう、安心して、余生をここでお楽しみください。——孫策も大人になりましたから」

といった。

もう白髪となった老母は、ただおろおろしていた。歓びのあまり、

「そなたの亡夫がいたらのう」と、かえって泣いてばかりいる。

孫策は弟の孫権に、

「おまえに大将周泰をつけておくから、宣城を守り、わしに代って母に孝養をしてあげてくれ」

そう云い残して、彼はふたたび南方の制覇におもむいた。

彼は、戦い取った地には、すぐ治安を布いて、民心を得ることを第一義とした。法をただし貧民を救い、産業を扶ける一方、悪質な違反者には、寸毫もゆるさぬ厳罰を加えた。

——孫郎来る！

という声だけでも、良民はあわてて道をひらいて路傍に拝し、不良民は胆をひやして影をかくした。

それまで、州や県の役所や城をすてて、山野へ逃げこんでいた多くの官吏も、

「孫郎は民を愛し、信義の士をよく用うる将軍らしい」

と、分ると、ぞくぞく郷へ帰ってきて仕官を願い出てくるものが絶えなかった。

孫策は、それらの文吏をも採用してよく能才を用い、平和の復興に努めさせた。

そしてなお後図の治安は治安として、自身は征馬を南へすすめていたのである。

その頃、呉郡（浙江省）には、
東呉の徳王
と、自ら称している厳白虎が威を揮っていたが、孫策の襲来が、ようやく南へ進路をとってくる様子と聞いて、

「すわこそ！」

と、どよめき立ち、厳白虎の弟厳与は、楓橋（江蘇省・蘇州附近）まで兵を出して防寨に拠った。

この際、孫策は、

「たかのしれた小城」

と、自身、前線*へ立って、一もみに、突破しようとしたが、張紘にたしなめられた。

「大将の一身は、三軍の生命です。もうあなたは、中軍にあって、天授のお姿を、自重していなければいけません」

「そうか」

孫策は、諫めをきいて、大将韓当に先鋒をいいつけた。

陳武、蔣欽の二将は、小舟にのって、楓橋のうしろへ廻り、敵を挟撃したので、厳与は支えきれず、呉城へ後退してしまった。

息もつかせず、呉城へ迫った孫策は、濠ばたに馬を立てて、攻め競う味方を指揮していた。

すると、呉城の高矢倉の窓から半身のり出して、左の手を梁にかけ、右の手で孫策を指さしながら、何か、口汚く罵っている大将らしい漢がある。

「憎き奴かな」

と、孫策がうしろを見ると、味方の太史慈も、目をとめて、弓をひきしぼっていた。

——太史慈の指が、弦を切って、ぶうんと、一矢放つと、矢はねらいたがわず、高矢倉の梁に突き立った。

しかも、敵の大将らしい漢の手を、梁へ射つけてしまったので、孫策が、

「見事！」と、鞍を叩いて賞めると、全軍みな、彼の手ぎわに感じて快哉をさけび合い、その声からしてすでに呉城を圧していた。

二

太史慈のあざやかな一矢に、高矢倉の梁に掌を射とめられた大将は、

「誰か、この矢をはやく抜き取ってくれ」と、悲鳴をあげて、もがいていたが、そのう

ちに、馳け寄ってきた兵が、矢を抜いて、どこかへ扶けて行った。

その大将は、よい物笑いとなった。太史慈の名は、「近ごろの名射手よ」と、聞え渡った。多年、浙江の一地方にいて、みずから「東呉の徳王」などと称していた厳白虎も、

「これは侮れんぞ」と、年来の自負心に、すこし動揺をおぼえだした。

寄手を見ると、総帥の孫策をはじめ、旗下の将星は、みな驚くほど年が若い。新しい時代が生みだした新進の英雄群が、旺な闘志をもって、轡をそろえているような盛観だ。

「厳与。——ここはひとつ考えるところだな」

彼は、弟をかえりみながら、大きく腕をくんで云った。

「どう考えるんです」

「どうって、まあ、一時の辱はしのんでも深傷を負わぬうちに、和睦するんだな」

「降服するんですか」

「彼に、名を与えて、実権を取ればいいさ。彼らは若いから、戦争には強いが、深慮遠謀はあるまい。和睦した後で、こちらには、打つ手がある」

兄に代って、厳与は早速、講和の使者として、孫策の軍中へおもむいた。

孫策は、対面して、

「君が、東呉の徳王の弟か。なるほど……」と、無遠慮に、顔をながめていたが、すぐ

酒宴をもうけさせて、「まあ、飲んで話そう」と、酒をすすめた。

厳与は、心のうちで、

「さすが、江東の小覇王といわれるだけあって、颯爽たるものだが、まだ乳くさいところは脱けないな。理想主義の書生が、ふと時を得て、兵馬を持ち、有頂天になったというところだろう」

と、観察していた。そして相手の若さを甘く見て、しきりとまず、おだて上げていた。

すると、酒半酣のころ、孫策はふいに、

「君は、こうしても、平然としておられるかね」と、何かわけの分らないことを質問しだした。

「こうしてもとは？」

厳与が、訊きかえすと、孫策は突然、剣を抜いて、

「こうしてもだッ」

と、彼の腰かけている椅子の脚を斬った。

厳与は仰向けにひッくり返った。孫策は、腹をかかえて笑いながら、

「だから断っておるのに」

と、転がったほうが悪いように云いながら、剣をおさめて、おどろいたまま蒼ざめている厳与に、手を伸ばして、

「さあ、起き給え。酒のうえの戯れだ。——時に、東呉の徳王がお使者、ご辺の兄上には、いったいこの孫策へ向って、いかなる条件で、和睦を求めらるるのか。ご意向を承ろう」

「兄が申すには……」と、厳与は腰のいたみをこらえながら、威儀をつくろい直していった。

「つまりその、……益なき戦をして兵を損ぜんよりは、長く将軍と和をむすんで、江東の地を平等に分け合おうではありませんか。兄の意はそこにあるんですが」

「平等に？」

孫策は、眦(まなじり)をあげて、

「汝らの如き軽輩が、われわれと同格の気で、国を分け取りにせんなどとは、身の程を知らぬも甚だしい。帰れッ」と、罵った。

和睦不調と見て、厳与が、黙然と帰りかける後ろへ、とびかかった孫策は、一刀にその首を刎ね落して、血ぶるいした。

三

孫策は、剣を拭って、片隅にふるえている厳与の従者たちに向い、

「——拾って行け」と、床の上にころがっている厳与の首を指さしながら、重ねて云った。

「当方の返辞は、その首だ。立ち帰って、厳白虎に、ありのまま、告げるがいい」

従者は、主人の首を抱えて、逃げ帰った。

厳白虎は弟が首になって帰ったのを見ると、復讐を思うよりはかえって孫策のすさまじい挑戦ぶりにふるえあがって、

「単独で戦うのは危険だ」と、考えた。

ひとまず会稽（浙江省・紹興）へ退いて、浙江省の諸雄をたのみ、策を立て直そうと、ひどく弱気になって、烏城を捨て、夜中にわかに逃げだしてしまった。

寄手の太史慈や黄蓋などはそれを追いまくって、存分な勝ちを収めた。

きのうまでの、「東呉の徳王」も、見る影もなくなってしまった。到るところで追手の軍に打ちのめされ、途中、民家をおびやかしてからくも糧食にありついたり、山野にかくれたりしてようやく会稽へたどり着いた。

その時、会稽の太守は、王朗という者だった。王朗は厳白虎を助けて、大軍をくり出し、孫策の侵略に当ろうとした。

すると、臣下のうちに、虞翻、字は仲翔という者があって、

「時が来ました。時に逆らう盲動は、自分を亡ぼすのみです。この戦はお避けなさい」

と、諫言した。

「時とは何だ？」

王朗が問うと、

「時代の波です」と、仲翔は言下に答えた。

「——では、外敵の侵略にまかせて、手をこまねいていろというのか」

「厳白虎を捕えて、孫策に献じ、彼と誼みをむすんで、国の安全をおはかりなさい。——それが時代の方向に沿うというものです」

「ばかを申せ。孫策ずれに、会稽の王朗が見っともない媚びを呈せられようか。それこそ世の物笑いだ」

「そうではありません。孫策は、義を尊び、仁政を布き、近来、赫々たる民望をはやくも負っています。それにひきかえ厳白虎は、奢侈、悪政、善いことは、何一つしてきませんでした。しかも頭の古い旧時代の人間です。あなたが手をださなくても、もう時代と共に亡び去る物のひとつです」

「いや、厳白虎とわしとは、旧交も深い。孫策如きは、われわれの平和をみだす外敵だ。こんな時こそ聯携して、侵略の賊を打たねばならん」

「ああ。あなたも、次の時代に用のないお方だ」

仲翔が長嘆すると、王朗は、激怒して、

「こやつめ、わしの滅亡を希っておるな。目通りはならん。去れっ」と、追放を命じた。

仲翔は甘んじて、国外へ去った。

邸を追われる時、彼はもとより一物も持って出なかったが、平常、籠に飼っていた雲

雀だけは、

「おまえも心なき人には飼われたくないだろう」と呟いて、籠のまま抱えて立ち退いた。

彼が王朗に説いたいわゆる時代の風浪は、山野にかくれていた賢人をひろい上げてもゆくが、また、官衙や武府の旧勢力のうちにもいる多くの賢人をたちまち、山林へ追いこんでしまう作用もした。

仲翔もその一人だった。

彼は、黙々と、野を歩いて、これから隠れすむ草廬の地をさがした。

そして、名もない田舎の山にかかると、ほっとしたように、

「おまえも故郷に帰れ」と、籠の小禽を青空へ放した。

仲翔は、ほほ笑みながら、青空へ溶け入る小禽の影を見送っていた——これから生きる自分のすがたと同じものにそれが見えたからであろう。

四

仲翔が放してやった籠の小禽が、大空へ飛んでいた頃、もう下界では、会稽の城と、潮のような寄手のあいだに、連日、激戦がくり返されていた。

会稽の太守王朗は、その日、城門をひらいて、自身、戦塵のうちを馳けまわり、

「黄口児孫策、わが前に出でよ」と、呼ばわった。

「孫策は、これにあり」

と声に応じて、鵯のような若い将軍は、鏘々と剣甲をひびかせて、彼の眼前にあらわれた。

「おう、汝が、浙江の平和を騒がす不良青年の頭か」

聞きもあえず、孫策は、

「この老猪め、なにをいうか。良民の膏血をなめ喰って脂ぶとりとなっている惰眠の賊を、栄耀の巣窟から追い出しにきた我が軍勢である。――眼をさまして、疾く古城を献じてしまえ」

と、云い返した。

王朗は、怒って、

「虫のいいことをいうな」とばかり、打ってかかった。

孫策も、直ちに戟を交えようとすると、

「将軍、豚を斬るには、王剣を要しません」

と、後ろからさっと一人の旗下が躍って孫策に代って王朗へ槍をつけた。

これなん太史慈である。

すわ――と王朗の旗下からも周昕が馬をとばして、太史慈へぶつかってくる。

「王朗を逃がすな！」

「太史慈を打ちとれ！」

「周昕をつつめ」

「孫策を生け捕れッ」

双方の喚きは入りみだれ、ここにすさまじい混戦となったが、孫軍のうちから周瑜、程普の二将が、いつのまにか後ろへまわって退路をふさぐ形をとったので、会稽城の兵は全軍にわたって乱れだした。

王朗は、命からがら城へひきあげたが、その損害は相当手痛いものだったので、以来、栄螺のように城門をかたく閉めて、「うかつに出るな」と、もっぱら防禦に兵力を集中してうごかなかった。

城内には、東呉から逃げて来た厳白虎もひそんでいた。厳白虎も、

「寄手は、長途の兵、このまま一ヵ月もたてば兵糧に困ってきます。――長期戦こそ、彼らの苦手ですから、守備さえかためていれば、自然、孫策は窮してくるにきまっている」

と、一方の守備をうけ持って、いよいよ築土を高くし、あらゆる防備を講じていた。

果たして、孫策のほうは、それには弱っていた。いくら挑戦しても、城兵は出てこない。

「まだ、麦は熟さず、運輸には道が遠い。良民の蓄えを奪い上げて、兵糧にあててもたちまち尽きるであろうし、第一われらの大義が立たなくなる。――如何いたしたものだろう」

「孫策よ。わしに思案があるが」

「おお、叔父上ですか。あなたのご思案と仰っしゃるのは？」

孫策の叔父孫静は、彼の問いに答えて、

「会稽の金銀兵糧は、会稽の城にはないことを御身は知っているか」

「存じませんでした」

「ここから数十里先の査瀆にかくしてあるんじゃよ。だから急に、査瀆を攻めれば、王朗はだまって見ておられまい」

「ごもっともです」

孫策は、叔父の説をいれた。その夜、陣所陣所にたくさんな篝を焚かせ、おびただしい旗を立てつらね、さも今にも会稽城へ攻めかかりそうな擬兵の計をしておいて、その実、査瀆へ向って、疾風の如く兵を転じていた。

五

擬兵の計を知らず、寄手のさかんな篝火に城兵は、「ぬかるな！　襲って来るぞ」と、眠らずに、防備の部署についたが、夜が白んで、城下の篝火が消えて見ると、城下の敵は一兵も見えなかった。

「査瀆が襲われている！」

こう聞いた王朗は、仰天して城を出た。そして査瀆へ駆けつける途中、またも孫策の伏兵にかかって、ついに王朗の兵は完膚なきまでに殲滅された。

王朗は、ようやく身をもって死地をのがれ、海隅（浙江省・南隅）へ逃げ落ちて行ったが、厳白虎は余杭（浙江省・杭州）へさして奔ってゆく途中、元代という男に酒を飲まされて、熟睡しているところを、首を斬られてしまった。

元代は、その首を孫策へ献じて、恩賞にあずかった。

こうして、会稽の城も、孫策の手に落ち、南方の地方はほとんど彼の統治下になびいたので、叔父、孫静を、会稽の城主に、腹心の君理を、呉郡の太守に任じた。

すると、その頃、宣城から早馬が来て、彼の家庭に、小さな一騒動があったことを報らせてきた。

「或る夜、近郷の山中に住む山賊と、諸州の敗残兵とが、一つになって、ふいに宣城へ襲せてきました。弟様の孫権、大将周泰のおふた方で、防ぎに努めましたが、その折、賊のなかへ斬って出られたご舎弟孫権様をたすけるため、周泰どのには、甲も着ず、真ッ裸で、大勢を相手に戦ったため、槍刀創を、体じゅうに十二ヵ所も受けられ、瀕死の容態でございます」

使いのはなしを聞くと、孫策は急いで宣城へ帰った。なによりも、案じられていた母の身は、つつがなかったが、周泰は、想像以上、ひどい重傷で、日夜苦しがっていた。

「なんとかして、助けてやりたいが、よい名薬はないか」

と、家臣へ、知識を求めると、先に厳白虎の首を献じて、臣下の一員となっていた元

代が、

「もう七年も前ですが、海賊に襲われて、手前がひどい矢疵を受けた時、会稽の虞翻という者が自分の友だちに、名医があるといって紹介してくれまして、その医者の手当で、わずか十日で全治したことがありましたが」

と、話した。

「虞翻とは、仲翔のことではないか」

「よくご存じで」と、元代は、孫策のことばに眼をみはった。

「いや、その仲翔は、王朗の臣下だったが、探しだして用うべき人物だと、わしは張昭から薦められていたところだ。――さっそく、仲翔をさがしだし、同時に、その名医も、つれて来てもらいたいが」

孫策の命に、

「仲翔は今、どこにいるか」と、諸郡の吏に、捜索の令が行き渡った。

仲翔は、つい先ごろ、野にかくれたばかりだが、またすぐに見出されて孫策の命を聞くと、

「人ひとりの命を助けるためとあれば」

と、友人の医者を伴い、さっそく宣城へやってきた。

仲翔の親友というだけであって、その医者も変っていた。

白髪童顔の老人で、いかにも清々と俗気のない姿だ。

野茨(のいばら)かなにか、白い花を一輪持って、たえず嗅ぎながら歩いている。あんまり人間くさい中へ来たので、野のにおいが恋しいといったような顔つきだ。

孫策が、会って名を問うと、

「華陀(かだ)」と、答えた。

沛国譙郡(はいこくしょうぐん)の生れで、字(あざな)を元化(げんか)という。素姓はあるが、よけいなことは云いたがらないのである。

すぐ病人を診(み)て、

「まず、ひと月かな」と、つぶやいた。

果たして、一月の中に、周泰の瘡(きず)は、拭ったように全治した。

孫策は、非常によろこんで、

「まことに、君は名医だ」と、いうと華陀は、

「あなたもまた、国を治す名医じゃ。ちと、療治は荒いが」

と、笑った。

「なにか、褒美に望みはないか」

と、孫策がきくと、

「なにもない。仲翔を用いて下されば、有難い」

と、答えた。

平和主義者

一

江南江東八十一州は、今や、時代の人、孫策の治めるところとなった。兵は強く、地味は肥沃、文化は潑剌と清新を呈してきて、小覇王孫郎の位置は、確固たるものになった。

諸将を分けて、各地の要害を守らせる一方、ひろく賢才をあつめて、善政を布いた。

やがてまた、朝廷に表を捧げて、中央の曹操と親交をむすぶなど、外交的にも進出するかたわら、かつて身を寄せていた淮南の袁術へ、

「爾来、ごぶさたをいたしていましたが」

と、久しぶりに消息を送って、さて、その使者をもって、こういわせた。

「かねて、お手許へお預けしておいた伝国の玉璽ですが、あれは大切なる故人孫堅の遺物ですから、この際お返しねがいたいものです。――もちろん、当時拝借した兵馬に

価する物は、十倍にもしてお返し申しますが」

×　　×　　×

時に。

その後の袁術の勢力はどうかというに、彼もまた淮南を中心に、江蘇、安徽一帯にわたっていよいよ強大を加え、しかも内心不敵な野望を抱いていたから、軍備城塞にはことに力を注いでいた。

「今日、この議閣に諸君の参集を求めたのはほかでもないが、今となって孫策から、にわかに、伝国の玉璽を返せと云ってきた。――どう答えてやったものだろうか。それについて、各〻に意見あらば云ってもらいたい」

その日。

袁術は、三十余名の諸大将へ向って諮った。

長史楊大将、都督長勲をはじめとして、紀霊、橋甤、雷薄、陳蘭――といったような歴々がのこらず顔をそろえていた。

「真面目にご返辞などやるには当りますまい、黙殺しておけばよろしい」

一人の大将がいう。

すると、次席の将がまた、

「孫策は、忘恩の徒だ。――ご当家で養われたばかりか、偽って、三千の兵と、五百頭の馬を拝借して去ったまま、今日まで何の沙汰もして来ない。――便りをしてきたと思えば、預けた品を返せとはなんたる無礼か」と、罵った。

「ウム、ウム」

袁術の顔色は良かった。

諸臣はみな彼の野望をうすうす知っていた。で、一斉に、

「よろしく江東に派兵して、忘恩の徒を懲らすべきである」と、衆口こぞって云った。

しかし、楊大将は反対して、

「江東を討つには、長江の嶮を渡らねばならん。しかも孫策は今、日の出の勢いで、士気はあがっている――如かず、ここは一歩自重してまず北方の憂いをのぞき、味方の富強を増大しておいてから悠々南へ攻め入っても遅くないでしょう」

「そうだ。……北隣の憂いといえば小沛の劉備と、徐州の呂布だが」

「小沛の劉備は小勢ですから、踏みやぶるに造作はありませんが、呂布がひかえていま す。――そこで謀計をもって、二者を裂かねばかかれません」

「いかにして、二者を反かせるか」

「それは易々とできましょう。ただし、先にご当家から呂布へ与えると約束した兵糧五万斛、金銀一万両、馬、緞子などの品々を、きれいにくれてやる必要がありますが」

「よし、やろう」

袁術は、即座にその説を取り上げた。

「やがて、小沛と徐州がおれの饗膳へ上るとすれば、安い代価だ」

先に、劉備と戦った折、呂布へ与えると約束して与えなかった糧米、金銀、織布、名馬など、莫大なものが、ほどなく徐州へ向けて蜿蜒と輸送されて行った。

呂布の歓心を求める為に。

そして、劉備を孤立させ、その劉備を屠ってから、呂布を制する謀計であることはいうまでもない。

二

呂布も、そう甘くはない。

「はてな、今となって、あの袁術が、莫大な財貨を贈ってきたのは、どういう肚なのだろう」

もとより、意欲では歓んだが、同時に疑心も起した。

「陳宮、そちはどう思う」

腹心の陳宮に問うと、

「見えすいたことですよ」と陳宮は笑った。

「あなたを牽制しておいて、一方の劉備を討とうという袁術の考えでしょう」

「そうだろうな。おれもなんだかそんな気がした」

「劉備が小沛にいることは、あなたにとっては前衛にはなるがなんの害にもなりません。それに反して、もし袁術の手が伸びて、小沛が彼の勢力範囲になったら、北方の泰山諸豪とむすんでくるおそれもあるし、徐州は枕を高くしていることはできなくなる」

「その手には乗らんよ」

「そうです。乗ってはなりません。受ける物は遠慮なく受けて、冷観しておればよろしいのです」

数日の後。

果たせるかな情報が入った。

淮南兵の怒濤が、小沛へ向って活動しだしたというのである。

袁術の幕将の一人たる紀霊がその指揮にあたり、兵員十万、長駆して小沛の県城へ進軍中と聞えた。

もちろん、袁術から、先に代償を払っているので、徐州の呂布には懸念なく、軍を進めているらしい。

一方、小沛にある劉玄徳は、到底、その大軍を受けては、勝ち目のないことも分っているし、第一兵器や糧秣さえ不足なので、

「不測の大難が湧きました。至急、ご救援をねがいたい」

と、呂布へ向って早馬を立てた。

呂布は、ひそかに動員して、小沛へ加勢をまわしたのみか、自身も両軍の間に出陣した。

淮南軍は、意外な形勢に呂布の不信を鳴らした。大将の紀霊からは、激越な抗議を呂

布の陣へ持込んできた。

呂布は、双方の板ばさみになったわけだが、決して困ったような顔はしなかった。

袁術からも、劉備からも、双方ともにおれを恨まぬように裁いてやろう。

呂布のつぶやくのを聞いて、陳宮は、彼にそんな器用な捌き（さば）きがつくかしらと疑いながら見ていた。

呂布は、二通の手紙を書いた。

そして紀霊と劉備を同日に、自分の陣へ招待した。

小沛の県城からすこし出て、玄徳も手勢五千たらずで対陣していたが、呂布の招待状が届いたので、「行かねばなるまい」と、起ちかけた。

関羽は、断じて引止めた。

「呂布に異心があったらどうしますか」

「自分としては、今日まで彼に対して節義と謙譲を守ってきた。彼をして疑わしめるような行為はなにもしていない。——だから彼が、予を害そうとするわけはない」

玄徳は、そういって、もう歩を運びかけた。すると張飛が、前に立って、

「あなたは、そういっても、われわれには、呂布を信じきれない。——しばらくお出ましは待って下さい」

「張飛ッ。どこへ行く気か」

「呂布が城外へ出て、陣地にあるこそもっけの幸いです。ちょっと、兵を拝借して彼奴

の中軍をふいに襲い、呂布の首をあげて、ついでに、紀霊の先鋒をも蹴ちらして帰ってきます。二刻とはかかりません」

玄徳は、呂布の迎えよりも、彼の暴勇のほうをはるかに恐れて、

「関羽ッ、孫乾ッ、はやく張飛を止めろ」

と左右へいった。

張飛はもう剣を払って馳けだしていたが、人々に抱き止められてようやく連れ戻されて来た。

三

関羽は張飛を諭した。

「貴様、それほどまで、呂布を疑って万一を案じるなら、なぜ、命がけでも、守護するの覚悟をもって、家兄のお供をして呂布の陣へ臨まないか」

張飛は、唾するように、

「行くさ！　誰が行かずにいるものか」と、玄徳に従って、自分もあわてて馬に乗った。

関羽が苦笑すると、

「何を笑う。自分だって、行くなと止めた一人じゃないか」

と、まるで子どもの喧嘩腰である。

呂布の陣へ来ると、なおさら張飛の顔はこわばったまま、ニコともしない。さながら魁偉な仮面だ。眼ばかり時々左右へ向ってギョロリとうごく。

関羽も、油断せず玄徳のうしろに屹然と立っていた。

やがて、呂布が席についた。

「よう来られた」

この挨拶はいいが、その次に、「この度はご辺の危難をすくうためこの方もずいぶん苦労した。この恩を忘れないようにして貰いたいな」と、いった。

張飛、関羽の二つの顔がむらむらと燃えている。――が、玄徳は頭を低く下げて、

「ご高恩のほど、なにとて忘れましょう。かたじけのうぞんじます」

そこへ、呂布の家臣が、

「淮南の大将紀霊どのが見えました」

「オ。はや見えたか。これにご案内しろ」

呂布は、軽く命じて、けろりと澄ましているが、玄徳は驚いた。

紀霊は、敵の大将だ。しかも交戦中である。あわてて席を立ち、

「お客のようですから、私は失礼しておりましょう」

と、避けてそこをはずそうとすると、呂布は押止めて、

「いや、今日はわざと、足下と紀霊とを、同席でお呼びしてあるのだ。まあ、相談もあるから、それへかけておいでなさい」

そのうちに、もう紀霊が、つい外まで案内されて来た様子。呂布の臣となにか話しながらやってくるらしく、豪快な笑い声が近づいてくる。

「こちらです」

案内の武士が、営門の帷をあげて、闇の庭を指すと、紀霊は何気なく入りかけたが、

「……あっ？」と、顔色を変えて、そこへ足を止めてしまった。

玄徳、関羽、張飛。

敵方の三人が、揃いも揃ってそこの席にいたのである。――紀霊にしても驚いたのはむりもない。

呂布は、振返って、「さ。これへ来給え」と、空いている一席を指さした。

しかし、紀霊は、疑わずにいられなかった。恐怖のあまり彼は身をひるがえして、外へ戻ってしまった。

「来給えというのに。なにを遠慮召さるか」

呂布は立って行って、彼の臂をつかまえた。そして、小児の如く吊り下げて、中へ入れようとするので、紀霊は、

「呂公、呂公。何科あって、君はこの紀霊を、殺そうとし給うのか」と、悲鳴をあげた。

呂布は、くすくす笑って、

「君を殺す理由はない」

「では、玄徳を殺す計で、あれに招いておるのか」

「いや、玄徳を殺す気もない」

「しからば……しからば一体どういうおつもりで？」

「双方のためにだ」

「分らぬ。まるで狐につままれたようだ。そう人を惑わせないで、本心を語って下さい」

「おれの本心は、平和主義だ。おれは元来、平和を愛する人間だからね。――そこで今日は、双方の顔をつき合わせて、和睦の仲裁をしてやろうと考えたわけだ。この呂布が仲裁では、君は役不足というのか」

四

平和主義も顔負けしたろう。

それも、余人がいうならともかく、呂布が自分の口で、（おれは平和主義だ）と、見得を切ったなどは、近ごろの珍事である。

もとより紀霊も、こんな平和主義者を、信用するはずはない。おかしいよりも、彼は、なおさら疑惑に脅かされた。

「和睦といわれるが、いったい和睦とは、どういうわけで？」

「和睦とは、合戦をやめて、親睦をむすぶことさ。知らんのか君は」

紀霊は、呆っ気にとられた。

その顔つきを煙にまいて、呂布は、彼の臂を引っ張ッたまま席へつれてきた。

変なものができあがった。

座中の空気は白けてしまう。紀霊と玄徳とは、ここで、客同士だが、戦場では当面の敵と敵である。

「…………」

「…………」

お互いにしり眼に見合って、毅然と構えながらももじもじしていた。

「こう並ぼう」

呂布は、自分の右へ、玄徳を招じ、左のほうへ、紀霊の座をすすめた。

酒宴になった。

だが、酒のうまかろうはずがない。どっちも、黙々と、杯の端を舐めるようなことをしている。

そのうちに呂布が、

「さあ、これでいい。——これで双方の親交も成立した。胸襟をひらいて、ひとつ乾杯しよう」

と、ひとり飲みこんで杯を高くあげた。

しかし、挙がった手は、彼の手だけだった。

ここに至っては、紀霊も黙っていられない。席を蹴らんばかりな顔をして、

「冗談は止めたまえ」と、呂布へ正面を切った。

「なにが冗談だ」

「考えてもみられよ。それがしは君命をうけて、十万の兵を引率し、玄徳を生捕らずんば生還を期せずと、この戦場に来ておるのだ」

「分っておる」

「百姓町人の擲り合いかなんぞなら知らぬこと。そう簡単に、兵を引揚げられるものではない。それがしが戦をやめる日には玄徳を生捕るか、玄徳の首を戟につらぬいて、凱歌をあげる日でなければならん」

「…………」

玄徳は、黙然と聞いていたが、その後ろに立っていた関羽、張飛の双眼には、ありありと、烈火がたぎっていた。

——と思うまに、張飛は、玄徳のうしろから戛々と、大股に床踏み鳴らして、

「やい紀霊ッ。これへ出ろ。——黙っておれば、人もなげな広言。われわれ劉玄徳と誓う君臣は、兵力こそ少いが、汝ら如き蛆虫や、いなごとは実力がちがう。そのむかし、黄巾の蜂徒百万を、僅か数百人で蹴散らした俺たちを知らないか。——もういちどその舌の根をうごかしてみろ！　ただは置かんぞッ」

あわや剣を抜いて躍りかかろうとするかの血相に、関羽は驚いて、張飛を抱きとめ、

「そう貴様一人で威張るな。いつも貴様が先に威張ってしまうから、俺などの出る所はありはしない」

「ぐずぐず云っているのは、それがし大嫌いだ。やい紀霊、戦場に所は選ばんぞ。それほど、わが家兄の首が欲しくば取ってみろ」

「まあ、待てと申すに。——呂布にもなにか考えがあるらしい。呂布がどう処置をとるか、もうしばらく、家兄のように黙りこくって見ているがいい」

すると、張飛は、

「いや、その呂布にも、文句がある。下手な真似をすると、呂布だろうが、誰だろうが、容赦はしていねえぞ」

と、髪は、冠をとばし、髯は逆しまに分かれて、丹の如き口を歯の奥まで見せた。

五

そう張飛に挑戦されては、紀霊もしりごみしてはいられない。

「この匹夫めが」

剣を鳴らして起ちかけた。

呂布は、双方を睨みつけて、

「やかましい。無用な騒ぎ立てするな」と、大喝して、

「誰か、来い」と、後ろへもどなった。

そして馳け集まって来た家臣らに向い、

「おれの戟を持って来い。おれの画桿の大戟のほうだ」と、すさまじい語気でいいつけた。

出来合いの平和主義も、意のままにならないので、立ち所に憤怒の本相をあらわす気とみえる。彼が立腹したら何をやりだすか分らない。紀霊も非常に恐れたし、玄徳も息をのんで、

「どうなることか」と、見まもっている。

画桿の大戟は彼の手に渡された。それを引っ抱えながら一座を睨めまわして、呂布はこう云いだした。

「今日、おれが双方を呼んで、和睦しろというのは、おれがいうのじゃない。天が命じているのだ。それに対して、私の心をはさみ、四の五の並べ立てるのは天の命に反くものだぞ」

果然、彼はまだ、厳かな平和主義者の仮面を脱がない。

なに思ったか、呂布は、そういうや、否、ぱっと、閣から走りだして、彼方、轅門のそばまで一息に飛んでゆくと、そこの大地へ、戟を逆しまに突きさして帰って来た。

そしてまた云うには、

「見給え、ここから轅門までのあいだ、ちょうど百五十歩の距離がある」

一同は、彼の指さすところへ眼をやった。なんのために、あんな所へ戟を立てたの

か、ただいぶかるばかりだった。

「——そこでだ。あの戟の枝鍔を狙って、ここからおれが一矢射て見せる。首尾よくあたったら、天の命を奉じて、和睦をむすんで帰り給え。あたらなかったら、もっと戦えよという天意かも知れない。おれは手を退いて干渉を止めよう。勝手に、合戦をやりつづけるがいい」

奇抜なる提案だ。

紀霊は、あたるはずはないと思ったから、同意した。

玄徳も、

「おまかせする」と、いうしかなかった。

「では、もう一杯飲んで」と、席に着き直って、呂布はまた、一巡酒をすすめ、自分も彼方の戟を見ながら飲んでいたが、やがてぽっと酔いが顔にきざしてきた頃、

「弓をよこせ！」と、家臣へどなった。

閣の前へ出て、呂布は正しく片膝を折った。

弓は小さかった。

弭（つのゆみ）——または李満弓（りまんきゆう）ともいう半弓型のものである。けれど梓（あずさ）に薄板金を貼り、漆巻（うるしまき）で緊（し）めてあるので、弓勢（ゆんぜい）の強いことは、強弓とよぶ物以上である。

「…………」

ぶツん！

弦はぴんと返った。切ってはなたれた矢は笛の如く風に鳴って、一線、鮮やかに微光を描いて行ったが、カチッと、彼方で音がしたと思うと、戟の枝鍔は、星のように飛び散り、矢は砕けて、三つに折れた。

「——あたった！」

呂布は、弓を投げて、席へもどった。そして紀霊に向い、

「さあ約束だ。すぐ天の命を受け給え。何、主君に対して困ると。——いや袁術へは、こちらから書簡を送って、君の罪にならぬようにいっておくからいい」

彼を、追いかえすと、呂布は玄徳へ、得意になって云った。

「どうだ君。もし俺が救わなかったら、いかに君の左右に良い両弟が控えていても、まず今度は、滅亡だったろうな」

売りつける恩とは知りながらも、玄徳は、

「身の終るまで、今日のご恩は忘れません」

と、拝謝して、ほどなく小沛へ帰って行った。

花　嫁

一

「このまま踏み止まっていたら、玄徳はさておいて、呂布が、違約の敵と名乗って、総勢で攻めてくるにちがいない」

紀霊は、呂布を恐れた。

何だか呂布に一ぱい喰わされた気もするが、彼の太い神経には、まったく圧服されてしまった。

やむなく紀霊は、兵を退いて、淮南へ帰った。

彼の口から、仔細を聞いて、嚇怒したのは、袁術であった。

「彼奴。どこまで図太い奴か底が知れん。莫大な代償を受取っておきながら、よくも劉備を庇いだてして、無理押しつけな和睦などを酬いおったな」

虫がおさまらない。

袁術、堪忍をやぶって、

「この上は、予が自身で、大軍をすすめ、徐州も小沛も、一挙に蹴ちらしてくれん」

と、令を発せんとした。

紀霊は、自己の不面目を、ふかく恥じていたが、

「いけません。――断じて、うかつには」と、諫めた。

「呂布の勇猛は、天下の定評です。勇のみかと思っていたら、どうして、機智も謀才も

あるのには呆れました。それが徐州の地の利をしめているのですから、下手に出ると、大兵を損じましょう」

「というと、彼奴が北隣に蟠踞していては、将来ともこの袁術は、南へも西へも伸びることができないではないか」

「それについて、ふと思い当ったことがあります。聞くところによると、呂布には妙齢の美しい娘がひとりあるそうです」

「妾の腹か、妻女の子か」

「妻女の厳氏が生んだ愛娘だというはなしですから、なお、都合がいいのです」

「どうして」

「ご当家にも、はや嫁君を迎えてよいご子息がおありですから、婚を通じて、まず、呂布の心を籠絡するのです。――その縁談を、彼が受けるか受けないかで、彼の向背も、はっきりします」

「む、む」

「もし彼が、縁談をうけて、娘をご子息へよこすようでしたら――しめたものです。呂布は、劉備を殺すでしょうよ」

袁術は、膝を打って、

「よい考えだ。良策を献じた褒美として、このたびの不覚は、罪を問わずにおいてやる」

と、いった。

袁術はまず、一書を認めて、このたび和睦の労をとられた貴下のご好意に対して、満腔の敬意と感謝を捧げる——と慇懃な答礼を送った。

日をはかって、それからわざと二月ほど間をおいてから、

「——時に、光栄ある貴家と姻戚の縁をむすんで、永く共栄をわかち、親睦のうえにも親睦を篤うしたいが」と、縁談の使いを向けた。

もちろんその返辞は、

「よく考えた上、いずれご返辞は、当方より改めて」と、世間なみな当座の口上であった。

先には、和睦の仲介へ、篤く感謝して来ているし、それからの縁談なので、呂布は、真面目に考慮した。

「わるい話でもないな。……どうだね。お前の考えは」

妻の厳氏に相談した。

「さあ……？」

愛しいひとり娘なので、彼の妻も、象牙を削ったような指を頰にあてて考えこんだ。

後園の木蘭の花が、ほのかに窓から匂ってくる。呂布のような漢でも、こういう一刻は和やかな眼をしているよい父親であった。

二

第一夫人、第二夫人、それと、いわゆる妾とよぶ婦人と。

呂布の閨室は、もともと、そう三人あった。

厳氏は正妻である。

その後、曹豹の女を入れて、第二の妻としたが、早逝してしまったので子供もなかった。

三番目のは妾である。

妾の名は、貂蟬という。

貂蟬といえば、彼が、まだ長安にいた頃、熱烈な恋をよせ、恋のため、董相国に反いて、遂に、時の政権をくつがえしたあの大乱の口火となった一女性であるが——その貂蟬はまだ彼の秘室に生きていたのだろうか。

「貂蟬よ、貂蟬よ」

彼は今も、よくそこの閨園では呼んでいる。だが、その後、彼にかしずいている貂蟬は、かの王允の養女であった薄命な貂蟬とは、名こそ同じだが、別人であった。

どこか、似てはいる。

しかし、年もちがう、気だてもちがう。

呂布も、煩悩児であった。

長安大乱のなかで死んだ貂蟬があきらめきれなかった。それ故、諸州にわたって、貂蟬に似た女性をさがし、ようやくその面影をどこかしのべる女を得て、「貂蟬、貂蟬」と、呼んでいるのだった。

その貂蟬にも、子はなかったので、子供といっては、厳氏の腹から生れた娘があるだけである。

煩悩な父親は、その愛娘へも、人なみ以上な鍾愛をかけている。――子の幸福を、自分の行く末以上に案じている。

「どうだね？」

袁術からの縁談には、彼はほとほと迷っていた。

男親は、あまりに、多方面から考えすぎる。

一面では良縁と思うし、一面では危うさを覚える。

「……わたしは、いいおはなしと思いますが」

正妻の厳氏はいった。

「なぜならば、わたしが、ふと聞いたうわさでは、袁術という人は、早晩、天子になるお方だそうですね」

「誰に聞いた？」

「誰とはなく、侍女たちまで、そんな噂をささやきます。――天子の位につく資格をもっているんですって」

「彼の手には、伝国の玉璽がある。それでだろう。——しかし、衆口のささやき伝える力のほうが怖しい。実現するかもしれないな」

「ですから、よいではございませんか。娘を嫁入らせば、やがて皇妃になれる望みがありましょう」

「おまえも、偉いところへ眼をつけるな」

「女親のいちばん考える問題ですもの。ただ、先方に何人の息子がいるか、それは調べておかなければいけませんね。大勢のなかの一番出来の悪い息子なんかに貰われたら後悔しても追いつきませんから」

「その点は、不安はない。袁術には、一人しか息子はいないのだから」

「じゃあ、考えていらっしゃることはないじゃありませんか」

雌鶏のことばに、雄鶏も羽ばたきした。——袁家から申しこんできた「共栄の福利を永久に頒たん」との辞令が、真実のように思い出された。

返辞を待ちきれないように、袁家からは、再度韓胤を使者として、

「ご縁談の儀は、いかがでしょうか。一家君臣をあげて、この良縁の吉左右を、鶴首しておるものですから」

と、内意をただしにきた。

呂布は、韓胤を駅館に迎えて、篤くもてなし、承知の旨を答えるとともに、使者の一行にたくさんな金銀を与え、また帰る折りには、袁術へ対して、豪華な贈物を馬や車に

山と積んで持たせてやった。

「申し伝えます。さだめし袁ご一家におかれても、ご満足に思われましょう」

韓胤の帰った翌日である。

例のむずかしやの陳宮が、いとどむずかしい顔をして、朝から政務所の閣にひかえ、呂布が起きだしてくるのを待っていた。

三

やがて、呂布が起きてきた。

「おお、陳宮か、早いな」

「ちと、おはなしがありまして」

「なんじゃ」

「袁家とのご縁談の儀で」

陳宮の顔つきから見て、呂布は心のうちで、ちょっと当惑した。

また何か、この諫言家(かんげんか)が、自分を諫めにきたのではないか。

もう先方へは承諾を与えてある。今、内輪から苦情をもち出されてはうるさい。

「…………」

そんな顔しながら、寝起きの鈍(にぶ)い眼を、横へ向けていた。

「おさしつかえございませんか。ここで申し上げても」

「反対かな。そちは」

「いや、決して」

陳宮が、頭を下げたので、呂布はほっとして、

「吏員どもが出てくるとうるさい。あの亭へ行こう」

閣を出て、木蘭の下を歩いた。

水亭の一卓を囲んで、

「そちにはまだ話さなかったが、妻も良縁というから、娘をやることに決めたよ」

「結構でしょう」

陳宮の答えには、すこし奥歯に物がはさまっている。

「いけないかね」

呂布は、彼の諫めをおそれながら、彼の保証をも求めていた。

「いいとは思いますが、その時期が問題です。挙式は、いつと約しました」

「いや、まだそんなところまでは進んでいない」

「約束からお輿入れまでの日取りには、古来から一定した期間が定まっておりましょう」

「それによろうと思う」

「いけません」

「なぜ」

「世上一般の慣例としては、婚約の成立した日から婚儀までの期間を、身分によって四いろに分けています」

「天子の華燭の式典は一ヵ年、諸侯ならばそのあいだ半年、武士諸大夫は一季、庶民は一ヵ月」

「その通りです」

「そうか。むむ……」と、呂布はのみこみ顔で、

「袁術は、伝国の玉璽を所有しておるから、早晩、天子となるかもしれない。だから、天子の例にならえというのか」

「ちがいます」

「では、諸侯の資格か」

「否」

「大夫の例で行えというか」

「いけません」

「しからば……」と、呂布も気色ばんだ。

「おれの娘をやるのに、庶民なみの例で輿入れせよと申すか」

「左様なことは、誰も申し上げますまい」

「わからぬことをいうやつ、それでは一体、どうしろというのか」

「事は、家庭のご内事でも、天下の雄将たるものは、常に、風雲をながめて何事もなさ

るべきでしょう」

「もちろん」

「驍勇並ぶ者なきあなたと、伝国の玉璽を所有して、富国強兵を誇っているところの袁家とが、姻戚として結ばれると聞いたら、これを呪咀し嫉視せぬ国がありましょうか」

「そんなことを怖れたらどこへも娘はやれまい」

「しかし、万全を図るべきでしょう。ご息女のお為にも。――お輿入れの吉日を、千載の好機と待ちかまえ、途中、伏兵でもおいて、花嫁を奪い去るようなおそれがないといえますか」

「それもそうだ……じゃあどうしたらいいだろう」

「吉日を待たないことです。身分も慣例も構うことではありません。四隣の国々が気づかぬまに、疾風迅雷、ご息女のお輿を、まず袁家の寿春まで、お送りしてしまうことです」

「なるほど」

四

呂布も、彼にいわれてみれば、至極、もっともであると思うのだった。

「――だが、弱ったなあ」

「何がお困りですか」

陳宮は突っこんで訊ねた。

呂布は頭をかいて、

「実は、夫人もこの縁談には乗り気で、非常な歓びだものだから……つい其方にも計らぬうち、袁術の使者へ、承諾の旨を答えてしまった」

「結構ではありませんか。てまえはべつに今度の縁談をお止め申しているのではございません」

「――だが、使者の韓胤は、もはや淮南へ、帰国してしまったのだ」

「それも構いません」

「なぜ。どうして」

呂布は、怪しんだ。

あまりに陳宮が落着きはらっているので妙に思われて来たらしい。

陳宮は、こう打明けた。

「――実はです。今朝、てまえ一存で、ひそかに韓胤の旅館を訪問し、彼とは内談しておきました」

「なに。袁術の使者と、おれに黙って会っていたのか」

「心配でなりませんから」

「――で。どういうはなしを致したのか」

「わたしは、韓胤に会うと、単刀直入に、こう口を切っていいました。

　こんどのご縁談は
　つまるところ——
　貴国においては
　劉備の首がお目あてでしょう。
　花嫁は花嫁として
　後から欲しいお荷物は
　劉備の首、それでしょう！
いきなり手前がいったものですから韓胤は驚いて、顔色を失いましたよ」
「それはそうだろう。……そしたら韓胤はなんと答えたか」
「ややしばらくてまえの面を見ていましたが、やがて声をひそめて、
　——左様な儀は
　どうか大きなお声では
　仰っしゃらないように。
と、あれもなかなか一くせある男だけに、いい返辞をしたものです」
「ふウム。それから、其方はなにをいおうとしたのか」
「花嫁のお輿入れは、世間の通例どおりにしては、必ず、不吉が起る。順調に運ぶとは思われない。だから、自分からも、主君にそうおすすめ申すから、貴国のほうでも、即刻お取急ぎ下さるように。……こう申して帰ってきたのです」

「韓胤は、おれには、何もいわなかった」

「それはいわないでしょう。この縁談は、政略結婚ですと、明らかにいって来るお使者はありませんからな」

陳宮は、こういったら、呂布が考え直すかと思って、その顔いろを見つめていたが、呂布の心は、娘を嫁がせる支度やその日取りにばかりもう心を奪われていた。

「では、日取りは、早いほどいいわけだな。何だか、ばかに気ぜわしくなったぞ」

彼はまた、後閣へ向って、大股にあるいて行った。

妻の厳氏にいいふくめて、それから、夜を日についで、輿入れの準備をいそがせた。

あらゆる華麗な嫁入り妝匣がそろった。おびただしい金襴や綾羅が縫われた。馬車や蓋が美々しくできた。

いよいよ花嫁の立つ朝は来た。東雲の頃から、徐州城のうちに、鼓楽の音がきこえていた。ゆうべから夜を明かして、盛大な祝宴は張られていたのである。

やがて、禽の啼く朝の光と共に、城門はひらかれ、花嫁をのせた白馬金蓋の馬車は、たくさんな侍女侍童や、美装した武士の列に護られて、まるで紫の雲も棚びくかとばかり、城外へ送り出されてきた。

五

陳珪は、老齢なので、息子の邸で病を養っていた。

彼の息子は、劉玄徳の臣、陳登であった。

「なんだね、あの賑やかな鼓楽は？」

病室にかしずいている小間使いが、

「ご隠居さまには、まだご存じないんですか」と、徐州城を出た花嫁の行列が、遠い淮南へ立ってゆくのを、町の人たちが今、歓呼して見送っているのですと話した。

すると、陳珪は、

「それは大変じゃ、こうしては居られない」と、病室から歩みだし、

「わしを驢に乗せて、お城まで連れてゆけ」と、いって、どうしても肯かなかった。

陳珪は、息をきりながら徐州城へ上がって、呂布へ目通りをねがった。

「病人のくせに、何で出てきたのか。祝いになど来ないでもいいのに」と、呂布がいうと、

「あべこべです」

陳珪は、強くかぶりを振って、云いだした。

「――あなたのご臨終もはや近づいたので、今日は、お悼みをのべに上がりました」

「老人。おまえは、自分のことを云っているのじゃないか」

「いいえ、老病のわたくしよりもあなたのほうが、お先になりました」

「なにを、ばかな」

「でも、命数は仕方がございません。ご自分で、冥途へ冥途へと、自然、足をお向けに

なるんですから」

「不吉なことを申すな。このめでたい吉日に」

「きょうが吉日とお考えになられるのからして、もう死神につかれているのです。――なぜならば、こんどのご縁談は、袁術の策謀です。あなたに、ご息女を人質に取っておいては、あなたを亡ぼすことができないため、まず劉備という者がついていてら劉備のいる小沛へ攻め寄ろうとする考えなのです」

「…………」

「劉備が攻められても、今度はあなたも、劉備へ加勢はできますまい。彼を見殺しにすることは、ご自身の手脚がもがれて行くことだとお思いになりませんか」

「…………」

「やれやれ、ぜひもない！　怖ろしいのは、人の命数と、袁術の巧妙な策略じゃ」

「ウーム……」

呂布はうなっていたが、やがて陳珪をそこへ置き放したまま、大股にどこかへ出て行った。

「陳宮っ。陳宮！」

閣の外に、呂布の大声が聞えたので、何事かと、陳宮が詰所から走ってゆくと、その面を見るなり、呂布は、

「浅慮者（あさはかもの）め。貴様はおれを過（あやま）らせたぞッ」と、呶鳴りつけた。

そしてにわかに、騎兵五百人を庭上へ呼んで、

「姫の輿を追いかけて、すぐ連れもどしてこいっ。――輿入れは中止だ」と、云いわたした。

呂布のむら気はいつものことだが、これにはみんな泡をくった。騎兵隊は、即刻、砂けむりあげて、花嫁の行列を追った。

呂布は、書面を認めて、

「昨夜から急に、むすめが微恙で寝ついたので、輿入れの儀は、当分のあいだ延期とご承知ねがいたい」と、袁術のほうへ、早馬で使いをやった。

病人の陳珪老人は、その夕方まで城内にいたが、やがてトボトボ驢の背にのってわが家へ帰りながら、

「ああ、これで……伜のご主君のあぶない所が助かった」

と、まばらな髯のなかで、独りつぶやいていた。

馬盗人

一

次の日、陳珪は、また静かに、病床に横臥していたが、つらつら険悪な世上のうごきを考えると小沛にいる劉玄徳の位置は、実に危険なものに思われてならなかった。

「呂布は前門の虎だし、袁術は後門の狼にも等しい。その二人に挟まれていては、いつかきっと、そのいずれかに喰われてしまうにきまっている」

彼は心配のあまり、病床で筆をとって、一書をしたため、使いを立てて呂布の手もとへ上申した。その意見書には、こういう献策がかいてあった。

近ごろ、老生の聞く所によると、袁術は、玉璽を手にいれ、不日天子の称を冒さんとしている由です。

明らかな大逆です。

この際、あなたとしては、ご息女の輿入れをお見合わせになったのを幸いに、急兵を派して、まだ旅途にある使者の韓胤を搦め捕り、許都の朝廷へさし立てて、順逆を明らかにしておくべきではありませんか。

曹操は、あなたの功を認めるでしょう。あなたは、官軍たるの強みを持ち、曹操の兵を左翼に、劉玄徳を右翼として、大逆の賊を討ち掃うべきです。

今こそ、その秋です。

曠世の英名をあげて、同時に一代の大計をさだめる今を、むなしく逸してはいけません。こういう機会は、二度と参りますまい。

「……あなた、何を考えこんでいらっしゃるのですか」

妻の厳氏は、呂布の肩ごしにそれをさしのぞいて陳珪の意見書を共に読んでしまった。

「いや、陳珪のいうところも、一理あるから、どうしようかと思案していたのさ」

「死にかけている病人の意見などに動かされて、せっかくの良縁を、あなたは破棄してしまうおつもりですか」

「むすめは、どうしているね」

「泣いておりますよ、可哀そうに……」

「弱ったなあ」

呂布はつぶやきながら、吏士たちの詰めている政閣のほうへ出て行った。

すると何事か、そこで吏士たちがさわいでいた。

侍臣に訊かせてみると、

「小沛の劉備が、どこからか、続々と、馬を買いこんでいるといっているのです」

と、告げた。

呂布は、大口あいて笑った。

「武将が、馬を買入れるのは、いざという時の心がけで、なにも、目にかどを立ててさわぐこともあるまい――わしも良馬を集めたいと思って、先ごろ、宋憲以下の者どもを山東へつかわしてあるが、彼らも、もう帰ってくる時分だろう」

それから三日目だった。

山東地方へ軍馬を求めに出張していた宋憲と、その他の役人どもは、まるで狐にでもつままれたような恰好で、ぼんやり城中へ帰ってきた。

「軍馬はたくさん集めてきたか。さっそく逸物を五、六頭ひいて見せい」

呂布がいうと、

「申し訳ございません」と、役人どもは、彼の怒りを恐れながら、頭をすりつけて答えた。

「名馬三百匹をひいて、一昨夜、小沛の境までかかりました所、一団の強盗があらわれて、そのうち二百頭以上の逸物ばかり奪い去ってしまいました。……われら、きのうも今日も、必死になって、後をさがしましたが、山賊どもも、馬の群れも、まったく行方がわかりませんので、むなしく残りの馬だけひいて、ひとまず立ち帰って参りました」

「なに、強盗の一団に、良馬ばかり二百頭も奪われてしまったというのか」

呂布の額には、そういううちにもう青筋が立っていた。

二

「穀（ごく）つぶしめ。貴様たちは日頃、なんのために禄（ろく）を喰っているか」

呂布は、声荒らげて、宋憲らの責任を糺（ただ）した。

「――大事な軍馬を数多強盗に奪われましたと、のめのめと面を揃えて立帰ってくる役人がどこにあるっ。強盗などを見かけたら即座に召捕るのが汝ら、吏たる者の職分ではないか」

「お怒りは、重々、ごもっともでございまするが」と、宋憲は、怒れる獅子王の前に、ひれ伏したまま言い訳した。「何ぶんにも、その強盗が、ただの野盗や山賊などではございません、いずれも屈強な男ばかりでみな覆面しておりましたが、中にもひときわ背のすぐれた頭目などは、われわれどもを、まるで小児の如く取って投げ、近寄ることもどうすることもできません。――しかもその行動はおそろしく迅速で、規律正しく、われわれの乗馬を奪って跳びのるが早いか、その頭目の号令一下に、馬匹の群れに鞭を加え、風のように逃げてしまったのです。……あまりに鮮やかなので、不審に思って、内々、取調べてみますと、われわれの手には及ばなかったはずです。――その覆面の強盗どもは、実は、小沛の劉玄徳の義弟、張飛という者と、その部下たちでありました」

「なに。それが張飛だったと……?」

呂布の忿怒は、小沛の方へ向けられた。しかしまだ多少疑って、

「たしかか。――たしかにそれに相違ないか」と、念を押した。

「決して、偽りはありません」

「うぬっ」と、呂布は歯を噛んで、席を突っ立ち、

「おれの堪忍はやぶれた」と、咆哮した。

城中の大将たちは、直ちに呼びだされた。呂布は立ったままでいた。そして一同そこに立ち揃うと、

「劉備へ宣戦する！　すぐさま小沛へ押し寄せろ」

命を下すや否、彼も甲冑をつけて、赤兎馬に跨り、軍勢をひいて小沛の県城へ迫った。

驚いたのは、玄徳である。

「何ゆえに？」

理由がわからない。

しかし事態は急だ。防がずにいられない。

彼も、兵を従えて、城外へすすみ出た。そして大音をあげて、

「呂将軍、呂将軍。この態はそも、何事ですか。故なく兵をうごかし給うは近頃、奇怪なことに思われますが」

「ほざくな、劉備」

呂布は、姿を見せた。

「この恩知らず！　先に、この呂布が、轅門の戟を射て、危ういところを、汝の一命を救ってやったのに、それに酬いるに、わが軍馬二百余頭を、張飛に盗ませるとは何事だ。偽君子め！　汝は強盗を義弟として、財を蓄える気か」

ひどい侮辱である。

玄徳は顔色を変えたが、身に覚えないことなので、茫然、口をつぐんでいた。すると張飛はうしろから戟をさげて進み出で、劉備の前に立ちふさがって云い放った。

「吝ッたれ奴！　二百匹ばかりの軍馬がなんだ。あの馬を奪りあげたのは、かくいう張飛だが、われをさして強盗とは聞き捨てならん。おれが強盗なら汝は糞賊だ」

「なに、糞賊？」

呂布もまごついた。世にさまざまな賊もあるが、まだ糞賊というのは聞いたこともない。張飛のことばは無茶である。

「そうではないか！　汝は元来、寄る辺なく、この徐州へ頼ってきた流寓の客にすぎぬ。劉兄のお蔭で、いつのまにか徐州城に居直ってしまい、太守面をしているのみか、国税もすべて横領し、むすめの嫁入り支度といっては、民の膏血をしぼり、この天下多難の秋に、眷族そろって、能もなく、大糞ばかりたれている。されば汝ごとき者を、国賊というのももったいない。糞賊というのだ。わかったか呂布っ」

三

張飛の悪たれが終るか終らない咄嗟だった。

呂布は颯ッと満面の髯も髪もさかだてて、画桿の大戟をふりかぶるやいな、

「下郎っ」と、凄まじい怒りを見せて打ってかかった。

張飛は、乗ったる馬を棹立ちに交わしながら、

「よいしょッ」

と、相手の反れた戟へ、怒声をかけてやった。

揶揄された呂布は、いよいよ烈火のようになって、

「おのれ」

と、さらに、戟を持ち直し、正しく馬首を向け直すと、張飛も、

「さあ、おいで」

と、一丈八尺の矛を構えて、炬のごとき眼を、呂布に向けた。

これは天下の偉観といってもよかろう。張飛も呂布も、当代、いずれ劣らぬ勇猛の典型である。

けれど同じ鉄腕の持ち主でも、その性格は甚だしくちがっている。張飛は、徹底的に、呂布という漢が嫌いだった。呂布を見ると、なんでもない日頃の場合でも、むらむらと闘志を挑発させられる。同様に、呂布のほうでも、常々、張飛の顔を見ると、ヘドを催すような不快に襲われる。

かくの如く憎み合っている両豪が、今や、戦場という時と所を得て、対い合ったのであるからその戦闘の激烈であったことは言語に絶している。

戟を交わすこと二百余合、流汗は馬背にしたたり、双方の喚きは、雲に谺するばかりだった。しかもなお、勝敗はつかず、馬蹄のためにあたりの土は掘り返り、陽はいつのまにか暮れんとしている。

「張飛、張飛っ。なぜ引揚げぬか。家兄の命令になぜ従わん」

後ろのほうで、関羽の声がした。

気がついて、彼が前後を見まわすと、もう薄暮の戦場にのこっているのは、自分ひとりだけであった。

そして敵兵の影を遠巻きに退路をつつみ、草靄が白く野を流れていた。

「オーッ。——関羽かっ」

張飛は答えながら、なおも、呂布と戦っていたが、なるほど、味方の陣地のほうで遠く退き鐘が鳴り響いている——。

「はやく来い。そんな敵は打ちすてて引揚げろ」

関羽は、彼のために、遠巻きの敵の一角を斬りくずしていた。張飛もいささか慌てて、

「呂布、明日また来い」と云いすてて馳けだした。

何か、呂布の罵る声がうしろで聞えたが、もう双方の姿もおぼろな夕闇となっていた。関羽は、彼のすがたを見ると馳け寄ってきて、

「家兄がご立腹だぞ」と、ささやいた。

県城へ引揚げてくると、劉備はすぐ張飛を呼んで詰問した。

「またも其方は禍いをひき起したな。——一体、盗んだ馬は、どこに置いてあるのか」

「城外の前の境内にみなつないであります」

「道ならぬ手段をもって得た馬を玄徳の厩につなぐことはできない。——関羽、その馬匹をことごとく呂布へ送り返せ」

関羽はその晩二百余頭の馬匹をすべて呂布の陣へ送り返した。

呂布は、それで機嫌を直して、兵を引こうとしたが、陳宮がそばから諫めた。

「今もし玄徳を殺さなければ、必ず後の禍いです。徐州の人望は、日にまして、あなたを離れて、彼の身にあつまりましょう」

そう聞くと呂布は、玄徳の道徳や善行が、かえって恐ろしくも憎くもなった。

「そうだ。人情はおれの弱点だ」

そのまま、息もつかず翌日にわたって、攻め立てたので、小勢の県城は、たちまち危なくなった。

「どうしよう？」

玄徳が、左右に諮ると、孫乾がいった。

「この上はぜひもありません。いったん城を捨てて、許都へ走り、中央にある曹操へたのんで、時をうかがい、今日の仇を報じようではありませんか」

玄徳は、彼の説に従って、その夜三更、搦手から脱けだして、月の白い道を、腹心の者とわずかな手勢だけで、落ちのびて行った。

胡弓夫人

一

張飛と関羽のふたりは、殿軍となって、二千余騎を県城の外にまとめ、

「この地を去る思い出に」

とばかり、呂布の兵を踏みやぶり、その部将の魏続、宋憲などに手痛い打撃を与えて、

「これで幾らか胸がすいた」と、先へ落ちて行った劉玄徳のあとを追い慕った。

時は、建安元年の冬だった。

国なく食なく、痩せた馬と、うらぶれた家の子郎党をひき連れた劉玄徳は、やがて許昌の都へたどり着いた。

曹操は、しかし決してそれに無情ではなかった。

「玄徳は、わが弟分である」

といって、迎うるに賓客の礼をとり、語るに上座を譲ってなぐさめた。

なお、酒宴をもうけて、張飛や関羽をもねぎらった。

玄徳は、恩を謝して、日の暮れがた相府を辞し、駅館へひきあげた。

すると、その後ろ姿を見送りながら、曹操の腹心、荀彧は、

「玄徳はさすがに噂にたがわぬ人物ですな」と、意味ありげに、独り言をもらした。

「むむ」とうなずいたのみで曹操が黙然としていると、荀彧はその耳へ顔を寄せて、

「彼こそ将来怖るべき英雄です。今のうちに除いておかなければ、ゆく末、あなたにとっても、由々しい邪魔者となりはしませんか」と、暗に殺意を唆った。

曹操は、何か、びくとしたように、眼をあげた。その眸は、赤い熒光を放ったように見えた。

ところへ、郭嘉が来て、曹操からその相談をうけると、

「とんでもない事です――」といわんばかりな顔して、すぐ首を横に振った。

「彼がまだ無名のうちならとにかく、すでに今日では、義気仁愛のある人物として、劉玄徳の名は相当に知られています。もしあなたが、彼を殺したら、天下の賢才は、あなたに対する尊敬を失い、あなたの唱えてきた大義も仁政も、嘘としか聞かなくなるでしょう。――一人の劉備を怖れて、将来の患いを除くために、四海の信望を失うなどは、下の下策というもので、私は絶対に賛成できません」

「よく申した」

曹操の頭脳は明澄である。彼の血は熱しやすく、時に、また濁りもするが、人の善言

をよくうけ入れる本質を持っている。

「予もそう思う。むしろ今逆境にある彼には、恩を恵むべきである」といって、やがて朝廷に上がった日、玄徳のため、予州（河南省）の牧を奏請して、直ちに任命を彼に伝えた。

さらに。

玄徳が、任地へおもむく時には、兵三千と糧米一万斛を贈り、

「君の前途を祝す予の寸志である」と、その行を盛んにした。

玄徳は、かさねがさねの好意に、深く礼をのべて立ったが、別れる間際に、曹操は、

「時来れば、君の仇を、君と協力して討ちに行こう」と、ささやいた。

勿論、曹操の胸にも、いつか誅伐の時をと誓っているのは、呂布という怪雄の存在であった。

「…………」

玄徳は、唯々として、何事にも微笑をもってうなずきながら任地へ立った。

ところが、曹操の計画だった呂布征伐の実現しないうちに、意外な方面から、許都の危機が伝えられだした。

許都は今、天子の府であり、曹操は朝野の上にあって、宰相の重きをなしている。

「この花園をうかがう賊は何者なりや！」と、彼は憤然と、剣を杖として立ち、刻々、相府へ馳けこんでくる諜報員の報告を、厳しい眼で聞きとった。

二

この許昌へ遷都となる以前、長安に威を振っていたもとの董相国の一門で張済という敗亡の将がある。

先頃から董一族の残党をかりあつめて、

王城復古

打倒曹閥

の旗幟をひるがえし、許都へ攻めのぼろうと企てていた一軍は、その張済の甥にあたる張繍という人物を中心としていた。

張繍は諸州の敗残兵を一手に寄せて、追々と勢威を加え、また、謀士賈詡を参謀とし、荊州の太守劉表と軍事同盟をむすんで、宛城を根拠としていた。

「捨ておけまい」

曹操は、進んで討とうと肚をきめた。

けれど彼の気がかりは、徐州の呂布であった。

「もし自分が張繍を攻めて、戦が長びけば、呂布は必ず、その隙に乗じて、玄徳を襲うであろう。玄徳を亡ぼした勢いを駆って、さらに許都の留守を襲撃されたらたまらない――」

その憂いがあるので、曹操がなお出陣をためらっていると、荀彧は、

「その儀なれば、何も思案には及びますまい」と、至極、簡単にいった。

「そうかなあ。余人は恐るるに足らんが、呂布だけは目の離せない曲者と予は思うが」

「ですから、与し易しということもできましょう」

「利を喰わすか」

「そうです。慾望には目のくらむ漢ですから、この際、彼の官位を昇せ、恩賞を贈って、玄徳と和睦せよと仰っしゃってごらんなさい」

「そうか」

曹操は、膝を打った。

すぐ奉車都尉の王則を正式の使者として、徐州へ下し、その由を伝えると、呂布は思わぬ恩賞の沙汰に感激して、一も二もなく曹操の旨に従ってしまった。

そこで曹操は、

「今は、後顧の憂いもない」と、大軍を催して、夏侯惇を先鋒として、宛城へ進発した。

淯水（河南省・南陽附近）のあたり一帯に、十五万の大兵は、霞のように陣を布いた。

――時、すでに春更けて建安二年の五月、柳塘の緑は嫋々と垂れ、淯水の流れは温やかに、桃の花びらがいっぱい浮いていた。

張繍は、音に聞く曹操が自らこの大軍をひきいて来たので、色を失って、参謀の賈詡に相談した。

「どうだろう、勝ち目はあるか」

「だめです。曹操が全力をあげて、攻勢に出てきては」

「では、どうしたらいいか」

「降服あるのみです」

さすがに賈詡は目先がきいている。張繍にすすめて、一戦にも及ばぬうち降旗を立てて自身、使いとなって、曹操の陣へおもむいた。

降服に来た使者だが、賈詡の態度ははなはだ立派であった。のみならず弁舌すずやかに、張繍のために、歩のよいように談判に努めたので、曹操は、賈詡の人品にひとかたならず惚れこんでしまった。

「どうだな、君は、張繍の所を去って、予に仕える気はないか」

「身にあまる面目ですが、張繍もよく私の言を用いてくれますから、棄てるにしのびません」

「以前は、誰に仕えていたのかね」

「李傕に随身していました。しかしこれは私一代の過ちで、そのため、共に汚名を着たり、天下の憎まれ者になりましたから、なおさら、自重しております」

宛城の内外は、戦火をまぬかれて、平和のための外交がすすめられていた。

曹操は、宛城に入って、城中の一郭に起居していたが、或る夜のこと、張繍らと共に、酒宴に更けて、自分の寝殿に帰って来たが、ふと左右をかえりみて、

「はてな？　この城中に美妓がいるな。胡弓の音がするぞ」と、耳をすました。

三

彼の身のまわりの役は、遠征の陣中なので、甥の曹安民が勤めていた。

「安民。おまえにも聞えるだろう。――あの胡弓の音が」

「はい、ゆうべも、夜もすがら、哀しげに弾いていたようでした」

「誰だ？　いったい、あの胡弓を弾いている主は」

「妓女ではありません」

「おまえは、知っているのか」

「ひそかに、垣間見ました」

「怪しからんやつだ」

曹操は、戯れながら、苦笑してなお訊ねた。

「美人か、醜女か」

「絶世の美人です」

安民は、大真面目である。

「そうか、……そんな美人か……」と、曹操は、酒の香をほッと吐いて、春の夜らしい溜息をついた。

「おい。連れて来い」

「え。……誰をですか」

「知れたことを訊くな。あの胡弓を奏でている女をだ」

「……ところが、あいにくと、あの美女は、未亡人だそうです。張繡の叔父、張済が死んだので、この城へ引きとって張繡が世話をしているのだとか聞きました」

「未亡人でも構わん。おまえは口をきいたことがあるのだろう。これへ誘ってこい」

「奥郭の深園にいるお方、どうして、私などが近づけましょう。言葉を交わしたことなどありません」

「では――」と、曹操はいよいよ語気に熱をおびて、いいつけた。

「混盗の兵、五十人を率いて、曹操の命なりと告げて、中門を通り、張済の後家に、糺すことあれば、すぐ参れと、伴ってこい」

「はいっ」

曹安民は、叔父の眼光に、嫌ともいえず、あわてて出て行ったが、しばらくすると、兵に囲ませて、一人の美人をつれて来た。

帳外の燭は、ほのかに閣の廊に揺れていた。

曹操は、佩剣を立てて、柄頭のうえに、両手をかさねたままじっと立っていた。

「召しつれました」

「大儀だった。おまえ達はみな退がってよろしい」

曹安民以下、兵たちの跫音は、彼方の衛舎へ遠ざかって行く。――そして後には、悄然たるひとりの麗人の影だけがそこに取り残されていた。

「夫人、もっと前へおすすみなさい。予が曹操だ」

「………」

彼女は、ちらと眸をあげた。なんたる愁艶であろう。蘭花に似た瞼は、ふかい睫毛をふせておののきながら曹操の心を疑っている。

「怖れることはない。すこしお訊ねしたいことがある」

曹操は、恍惚と、見まもりながら云った。*傾国の美とは、こういう風情をいうのではあるまいか。——夫人は、うつ向いたまま歩を運んだ。

「お名まえは。姓は？」

重ねて問うと、初めて、

「亡き張済の妻で……鄒氏といいまする」

かすかに、彼女は答えた。

「予を、ご存じか」

「丞相のお名まえは、かねてから伺っておりますが、お目にかかるのは……」

「胡弓をお弾きになっておられたようだな。胡弓がおすきか」

「いいえ、べつに」

「では何で」

「あまりのさびしさに」

「おさびしいか。おお、秘園の孤禽は、さびしさびしと啼くか。——時に夫人、予の遠征軍が、この城をも焼かず、張繡の降参をも聞き届けたのは、いかなる心か知っておられるか」

「…………」

曹操は、五歩ばかりずかずかと歩いて、いきなり夫人の肩に手をかけた。

「……お分りか。夫人」

夫人は、肩をすくめて貌容を紅の光に染めた。

曹操は、その熱い耳へ、唇をよせて、

「あなたへ恩を売るわけではないが、予の胸一つで張繡一族を亡ぼすも生かすも自由だということは、お分りだろう。……さすれば、予がなんのために、そんな寛大な処置をとったか。……夫人」

幅広い胸のなかに、がくりと、人形のような細い頸を折って仰向いた夫人は、曹操の火のような眸に会って、麻酔にかかったようにひきつけられた。

「予の熱情を、御身はなんと思う。……淫らと思うか」

「い……いいえ」

「うれしいと思うか」

たたみかけられて、夫人の鄒氏はわなわなふるえた。蠟涙のようなものが頰を白く流れる。——曹操は、唇をかみ、つよい眸をその面に屹とすえて、

「はっきりいえっ！」

難攻の城を攻めるにも急激な彼は、恋愛にも持ち前の短気をあらわして武人らしく云い放った。

すこし面倒くさくなったのである。

「おいっ、返辞をせんかっ」

ゆすぶられた花は、露をふりこぼしてうつ向いた。そして唇のうちで、何かかすかに答えた。

嫌とも、はいとも、曹操の耳には聞えていない。しかし曹操はその実、彼女の返辞などを気にしているのではない。

「何を泣く、涙を拭け」

云いながら、彼は室内を大股に濶歩した。

淯水は紅し

一

今朝、賈詡のところへ、そっと告げ口にきた部下があった。

「軍師。お聞きですか」

「曹操のことだろう」

「そうです」

「急に、閣を引払って、城外の寨へ移ったそうだな」

「そのことではありません」

「では、何事か」

「申すもちと、はばかりますが」

と、小声を寄せて、鄒氏と曹操との関係をはなした。

賈詡は、その後で主君の張繡の座所へ出向いた。

張繡も、いやな顔をして、ふさいでいたが、賈詡の顔を見ると、いきなり鬱憤を吐きだすようにいった。

「怪しからん！　――いかに驕り誇っているか知らんが、おれを辱めるにも程がある。おれはもう曹操などに屈してはいられないぞ」

「ごもっともです」

賈詡は、張繡の怒っている問題にはふれないで、そっと答えた。

「……が、こういうことは、あまりお口にしないほうがよいでしょう。男女のことなどというものは論外ですからな」

「しかし、鄒氏も鄒氏だ……」

「まあ、胸をさすっておいで遊ばせ。その代りに、曹操へは、酬うべきものを酬うておやりになればよいでしょう」

謀士賈詡は、何事か、侍臣を遠ざけて密語していた。

すると次の日。

城外に当る曹操の中軍へ、張繍がさりげなく訪ねてきて、

「どうも困りました。私を意気地ない城主と見限ったものか、城中の秩序がこのところゆるんでいるので、部下の兵が、勝手を振舞い、他国へ逃散する兵も多くて弱っておりますが」

と、愚痴をこぼした。

曹操は、彼の無智をあわれむように、打笑って、

「そんなことを取締るのは君、造作もないじゃないか。城外四門へ監視隊を備え、また、城の内外を、たえず督軍で見廻らせて、逃散の兵は、即座に、首を刎ねてしまえば、すぐやんでしまうだろう」

「そうも考えましたが、降服した私が、自分の兵とはいえ、貴軍へ無断で、配備をうごかしては……とその辺をはばかっておるものですから」

「つまらん遠慮をするね。君のほうは君の手で、びしびし軍律を正してくれなければ我軍としても困るよ」

張繡は、心のうちで、「思うつぼ」と、歓んだが、さあらぬ顔して、城中へ帰ってくると、すぐその由を、賈詡に耳打ちした。

賈詡はうなずいて、

「では、胡車児をこれへ、お呼び下さい。私からいいつけましょう」と、いった。

城中第一の勇猛といわれる胡車児はやがて呼ばれて来た。毛髪は赤く、鷲のような男である。力能く五百斤を負い、一日七百里（支那里）を馳けるという異人だった。

「胡車児。おまえは、曹操についている典章と戦って、勝てる自信があるか」

賈詡が問うと、胡車児は、すこぶるあわてた顔いろで、顔を横にふった。

「世の中に誰も恐ろしい奴はありませんが、あいつには勝てそうもありません」

「でも、どうしても、典章を除いてしまわなければ曹操は討てない」

「それなら、策があります。典章は酒が好きですから、事によせて、彼を酔いつぶし、彼を介抱する振りをして、曹操の中軍へ、てまえがまぎれこんで行きます」

「それだ！　わしも思いついていたのは。——典章を酔いつぶして、彼の戟さえ奪っておけば、おまえにも彼を打殺すことができるだろう」

「それなら、造作もありません」

胡車児は、大きなやえ歯をむきだして笑った。

二

本尊様と狛犬のように、常に、曹操のいる室外に立って、爛々と眼を光らしている忠実なる護衛者の典韋は、

「ああ、眠たい」

閑なので、欠伸をかみころしながら、司令部たる中軍の外に舞う白い蝶を見ていた。

「もう、夏が近いのに」と、無聊に倦んだ顔つきして、同じ所を、十歩あるいては十歩もどり、今度の遠征ではまだ一度も血にぬらさない手の戟を、あわれむ如くながめていた。

かつて、曹操が兗州から起つに当って、四方の勇士を募った折、檄に応じて臣となった典韋は、その折の採用試験に、怪力を示して、曹操の口から、

(そちは、殷の紂王に従っていた悪来にも劣らぬ者だ)

といわれ、以来、典韋と呼ばれたり、悪来とも呼ばれたりしてきた彼である。

だが、その悪来典韋も、狛犬がわりに、戟を持って、この長日を立っているのは、いかにも気だるそうであった。

「こらっ、何処へゆく」

ふと、ひとりの兵が、閣の廊をうかがって、近づいて来たので、典韋はさっそく、退屈しのぎに、呶鳴りつけた。

兵は、膝をついて、彼を拝しながら、手紙を出した。

「あなたが、典章様ですか」

「なんだ、おれに用か」

「はい、張繡様からのお使いです」

「なるほど、おれへ宛てた書状だが、はて、何の用だろう」

ひらいてみると、長いご陣中の無聊をおなぐさめ申したく、粗樽をもうけてお待ちしているから明夕城中までお越し給わりたい——という招待状であった。

「……久しく美酒も飲まん」

典章は、心のなかで呟いた。翌日は、昼のうちだけ非番だし、行こうと決めて、

「よろしくお伝えしてくれ」と、約束して使いの兵を帰した。

次の日、まだ日の暮れないうちから出向いて、二更の頃まで、典章は城中で飲みつづけた。そしてほとんど、歩くのもおぼつかない程、泥酔して城外へもどって来た。

「主人のいいつけですから、私が中軍までお送りします。わたくしの肩におつかまり下さい」

一人の兵が、介抱しながら、親切に体を扶けてくれる。見るときのう手紙を持って使いに来た兵である。

「おや、おまえか」

「ずいぶんご機嫌ですな」

「何しろ一斗は飲んだからな。どうだ、この腹は。あははは、腹中みな酒だよ」

「もっと飲めますか」

「もう飲めん。……おや、おれは随分、大漢のほうだが、貴様も大きいな。背がほとんど同じぐらいだ」

「あぶのうございます。そんなに私の首に捲きつくと、私も歩けません」

「貴様の顔は、すごいな。髯も髪の毛も、赤いじゃないか」

「そう顔を撫でてはいけません」

「なんだ、鬼みたいな面をしながら」

「もうそこが閣ですよ」

「何、もう中軍か」

さすがに、曹操の室の近くまで来ると、典章は、ぴたとしてしまったが、まだ交代の時刻まで間があったので、自分の部屋へはいり込むなり前後不覚に眠ってしまった。

「お風邪をひくといけませんよ。……ではこれでお暇いたしますよ」

送ってきた兵は、典章の体をゆり動かしたが、典章の鼾声は高くなるばかりであった。

「……左様なら」

赤毛赤髯の兵卒は、後ずさりに、出て行った。その手には、典章の戟を、いつのまにか奪りあげて持っていた。

三

曹操はこよいも、鄒氏と共に酒を酌みかわしていた。

ふと、杯をおいて、

「なんだ、あの馬蹄の音は」と、怪しんで、すぐ侍臣を見せにやった。

侍臣は、帰ってきて、

「張繡の隊が、逃亡兵を防ぐため、見廻りしているのでした」と、告げた。

「ああそうか」

曹操は、疑わなかった。

けれどまた、二更の頃、ふいに中軍の外で、吶喊の声がした。

「見てこい！　何事だ？」

ふたたび侍臣は馳けて行った。そして帳外からこう復命した。

「何事でもありません。兵の粗相から馬糧を積んだ車に火がついたので、一同で消し止めているところです」

「失火か。……何のことだ」

すると、それから間もなく、窓の隙間に、ぱっと赤い火光が映じた。宵から泰然とかまえていた曹操も、ぎょッとして、窓を押し開いてみると、陣中いちめん黒煙である。

それにただ事ならぬ喊声と人影のうごきに、

「典章っ、典章！」と呼びたてた。

いつになく、典章も来ない。

「――さては」と、彼はあわてて鎧甲を身につけた。

一方の典章は、宵から大鼾で眠っていたが、鼻をつく煙の異臭に、がばとはね起きてみると、時すでに遅し、――寨の四方には火の手が上がっている。

すさまじい喊殺の声、打鳴らす鼓の響き。張繡の寝返りとはすぐ分った。

「しまった！　戟がない」

さしもの典章もうろたえた。

しかも暑いので、半裸体で寝ていたので、具足をつけるひまもなかった。

――がそのまま彼は外へ躍りだした。

「典章だ！　悪来だ！」

敵の歩卒は、逃げだした。

その一人の腰刀を奪い、典章は、滅茶苦茶に斬りこんだ。

寨の門の一つは、彼ひとりの手で奪回した。しかしまたたちまち、長槍を持った騎兵の一群が、歩卒に代って突進して来た。

典章は、騎士歩卒など、二十余人の敵を斬った。刀が折れると、槍を奪い、槍がササラのようになると、それも捨てて左右の手に敵兵二人をひッさげ、縦横にふり廻して暴れまわった。

こうなると、敵もあえて近づかなかった。遠巻きにして、矢を射はじめた。半裸体の典章に矢は仮借なく注ぎかけた。

それでも典章は、寨門を死守して、仁王のごとく突っ立っていた。しかし余り動かないので恐々と近づいてみると、五体に毛矢を負って、まるで毛虫のようになった典章は、天を睨んで立ったまま、いつの間にか死んでいた。

かかる間に、曹操は、

「空しくこんな所で死すべからず――」

とばかり、馬の背にとび乗って、一散に逃げだした。

よほど機敏に逃げたとみえ、敵も味方も知らなかった。ただ甥の曹安民ただ一人だけが裸足で後からついて行った。

しかし、曹操逃げたり！　とは直ぐ知れ渡って、敵の騎馬隊は、彼を追いまくった。追いかけながら、ぴゅんぴゅんと矢を放った。

曹操の乗っている馬には三本の矢が立った。曹操の左の肘にも、一箭突き通った。

徒歩の安民は、逃げきれず、大勢の敵の手にかかって、なぶり殺しに討たれてしまう。

曹操は、傷負の馬に鞭うちながら、ざんぶと、淯水の河波へ躍りこんだが、彼方の岸へあがろうとした途端に、また一矢、闇を切ってきた鏃に、馬の眼を射ぬかれて、どうと、地を打って倒れてしまった。

四

淯水の流れは暗い。もし昼間であったら紅に燃えていたろう。

曹操も満身血しお、馬も血みどろであった。しかも馬はすでに再び起たない。

逃げまどう味方の兵も、ほとんどこの河へ来て討たれた様子である。

曹操は、身一つで、ようやく岸へ這いあがった。

すると闇の中から、

「父上ではありませんか」と、曹昂の声がした。

曹昂は、彼の長子である。

一群の武士と共に、彼も九死に一生を得て、逃げ落ちてきたのであった。

「これへお召しなさい」

曹昂は、鞍をおりて、自分の馬を父へすすめた。

「いい所で会った」

曹操はうれしさにすぐ跳び乗って馳けだしたが、百歩とも駈けないうちに、曹昂は、敵の乱箭にあたって、戦死してしまった。

曹昂は、斃れながら、

「わたくしに構わないでお落ち下さい。父上っ。あなたのお命さえあれば、いつだって、味方の雪辱はできるんですから、私などに目をくれずに逃げのびて下さい」と、叫んだ。

曹操は、自分の拳で自分の頭を打って悔いた。

「こういう長子を持ちながら、おれは何たる煩悩な親だろう。——遠征の途にありながら、陣務を怠って、荊園の仇花に、心を奪われたりなどして、思えば面目ない。しかもその天罰を父に代って子がうけるとは。——ああ、ゆるせよ曹昂」

彼は、わが子の死体を、鞍のわきに抱え乗せて、夜どおし逃げ走った。

二日ほど経つと、ようやく、彼の無事を知って、離散した諸将や残兵も集まって来た。

折も折、そこへまた、

「于禁が謀叛を起して、青州の軍馬を殺した」といって、青州の兵らが訴えてきた。

青州は味方の股肱、夏侯惇の所領であり、于禁も味方の一将である。

「わが足もとの混乱を見て、乱を企むとは、憎んでも余りある奴」

と、曹操は激怒して、直ちに于禁の陣へ、急兵をさし向けた。

于禁も、先頃から張繡攻めの一翼として、陣地を備えていたが、曹操が自分へ兵をさし向けたと聞くと、慌てもせず、

「塹壕を掘って、いよいよ備えを固めろ」と、命令した。

彼の臣は日頃の于禁にも似あわぬことと、彼を諫めた。

「これはまったく青州の兵が、丞相に讒言をしたからです。それに対して、抵抗して

は、ほんとの叛逆行為になりましょう。使いを立てて明らかに事情を陳弁なされてはいかがですか」

「いや、そんな間はない」

于禁は陣を動かさなかった。

その後、張繡の軍勢も、ここへ殺到した。しかし于禁の陣だけは一糸みだれず戦ったので、よくそれを防ぎ、遂に撃退してしまった。

その後で、于禁は、自身で曹操をたずねた。そして青州の兵が訴え出た件は、まったく事実とあべこべで、彼らが、混乱に乗じて、掠奪をし始めたので、味方ながらそれを討ち懲らしたのを恨みに思い、虚言を構えて、自分を陥さんとしたものであると、明瞭に云い開きを立てた。

「それならばなぜ、予が向けた兵に、反抗したか」と、曹操が詰問すると、

「——されば、身の罪を弁疏するのは、身ひとつを守る私事です。そんな一身の安危になど気をとられていたら、敵の張繡に対する備えはどうなりますか。仲間の誤解などは後から解けばよいと思ったからです」

と、于禁は明晰に答えた。

五

曹操はその間、じっと于禁の面を正視していたが、于禁の明快な申し立てを聞き終る

と、

「いや、よく分った。予が君に抱いていた疑いは一掃した」

と、于禁へ手をさしのべ、力をこめて云った。

「よく君は、公私を分別して、混乱に惑わず、自己一身の誹謗を度外視して、味方の防塁を守り、しかも敵の急迫を退けてくれた。――真に、君のごとき者こそ、名将というのだろう」

と、口を極めて賞讃し、特にその功として、益寿亭侯に封じ、当座の賞としては、黄金の器物一副をさずけた。

また。

于禁を誹って訴えた青州の兵はそれぞれ処罰し、その主将たる夏侯惇には、

「部下の取締り不行届きである」との理由で、譴責を加えた。

曹操は今度の遠征で、人間的な半面では、大きな失敗を喫したが、一たん三軍の総帥に立ち返って、武人たるの本領に復せば、このように賞罰明らかで、いやしくも軍紀の振粛をわすれなかった。

賞罰のことも片づくと、彼はまた、祭壇をもうけて、戦没者の霊を弔った。

その折、曹操は、全軍の礼拝に先だって、香華の壇にすすみ、涙をたたえて、

「典韋。わが拝をうけよ」と、いった。

そして、瞑目久しゅうして、なお去りやらず、三軍の将士へ向って、

「こんどの戦で、予は、長子の曹昂と、愛甥の曹安民とを亡くしたが、予はなお、それを以て、深く心を傷ましはしない。……けれど、けれど、日常、予に忠勤を励んだ悪来の典章を死なせたのは、実に、残念だ。——典章すでに亡しと思うと、予は泣くまいとしても、どうしても泣かずにはおられない」と、流涕しながらいった。

粛として、彼の涙をながめていた将士は、みな感動した。

もし曹操の為に死ねたら幸福だというような気がした。忠節は日常が大事だとも思った。

何せよ、曹操は、惨敗した。

しかし味方の心を緊め直したことにおいては、その失敗も償って余りがあった。

逆境を転じて、その逆境をさえ、前進の一歩に加えて行く。——そういうこつを彼は知っていた。

故あるかな。

過去をふりむいて見ても、曹操の勢力は、逆境のたびに、躍進してきた。

× × ×

一たん兵を退いて都の許昌に帰ってくると、曹操のところへ、徐州の呂布から使者が来て、一名の捕虜を護送してよこした。

使者は、陳珪老人の子息陳登であり、囚人は、袁術の家臣、韓胤であった。

「すでにご存じでしょうが、この韓胤なる者は、袁術の旨をうけて、徐州へ来ていた婚姻の使者でありました。——呂布は、先頃、あなたからの恩命に接し、朝廷からは、平東将軍の綬を賜わったので、いたく感激され、その結果、袁術と婚をなす前約を破棄して、爾後、あなたと親善をかためてゆきたいという方針で——その証として、韓胤を縛りあげ、かくの如く、都へ差立てて来た次第でありまする」

陳登は、使いの口上をのべた。

曹操はよろこんで、

「双方の親善が結ばれれば、呂布にとっても幸福、予にとっても幸福である」

と、すぐ刑吏に命じて、韓胤の首を斬れといった。

刑吏は、市にひき出して、特に往来の多い許都の辻で、韓胤を死刑に処した。

その晩、曹操は、

「遠路、ご苦労であった」

と、使いの陳登を私邸に招待して、宴をひらいた。

陳大夫

一

酒宴のうちに、曹操は、陳登の人間を量り、陳登は、曹操の心をさぐっていた。

陳登は、曹操にささやいた。

「呂布は元来、豺狼のような性質で、武勇こそ立ち優っていますが、真実の提携はできない人物です。──こういったら丞相は呂布の使いにきた私の心をお疑いになりましょうが、私の父陳珪も、徐州城下に住んでいるため、やむなく呂布の客臣となっていますが、内実、愛想をつかしておるのです」

「いや、同感だ」

果たして、曹操の腹にも二重の考えが、ひそんでいたのである。陳登が、口を切ったので、彼もまた、本心をもらした。

「君のいう通り、呂布の信じ難い人間だということは予も知っている。しかし、それさえ腹に承知して交際っているぶんには、彼が豺狼の如き漢であろうと、何であろうと、後に悔いるようなことは、予も招かぬつもりだ」

「そうです。その腹構えさえお持ちでしたら、安心ですが」

「幸い、君と知己になったからには、今後とも、予のために、蔭ながら尽力してもらいたい。……君の厳父陳大夫の名声は、予も夙に知っておる。帰国したらよろしく伝えてくれ」

「承知しました。他日、丞相がもし何かの非常手段でもおとりになろうという場合は、必ず、徐州にあって、われわれ父子、内応してお手伝いしましょう」

「たのむ。……今夜の宴は、計らずも有意義な一夜だった。今のことばを忘れないように」

と曹操と陳登は、盞をあげて、誓いの眸を交わした。

曹操は、その後、朝廷に奏し、陳登を広陵の太守に任じ、父の陳珪にも老後の扶持として禄二千石を給した。

その頃。

淮南の袁術のほうへは、早くも使臣の韓胤が、許都の辻で馘られたという取沙汰がやかましく伝えられていた。

「言語道断！」

袁術は、呂布の仕方に対して、すさまじく怒った。

「礼儀を尽したわが婚姻の使者を捕えて、曹操の刑吏にまかせたのみか、先の縁談は破棄し、この袁術に拭うべからざる恥辱をも与えた」

即座に、二十余万の大軍は動員され、七隊に分れて、徐州へ迫った。

呂布の前衛は、木の葉の如く蹴ちらされ、怒濤の如く一隊は小沛に侵入し、そのほか、各処の先鋒戦で、徐州兵はことごとく潰滅され、刻々、敗兵が城下に満ちた。

呂布は事態の悪化に、あわて出して、にわかに重臣を呼びあつめた。

「誰でもよい。今日は忌憚なく意見を吐け。それがこの徐州城の危急を救う策ならば、何なりとおれは肯こう」と、いった。

席上、陳宮がいった。

「今にして、お気がつかれたでしょう。かかる大事を招いたのは、まったく陳珪父子のなせる業です。――その証拠には、あなたは陳珪父子をご信用あって、許都への使いもお命じになりましたが、どうです。彼らは朝廷や曹操にばかり媚びて、巧みに自身の爵禄と前途の安泰を計り、今日この禍いが迫っても、顔を見せないではありませんか」

「然り！　然り！」と、誰か手を打って、陳宮の説を支持する者があった。

陳宮は、なお激語をつづけて、

「――ですから、当然な報酬として、陳珪父子の首を斬り、それを持って、袁術へ献じたら、袁術も怒りを解いて、兵を退くでしょう。悪因悪果、彼らに与えるものと、徐州を救う方法は、それしかありません」

呂布は、たちどころにその気になった。すぐ使いをやって陳珪父子を城中に呼びつけ、罪を責めて、首を斬ろうとした。

すると、陳大夫は、からからと高笑いして、

「病にも死なず、さりとて、花も咲かず、枯木の如く老衰したわしの首など、梅の実一つの値打ちもありません。伜の首も御用とあればさしあげましょう。……しかしまあ、あなたは何という臆病者だろう。アハハハハ、天子に対して恥かしくはありませんか」

と、なおも笑いこけた。

二

「なにを笑う」

呂布は、くわっと、眼をいからせて、陳珪(ちんけい)父子を睨(ね)めつけた。

「われを臆病者とは、云いも云ったり。さほど大言を吐くからには、汝に、敵を破る自信でもあるのか」

「なくてどうしましょう」

陳大夫は澄ましたものである。

呂布はせきこんで、

「あらば申してみよ。もし、確乎たる良策が立つなら、汝の死罪はゆるしてくれよう」

「計りごとはありますが、用いると用いざるとは、あなたの胸一つでしょう。いかなる良策でも、用いなければ空想を語るに過ぎません」

「ともかく申してみい」

「聞説、淮南の大兵二十余万とかいっています。しかし、烏合の衆でしょう。なぜならば、袁術はここにわかに、帝位につかんという野心から、急激にその軍容を膨脹させました。ご覧なさい、第六軍の将たる韓暹は、以前、陝西の山寨にいた追剝の頭目ではありませんか。また、第七軍を率いている楊奉は、叛賊李傕の家来でしたが、李傕を離れて、曹操にも追われ、居る所なきまま袁術についている輩です」

「ウム。なるほど」

「それらの人間の素姓は、あなたもよくご存じのはずですのに、何を理由に、袁術の勢を怖れますか。――まず、利を以て、彼らを抱きこみ、内応の約をむすぶことです。そして寄手を攪乱せしめ、使いを派して、こちらは劉玄徳と結託します。玄徳は温良高潔の士、必ず今でも、あなたの苦境は見捨てますまい」

陳大夫のさわやかな弁に呂布は酔えるが如く聞き入っていたが、

「いや、おれは決して、彼らを恐れてはいない。ただ大事をとって、諸臣の意見を徴してみたまでだ」と、負け惜しみをいって、陳父子の罪は、そのまま不問に附してしまった。

そのかわり陳珪、陳登のふたりは謀略を施して、敵の中から内応を起させる手段をとるべし――と任務の責めを負わされて、一時、帰宅をゆるされた。

「伜。あぶない所だったな」

「父上も、思いきったことをおっしゃいましたな。今日ばかりは、どうなることかと、ひやひやしておりましたよ」

「わしも観念したな」

「ところで、よいご思案があるんですか」

「いや、何もないよ」

「どうなさるので？」

「明日は明日の風が吹こう」

陳大夫は、私邸の寝所へはいると、また、老衰の病人に返ってしまった。

一方、袁術のほうでは。

婚約を破棄した呂布に対し、報復の大兵を送るに当って、三軍を閲し、同時に、(これ見よ)といわぬばかりに、ここに、多年の野望を公然とうたって、皇帝の位につく旨を自らふれだした。

小人珠を抱いて罪あり、例の孫策が預けておいた伝国の玉璽があったため、とうとうこんな大それた人間が出てしまったのである。

「むかし、漢の高祖は、泗上の一亭長から、身を興し、四百年の帝業を創てた。しかし、漢室の末、すでに天数尽き、天下は治まらない。わが家は、四世三公を経、百姓に帰服され、予が代にいたって、今や衆望沸き、力備わり、天応命順の理に促され、今日、九五の位に即くこととなった。爾らもろもろの臣、朕を輔けて、政事に忠良なれ」

彼はすっかり帝王になりすましてから群臣に告げ、号を仲氏と立て、台省官府の制を布き、龍鳳の輦にのって南北の郊を祭り、馮氏のむすめを皇后とし、後宮の美姫数百人にはみな綺羅錦繍を粧わせ、嫡子をたてて東宮と僭称した。

三

慢心した暴王に対しては、命がけで正論を吐いて諫める臣下もなかったが、ただひとり、主簿の閻象という者が折をうかがって云った。

「由来、天道に反いて、栄えた者はありません。むかし周公は、后稷から文王におよぶまで、功を積み徳をかさねましたが、なお天下の一部をもち、殷の紂王にすら仕えていました。いかにご当家が累代盛んでも、周の盛代には及ぶべくもありません。また漢室の末が衰微しても、紂王のような悪逆もしておりません」

袁術は聞いているうちにもう甚だしく顔いろを損じて、皆までいわせず、

「だから、どうだというのか」と、怖ろしい声を出した。

「……ですから」

閻象はふるえ上がって、後のことばも出なくなった。

「だまれッ。学者ぶって、小賢しいやつだ。――われに伝国の玉璽が授かったのは偶然ではない。いわゆる天道だ。もし、自分が帝位に即かなければかえって天道に反く。――貴さまの如き者は書物の紙魚と共に日なたで欠伸でもしておればよろしい。退れっ」

袁術は、臣下の中から、二度とこんなことをいわせないために、

「以後、何者たりと、わが帝業に対して、論議いするやつは、即座に断罪だぞ」と、布令させた。

そこで彼は、すでに告発した大軍の後から、さらに、督軍親衛軍の二軍団を催して、自身、徐州攻略におもむいた。

その出陣にあたって、兗州の刺史金尚へ、

「兵糧の奉行にあたれ」と、任命したところ、何のゆえか、金尚がその命令にグズグズいったというかどで、彼は、たちまち親衛兵を向け、金尚を搦めてくると、

「これ見よ」とばかり首を刎ねて、血祭りとした。

督軍、親衛の二軍団がうしろにひかえると、前線二十万の兵も、

「いよいよ、合戦は本腰」と、気をひきしめた。

七手にわかれた七将は、徐州へ向って、七つの路から攻め進み、行く行く郡県の民家を焼き、田畑をあらし、財を掠めていた。

第一将軍張勲は、徐州大路へ。

第二将軍橋甤は、小沛路へ。

第三陳紀は、沂都路へ。

第四雷薄は、瑯琊へ。

第五陳蘭の一軍は碣石へ。

第六軍たる韓暹は、下邳へ。

第七軍の楊奉は峻山へ。

——この陣容を見ては、事実呂布がふるえあがったのも、あながち無理ではない。

呂布は、陳大夫が、やがて「内応の計」の効果をあげてくるのを心待ちにしていたが、陳父子はあれきり城へ顔も出さない。

「如何したのか！」と、侍臣をやって、彼の私邸をうかがわせてみると、陳大夫は長閑な病室で、ぽかんと、陽なたぼッこしながら、いかにも老いを養っているという暢気さであるという。

短気な呂布、しかも今は、陳大夫の方策ひとつにたのみきっていた彼。

何で穏やかに済もう。すぐ召捕ってこいという呶鳴り方だ。先には、彼の舌にまどわされてゆるしたが、今度は顔を見たとたんに、あの白髪首をぶち落してくれねばならん！

捕吏が馳け向った後でも、呂布はひとり忿懣とつぶやきながら待ちかまえていた。

——ちょうど黄昏どき。

陳大夫の邸では、門を閉じて、老父の陳大夫を中心に、息子の陳登も加わって、家族たちは夕餉の卓をかこんでいた。

「オヤ、何だろう」

門のこわれる音、屋鳴り、召使いのわめき声。つづいてそこへどかどかと捕吏や武士など大勢、土足のままはいって来た。

四

否応もない。陳大夫父子は、その場から拉致されて行った。

待ちかまえていた呂布は、父子が面前に引きすえられると、くわっと睨めつけ、

「この老ぼれ。よくもわれをうまうまとあざむいたな。きょうこそは断罪だ」

と、直ちに、武士に命じて、その白髪首を打ち落せ――と猛った。

陳大夫は相かわらず、にやにや手応えのない笑い方をしていたが、それでも、少し身をうごかして両手をあげ、

「ご短気、ご短気」

と、煽ぐようにいった。

呂布はなおさら烈火の如くになって、殿閣の梁も震動するかとばかり吼えた。

「おのれ、まだわれを揶揄するか。その素っ首の落ちかけているのも知らずに」

「待たしゃれ。落ちかけているとは、わしが首か。あなたのお首か」

「今、眼に見せてやる」

呂布が、自身の剣へ手をかけると、陳大夫は、天を仰ぐように、

「ああ、ご運の末か。一代の名将も、こう眼が曇っては救われぬ。みすみすご自身の剣で、ご自身の首を刎ねようとなさるわ」

「何を、ばかな！」と、いったが、呂布も多少気味が悪くなった。

その顔いろの隙へ、陳大夫の舌鋒はするどく切りこむように云った。

「確か、先日も申しあげてあるはずです。いかなる良策も、お用いなければ、空想を語るに等しいと。——この老ぼれの首を落したら、誰かその良策を施して、徐州の危急を救いましょうか。——ですからその剣をお抜きになれば、ご自身の命を自ら断つも同じではございませんか」

「汝の詭弁は聞き飽いた。一時のがれの上手をいって、邸に帰れば、暢気に寝ておるというではないか」——策を用いぬのは、われではなく汝という古狸だ」

「ゆえに、ご短気じゃというのでござる。陳大夫は早ひそかに、策に着手しています。即ち近日のうちに、敵の第六軍の将韓暹と、某所で密会する手筈にまでなっておるので」

「えっ。ほんとか」

「何で虚言を吐きましょう」

「しからば何で、私邸の門を閉じて、この戦乱のなかを、安閑と過しているのか」

「真の策士はいたずらに動かず——という言葉をご存じありませんか」

「巧言をもって、われを欺き、他国へ逃げんとする支度であろう」

「大将軍たる者が、小人のような邪推をまわしてはいけません。それがしの妻子眷族は、みな将軍の掌の内にあります。それらの者を捨てて、この老人が身一つ長らえて何国へ逃げ行きましょうや」

「では、直ちに、韓暹に行き会い、初めに其方が申した通り、わが為に、最善の計ごとを施す気か、どうだ？」

「それがしはもとよりその気でいるのですが、肝腎なあなたはどうなんです」

「ウーム。……おれの考えか。おれもそれを希っているが、ただ悠長にだらだらと日を過しているのは嫌いだ。やるなら早くいたせ」

「それよりも、内心この陳大夫をお疑いなのでしょう。よろしい。しからばこうしましょう。せがれ陳登は質子として、ご城中に止めておき、てまえ一人で行ってきます」

「でも、敵地へ行くのには、部下がなければなるまい」

「つれてゆく部下には、ちと望みがございます」

「何十名いるか。また、部将には誰をつれて行きたいか」

「部将などいりません。供もただ一匹で結構です」

「一匹とは」

「お城の牧場から一頭の牝羊をお下げ渡してください。韓暹の陣地は、下邳の山中と聞く。――道々、木の実を糧とし、羊の乳をのんで病軀を力づけ、山中の陣を訪れて、きっと韓暹を説きつけてみせます。ですから、あなたのほうでも、おぬかりなく、劉玄徳へ使いを立て、万端、お手配をしておかれますように」

陳大夫はその日、一頭の羊をひいて、城の南門から、飄然と出て行った。

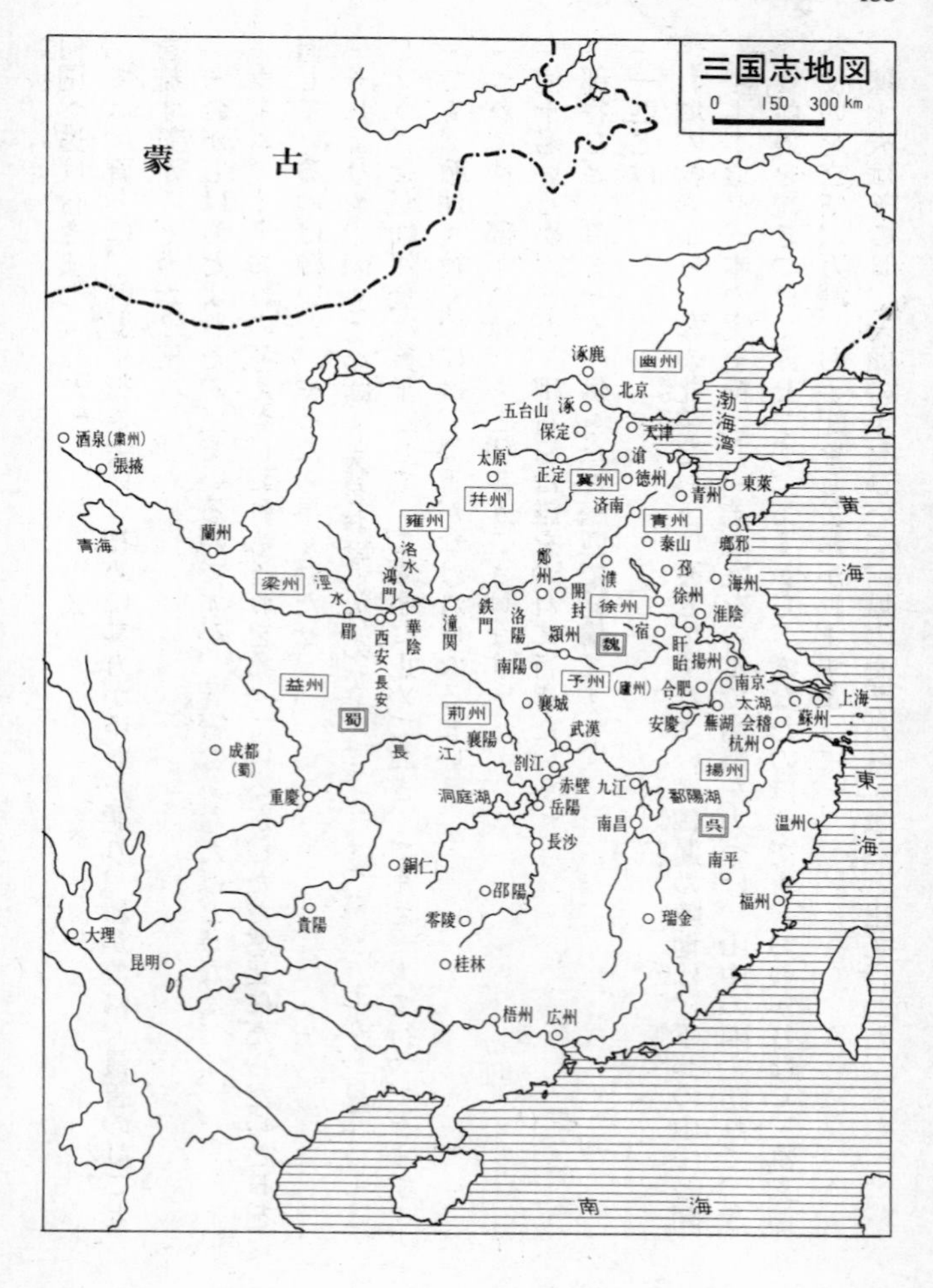

三国志地図
0 150 300 km
蒙古
渤海湾
黄海
東海
南海
幽州
涿鹿
北京
五台山
涿
保定
天津
滄
太原
正定
冀州
德州
青州
東萊
并州
雍州
済南
青州
瑯邪
泰山
邳
海州
徐州
淮陰
鄭州
濮
開封
徐州
宿
盱眙
揚州
洛水
鴻門
梁州
涇水
郿
西安(長安)
華陰
潼関
鉄門
洛陽
潁州
魏
南陽
予州
(盧州)
合肥
南京
太湖
上海
蘇州
益州
蜀
荊州
襄城
安慶
蕪湖
会稽
杭州
成都(蜀)
長江
襄陽
武漢
剖江
揚州
重慶
赤壁
九江
鄱陽湖
洞庭湖
岳陽
南昌
呉
温州
長沙
南平
銅仁
邵陽
福州
貴陽
零陵
瑞金
大理
昆明
桂林
梧州
広州
酒泉(粛州)
張掖
青海
蘭州

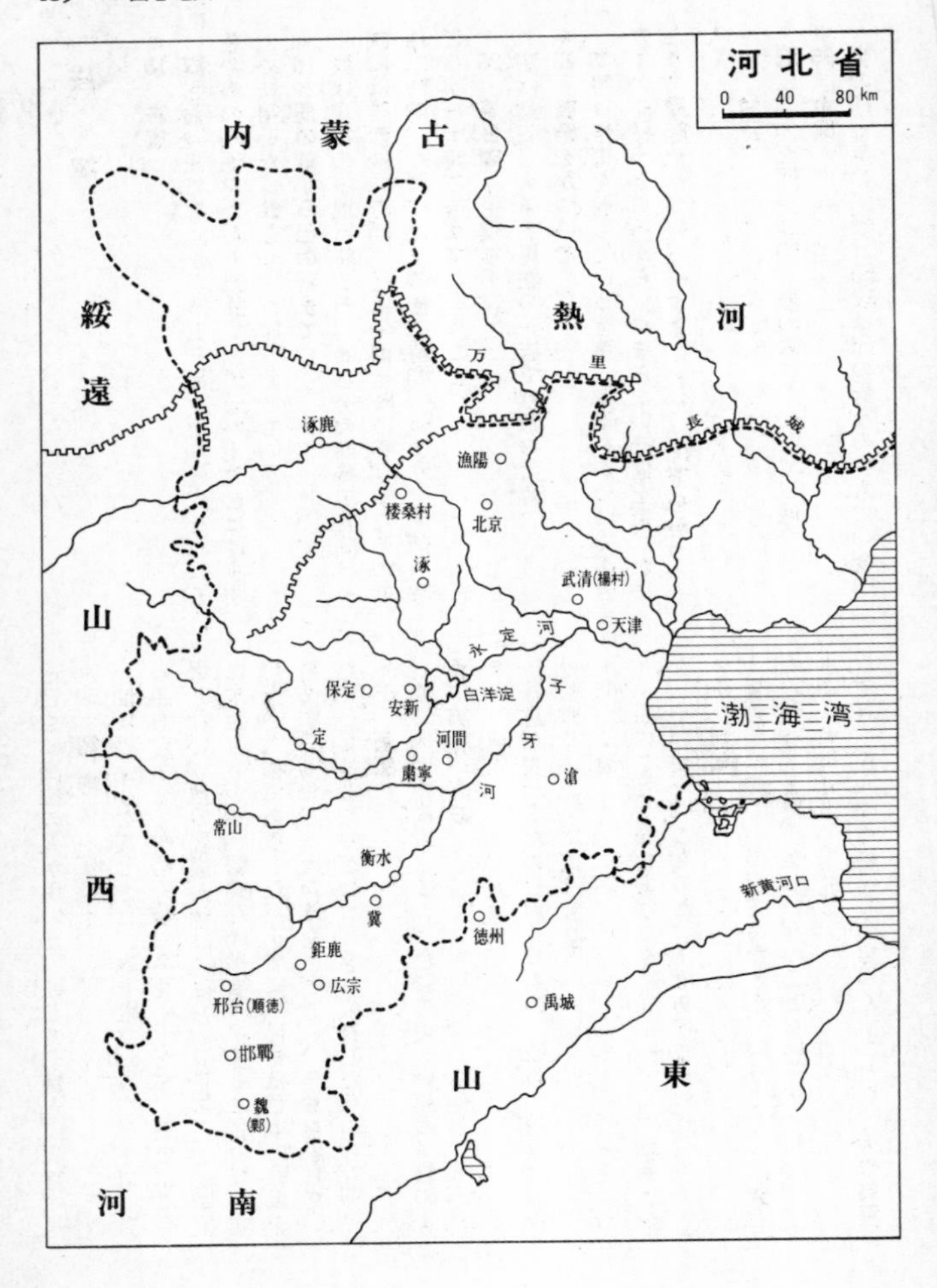
河北省
0 40 80 km
内 蒙 古
綏 遠
熱 河
万 里 長 城
山 西
河 南
山 東
渤海湾
涿鹿
漁陽
楼桑村
北京
涿
武清(楊村)
天津
永 定 河
保定
安新
白洋淀
子 牙 河
定
河間
粛寧
滄
常山
衡水
冀
徳州
新黄河口
鉅鹿
広宗
邢台(順徳)
禹城
邯鄲
魏
(鄴)

註解

＊10 旌旗
旗ざおの先に旄（からうしの尾）をつけ、それに五色の鳥の羽毛をたらした旗で、天子が士気をはげますために用いた。鈴をつけた旗のこともいう。

＊16 辰の刻から巳の刻まで
辰は現在の午前八時ごろ、またその前後二時間。一説にはその後二時間。巳は午前十時ごろ、またその前後二時間、一説にはその後二時間。つまり、午前八時ごろから十時ごろまでということ。

＊26 馬日磾（生歿年不詳）
字は翁叔。大学者馬融の一族で献帝の大傅。

＊43 御幣をかついで
御幣は幣束を敬っていう言葉。御幣をかついで不吉なものを祓うところから、つまらない迷信を気にかけたり、縁起をかついだりすることを「御幣をかつぐ」という。

＊50 城戸
柵に作った門。城門。城の入口。転じて、城。

＊55 金紫
金の印と紫の印綬。印綬は印の飾りのひもで、金印とともに高位の人が用いた。転じて、貴人、高官。

＊59 貂蟬
仙女のような美しさと、歌や踊りのみごとさで、男の運命をかえてゆく一輪の名花――だが、正史には登場しない。他の登場人物は、ほとんど正史「三国志」に本籍をもつが、貂蟬だけが唯一、正史に名のない空想上の人物である。ただ正史に「呂布は董卓の私邸を警備するうち、一人の侍女と密通し、発覚を恐れていた」とあるあたりがヒロインへ変身したものらしい。

＊63 画閣
絵で飾った高殿。また、色彩の美しい高殿。絵のように美しい高殿。

＊65 音物
好意を表わすためのおくりもの。賄賂。進物。引物とも書く。「いんぶつ」とも。

＊68 丫鬟
丫頭のこと。頭をあげまきに髪をむすんだ幼女・少女。小間使い。こしもと。丫はあげまきの意。

＊68 雲鬢
鬢の毛の美しいのを雲にたとえていうことば。鬢の毛の美称。また、美しい女のこともいう。

＊70 犬馬の労
主君や他人のために心力をつくすことを、犬や馬程

度の働きと、へりくだっていうこと。

＊75 糸竹管弦
琴、琵琶などの弦楽器と笙、笛などの管楽器の総称で、それらを演奏することもいう。糸竹の道。

＊77 粉黛
おしろいとまゆずみ。転じて、化粧。美人をいう。

＊82 蠱惑
珍しさ、美しさなどで人の心をひきつけてまどわすこと。たぶらかすこと。

＊96 月宮
月の中の都にあると信ぜられた宮殿。月の世界。

＊102 社稷
古代の中国で、建国のとき、君主が壇を築いてまつる土地の神と五穀の神。この二神を右に、宗廟を左にまつり、国家の最も重要な守り神とした。これから転じて、国家、朝廷のこと。

＊138 迦陵頻伽
仏語。極楽浄土にいるという鳥。顔は美女のようでその声が非常に美しいところから、仏の声を形容するのに用いられる。

＊180 兵機
戦争の機会。戦機。戦争の機略。用兵の機微。兵略。

＊202 龍攘虎搏
強いものどうしが、はげしく戦い争うさま。

＊232 生酔本性にたがわず
酔っても、その本来の性質は変わらない。

＊236 袞龍の袖
天子の御衣の袖。天子の威徳のもと。「袞龍の袖に隠る」は、天子の特別な恵みにすがり、自分勝手なことをすること。

＊236 反間
敵国に入って敵情を探ったり、敵国に不利な言いふらしをする者。間者。スパイ。敵の間者を逆に利用してわが用をさせること。「反間苦肉」の策などという。

＊237 爪牙
つめときば。主人の手足となって働く家臣。また、悪人の策略、魔手の意味にも使う。

＊247 二更
昔の時間の単位で、五更の一つ。一夜を五等分した第二の時刻で、今の午後十時前後。午後九時から十一時（一説には十時から十二時）までの二時間。

＊252 鑾輿
天子の乗る輿。鳳輿。鳳輦。「らんにょ」とも。

＊285 樊噲 ?～紀元前一八九
漢の高祖劉邦の功臣（武将）。沛（江蘇省沛県南東）

の人。鴻門の会で、沛公劉邦が項羽の臣・范増に謀殺されようとしたとき、機転をもって救った。沛公が漢王となるとかれも将軍となり、多くの功績により代々世襲を許され、食邑の舞陽にちなんで舞陽侯と号した。

＊285 **田夫**（でんぶ）
農夫。百姓。いなかもの。「でんぶ」とも。「田夫野人」といえば、いなかもの、粗野ないなかもの。

＊291 **暦数**（れきすう）
日月の運行を測ってこよみを作る方法。季節・年月のめぐり。まわりあわせ。自然にめぐってくる運命。

＊291 **易経**（えききょう）
書名。二巻。五経（儒教の五つの経典＝易経・書経・詩経・礼記（らいき）・春秋）の一つで占い（うらない）の書。

＊291 **五行説**（ごぎょうせつ）
中国で、万象の生成変化を説明するための理論。

＊299 **八荒**（はっこう）
荒は果（はて）のこと。八極。八方の果。転じて、全世界。

＊317 **感賞**（かんしょう）
感心してほめること。功をほめてあたえるほうび。

＊343 **鱖魚**（けつぎょ）
スズキ科の淡水魚。口が大きく、うろこが小さく、黒い斑点がある川魚。あさじ、水豚。アジア大陸東部の川や湖に分布。体長三十センチぐらい。食用。

＊351 **一臂**（いっぴ）
かたひじ。かたうで。転じて、わずかの力、少しの助力の意。「一臂の力」をかすなどという。

＊377 **羯鼓**（かっこ）
匈奴と同族の羯族から伝えられたつづみ。台の上におき、ばちで両面を打ち鳴らす。えびすのつづみ。

＊381 **南船北馬**（なんせんほくば）
中国での交通は、南部は川が多いので船を、北部は山野が多いので馬を用いるところから、各地をいそがしく駆けまわることをいう。東奔西走。

＊384 **釜中の豆**（ふちゅうのまめ）
釜の中で今にも煮られようとしている豆。転じて、死が目の前にせまっている境遇のこと。

＊389 **敗軍の将は兵を語らず**（はいぐんのしょうはへいをかたらず）
戦に敗れた将軍は、戦について語る資格がない。失敗した者はその事について意見を述べる資格がない。

＊395 **三軍**（さんぐん）
中国周代の兵制で大国の保有した軍隊。上中下三軍合計三万七千五百人の総称。一軍は一万二千五百人。

＊458 **傾国**（けいこく）
国の存立を危うくすること。国をほろぼすほどの美人、美女。また傾城（けいせい）、遊女、遊里などのこともいう。

転換期に即応する文学

松下幸之助

聞くところによると、吉川英治氏は、十二歳の時に家の没落に遭い、小学校を中退して以降社会の下積み生活の辛酸をなめつつも、寸暇を惜しんでは文学書を読まれたという。その時の体験によって、人生の実相、人心の機微を観る目が養われたのであろう。後年、次々と世に出された歴史小説が、多くの人びとに愛読され、国民的文学者として文壇にゆるがぬ地位を築かれたのも当然である。

私も九歳で小学校を中退し、大阪の船場で丁稚奉公をしたが、その時、店番をしながらよく「太閤記」とか「猿飛佐助」などの講談本を読んだものである。それらは、人間の心というか、義理人情というものを知るうえで非常に参考になるものが多かった。

歴史上の人物の考え方なり生き方には、汲めどもつきぬ真理、教訓があり、今日生きるうえにも貴重な示唆を与えてくれる。それらを歴史の中に埋もれるにまかせておくのは惜しいことであるが、吉川氏は、そうした歴史上の人物が織りなすエピソードに題材を取り、日本の古典の中にある真実を今に通用する物語として甦らせたのである。

吉川氏が「三国志」「宮本武蔵」「新書太閤記」「新・平家物語」などのすぐれた作品を残されたことは、私どもにとってまことに幸せなことである。動乱の時代を背景に、日本人に馴染み深い歴史上の人物の生きざまを描いた物語の数々が、今回、装いも新たに文庫として世に出されることになった。大きな転機を迎えつつある今日、まことに時宜を得た企画であり、今の若い方がたに広く読まれることを願っている。

（松下電器産業相談役）

●作品紀行

三国志の旅(二)

尾崎秀樹（文芸評論家）

董卓による長安遷都

洛陽を捨てて長安へ都を移した董卓は、長安西方の郿城（現在の眉県）に居城をおき、ほしいままにふるまった。「魏書」の「董卓伝」によると、長安の城壁と同じ高さの土塁を築き、そこに三十年分の穀物を貯蔵したという。

その独裁者も二年後に王允や呂布らによって殺され、郿城にいた董氏の一族もすべて血祭りにあげられた。そして董卓の遺体は広場にひきずり出され、そのへそにさしこまれた特別製の灯芯に火をつけると、ふとった董卓の脂肪で、数日間燃えつづけたそうである。

董卓が遷都した頃、長安の町は荒廃していた。前漢（西漢）の末年、王莽、更始、赤眉の乱などによって、すっかり焼き払われていたからだ。だが強引に董卓は洛陽を焼いて、その住民を長安へ強制移住させ、反対する者を殺し、財産を没収、おまけに歴代皇帝の陵や宰相などの墓をあばいて、そこに葬られたかずかずの珍奇な品々を奪い、遷都を実現したのであった。

長安は現在の西安である。西安は中国の六大古都のひとつに数えられる歴史的な都市だ。秦嶺山脈の北、渭水の南に位置する沃野の中心にあり、西周の鎬京をはじめ、秦の咸陽宮、漢都長安、隋や唐の長安城など、千年近くも王城の地だった場所だけに、歴史の遺跡も多く、一日や二日ではまわりきれない。西安には私も何度か旅したが、まだまだ重要な遺跡を見残している。そこで少し欲ばって、ここでは三国時代に限らず、幅をひろげて歴史の遺構をたずねてみよう。

秦始皇帝時代の長安

中国最初の統一国家をつくりあげた秦の始皇帝は、西安の北方にあたる咸陽を都とした。始皇帝は諸国を征服して、各地の家族を都に移住させ、その土地の宮殿を解体して材木を咸陽へ運び、都づくりに役立てたといわれる。

西安を出はずれて渭水を渡ると咸陽市に入るが、始皇帝が都をおいたところは、現在橋がかかっているあたりよりやや下った位置にあり、渭水をはさんで北側にある宮殿と、南側にある遊園地とを結ぶために、大きな橋がかかっていたそうである。なにしろ宮殿の数が二百七十棟もあり、それぞれの間に複道という二階建の回廊がつづいていたというから、その雄大さは想像を絶している。有名な阿房宮はその咸陽宮と現在の西安とのほぼ中間にあったようだが、項羽が焼いたとき、燃えつきるのに三ヵ月かかったなどと聞くと、ただただあきれるばかりである。

あきれるといえば、始皇帝の陵墓もまた規模の大きさに目をみはる。高さ百十五メートル、周囲二キロの一大墳墓をつくるために、動員された労働者（主として罪人）の数は七十万人、その地下には、日常の生活をそっくりそのまま've しめすだけの什器や食糧までが備えられていたという。

始皇帝陵は西安の東方三十数キロの地にあり、驪山の北麓にながく裾をのばした形で横たわっている。かつて百メートルを越える高さだった陵も、今では五十メートルほどになってしまい、周囲も五分の一以下に減ってしまった。しかし始皇帝陵の前にたつと、権勢の姿がしのばれることは間違いない。さらに西方へしばらく行くと、一九七四年以来、精力的に発掘のすすんできた陶俑坑がある。坑は三つに分れ、一号坑は巨大なドームにおおわれており、そこが秦始皇兵馬俑博物館になっている。等身大の武人俑や陶馬などはすばらしい。二千二百年前の地下軍団の存在は巨大な秦軍の威風をしめすものだ。

体育館を思わせる大きなドームの下では、整備が進められており、破壊された陶俑はその場で復元されている模様だった。どの武人俑も首をそぎ落されているのは、現実主義者だった漢の高祖が破壊するように命じたのであろうか。掩いをなしていた木材もすべて焼け焦げになって、地下から掘り出されるのを見ることができた。

石の生命に見る中国史

西安の近郊には前漢時代の皇帝の陵が点在している。東南の方角にある覇王（五代文帝の墓）と杜陵（九代宣帝）を除くと、いずれも渭水の北岸にあり、涇水の合流点から西へかけて、安陵（二代恵帝）、陽陵（十六代景帝）、長陵（初代高祖）、平陵（八代昭帝）。渭陵（十代元帝）、延陵（十一代成帝）、義陵（十二代哀帝）、康陵（十三代平帝）とつづき、さらにその先に茂陵（七代武帝）がある。

渭水を渡って西へ向う途中、それらの陵墓や陪陵が各所に点在しているのが、車窓からみられるが、前漢の皇陵のうち、観光コースに入っているのは茂陵であろう。茂陵は興平県の東北九キロほどのところにある。東西四百三十メートル、南北四百十四メートルの方形の壁に囲まれており、中央部に方錐形の墳丘があり、五十メートル弱の高さである。

当時は皇陵をつくると強制的に人民を移住させたものらしく、そうやってつくられた町を陵邑とよんだ。結構身分の高い者がふくまれており、茂陵の近くに住む者は、長安の町でおおいにもてたそうである。

文革の間はこの茂陵も一般の閲覧が難しかったが、最近は始皇帝陵や唐の昭陵、乾陵などと同様、観光者がふえている。私もかつて、昭和五十四年の春、この茂陵へまわり、その陪冢のひとつである霍去病の墓を見物した。茂陵の周辺にはほかに衛青、李夫人、霍光など、夫人や功臣たちの陪冢が点在しており、霍去病の墓の上に登ると、それらを指呼の間に見ることができる。

霍去病の墓の敷地内には茂陵文物管理処がおかれており、そこにはアルバムなどでおなじみの西漢早期の石像彫刻群が陳列されている。自然石の味をそのままに生かしながら、それにわずかな彫刻をほどこすことで、ゆたかな量感と形体美を生かしたけものや人の彫刻は、さながら石の生命を発見するようないとなみであり、立ち去り難い気持を抱いたものだ。

匈奴討伐の将軍だった衛青の甥にあたる霍去病は、早くから叔父に従って遠征し、かずかずの武勲をたて、わずか二十四歳で病歿している。「馬踏匈奴」と名づけられた石像をみていると、西域のはてまで遠征し、戦いつづけた若い武将の戦歴が、まざまざとよみがえってくる。

アジア最大級の都市

前漢の首都だった長安城は、現在の西安市の西北方に位置していた。当時のアジアでは最大級の政治・商業都市であり、解放後の調査研究によると、東西南北に走る城壁に囲まれた、多少凹凸のある正方形だとされている。長安だけの戸数で八万八百戸、人口は二十四万六千余、周辺部まで入れると六十四万七千戸、二百四十三万七千余人だったというから、当時としては中国第一、いやアジア第一の都市だったのである。おまけに近在の皇陵が陵邑をなして衛星都市を構成しており、茂陵だけでも戸数六万一千八十七、人口二十七万七千二百七十七と記録されているから、その繁栄ぶりが想像される。

しかし何といっても長安の都の盛況ぶりは唐代であろう。隋の文帝によって建設された長安の都は、唐によってさらに発展し、玄宗皇帝の時代にはついに世界第一の都市になった。長安の町は東西九・七キロ、南北八・二キロのひろがりをもち、南北十一条、東西十四条の町筋が碁盤目のように交錯し、南北へ走る道路の道幅は百四十七メートル、東西の道路は多少の違いはあったが、狭い道でも七十メートルの幅をもっていたと伝えられる。道路で区切られた各坊は、五メートルほどの高さの城壁がとりまいており、道の左右には街路樹が植えられ、各所に石柱が建っていた。

城内の中央、北寄りの一角には、宮城と皇城、つまり中央官庁街があり、皇帝は宮城に接した大明宮に住んでいた。いちばんの繁華街は商店街のある東市と西市、それに朱雀門界隈で、南の方に行くと次第に人家がまばらになった。もち米と石灰でつくった煉瓦づくりの大雁塔は、七世紀の中頃の建造物で、取経で名高い玄奘三蔵の建立したものだといわれているが、その大雁塔に近い曲江池は、春をめでる人たちであふれ、「三月三日天気新たなり、長安の水辺麗人多し」と杜甫が詠んだほどだ。大雁塔のある大慈恩寺は牡丹の名所としても知られていた。

すべての道は長安に……

なにしろ「すべての道は長安に通ず」といわれたほど、世界各地からさまざまな文物が長安へ集まってきた。文物だけでなく、そこを去来する人々も各種各様であり、日本や朝鮮はもちろん、中央アジア、ペルシャ、インドなどから来た留学生や商売人などもまじっており、異国からの来訪者の数も一万人を越えたという。しかしこの盛況は三国時代から数百年後のことだ。

現在の西安の街を歩いていると、いたる所に史蹟や遺跡をみることができる。大雁塔、小雁塔、鼓楼、鐘楼などは観光コースにもなっている。驪山の麓にある華清池は西周時代から知られた温泉だが、白楽天が「長恨歌」で「春寒うして浴を賜う華清池、温泉水なめらかに凝脂を洗う」とうたった玄宗皇帝と楊貴妃のロマンスを思い浮かべる人も多いことだろう。私もこの温泉に二度ほどつかったことがあった。そのタイル張りの浴室に身を横たえていると、中国の歴史の厚みとでもいったものが、しみじみと伝わってくる思いがした。

碑林のある陝西省博物館も、古文物に興味を抱く人には欠かせないコースである。そのもととなった碑林は、唐代に刻まれた石経を保存するため、北宋時代につくられたもので、解放後、現在地に移され、陝西省博物館と名を改められたという。周、秦、漢、隋、唐など五代王朝の文物をはじめ、すぐれた石刻芸術や碑林を見ていると、時間のたつのが早すぎるほどだ。とくに千九十五基の石碑が立ち並ぶ展示室は、壮観というほかはない。

吉川英治歴史時代文庫の表記について

吉川英治歴史・時代文庫の表記は著作権者との話合いで、児童作品を除き、次のような方針で行っております。

一、作品は新かなづかいを原則とする。ただし、引用文は原文のままとする。

二、送りがなは改定送りがなに準拠する。ただし、原文が許容されている送りがなを使用している場合は本則によらず、そのままとする。

(例) 引揚げる。打明ける。

また、辺の場合など、ヘンかアタリか、親本のルビを基とし、ルビなく、どちらともとれるときは、辺のままとする。

三、原文の香気をそこなわないと思われる範囲で、漢字をかなにひらく。ただし、作品別、発表年代別に慎重を期する。

(例) 然し→しかし　但し→ただし (接続詞)
噫→ああ　呀→あっ (感動詞)
迄→まで　位→くらい (助詞)
凝っと→じっと　猶→なお (副詞)
儘→まま (形式名詞)

例外の場合

御机→お机 (御身→御身(おんみ)) (接頭語)

四、会話の『』は「」にする。

五、くりかえし記号 ヽ、ゝ、〱 々は原則として使用しない。

なお、作品中に、身体の障害や人権にかかわる差別的な表現がありますが、文学作品でもあり、かつ著者が故人でもありますので、一応そのままにしました。ご諒承ください。

吉川英治歴史時代文庫　34

三国志（さんごくし）(二)

一九八九年　四　月十一日第　一　刷発行
二〇〇五年十二月　二　日第四十一刷発行

著者――吉川英治（よしかわえいじ）
発行者――野間佐和子
発行所――株式会社講談社
東京都文京区音羽二―十二―二一
郵便番号一一二―八〇〇一
電話　編集部　〇三―五三九五―三五〇五
販売部　〇三―五三九五―五八一七
業務部　〇三―五三九五―三六一五

印刷――凸版印刷株式会社
製本――株式会社国宝社

Printed in Japan　ISBN4-06-196534-4

吉川英治歴史時代文庫　全80巻　補巻5　編成表

① 剣難女難
② 鳴門秘帖(一)
③ 鳴門秘帖(二)
④ 鳴門秘帖(三)
⑤ 江戸三国志(一)
⑥ 江戸三国志(二)
⑦ 江戸三国志(三)
⑧ かんかん虫は唄う他
⑨ 牢獄の花嫁
⑩ 松のや露八
⑪ 親鸞(一)
⑫ 親鸞(二)
⑬ 親鸞(三)
⑭ 宮本武蔵(一)
⑮ 宮本武蔵(二)
⑯ 宮本武蔵(三)
⑰ 宮本武蔵(四)
⑱ 宮本武蔵(五)
⑲ 宮本武蔵(六)
⑳ 宮本武蔵(七)
㉑ 宮本武蔵(八)
㉒ 新書太閤記(一)
㉓ 新書太閤記(二)
㉔ 新書太閤記(三)
㉕ 新書太閤記(四)
㉖ 新書太閤記(五)
㉗ 新書太閤記(六)
㉘ 新書太閤記(七)
㉙ 新書太閤記(八)
㉚ 新書太閤記(九)
㉛ 新書太閤記(十)
㉜ 新書太閤記(十一)
㉝ 三国志(一)
㉞ 三国志(二)
㉟ 三国志(三)
㊱ 三国志(四)
㊲ 三国志(五)
㊳ 三国志(六)
㊴ 三国志(七)
㊵ 三国志(八)
㊶ 源頼朝(一)
㊷ 源頼朝(二)
㊸ 上杉謙信
㊹ 黒田如水
㊺ 大岡越前
㊻ 平の将門
㊼ 新・平家物語(一)
㊽ 新・平家物語(二)
㊾ 新・平家物語(三)
㊿ 新・平家物語(四)
(51) 新・平家物語(五)
(52) 新・平家物語(六)
(53) 新・平家物語(七)
(54) 新・平家物語(八)
(55) 新・平家物語(九)
(56) 新・平家物語(十)
(57) 新・平家物語(十一)
(58) 新・平家物語(十二)
(59) 新・平家物語(十三)
(60) 新・平家物語(十四)
(61) 新・平家物語(十五)
(62) 新・平家物語(十六)
(63) 私本太平記(一)
(64) 私本太平記(二)
(65) 私本太平記(三)
(66) 私本太平記(四)
(67) 私本太平記(五)
(68) 私本太平記(六)
(69) 私本太平記(七)
(70) 私本太平記(八)
(71) 新・水滸伝(一)
(72) 新・水滸伝(二)
(73) 新・水滸伝(三)
(74) 新・水滸伝(四)
(75) 治郎吉格子他
(76) 柳生月影抄他
(77) 忘れ残りの記
(78) 神州天馬侠(一)
(79) 神州天馬侠(二)
(80) 神州天馬侠(三)

補巻

① 新編忠臣蔵(一)
② 新編忠臣蔵(二)
③ 梅里先生行状記
④ 随筆新平家
⑤ 随筆私本太平記
随筆宮本武蔵

＊平成二年十月　全巻完結